浪潮之巅

第二版·上册

On Top of Tides

吴军 著

人民邮电出版社

北京

图书在版编目（C I P）数据

浪潮之巅：第2版. 上册 / 吴军著. —— 北京：人
民邮电出版社，2013.7（2014.12 重印）
ISBN 978-7-115-30120-8

Ⅰ. ①浪… Ⅱ. ①吴… Ⅲ. ①IT产业－企业管理－美
国 Ⅳ. ①F49②TP3

中国版本图书馆CIP数据核字(2012)第296314号

内 容 提 要

这不是一本科技产业发展历史集……

而是在这个数字时代，一本 IT 人非读不可，而非 IT 人也应该阅读的作品。

一个企业的发展与崛起，绝非只是空有领导强人即可达成。任何的决策、同期的商业环境，也在影响着企业的兴衰。《浪潮之巅》不只是一本历史书，除了讲述科技顶尖企业的发展规律，对于华尔街如何左右科技公司，以及金融风暴对科技产业的冲击，也多有着墨。

此外，这本书也着力讲述很多尚在普及或将要发生的，比如微博和云计算，以及对下一代互联网科技产业浪潮的判断和预测。因为在极度商业化的今天，科技的进步和商机是分不开的。

- ◆ 著　　　　　吴　军
  责任编辑　　俞　彬
  审稿编辑　　李琳骁
  策划编辑　　周　筠
  责任印制　　焦志炜

- ◆ 人民邮电出版社出版发行　　北京市丰台区成寿寺路 11 号
  邮编　100164　　电子邮件　315@ ptpress. com. cn
  网址　http://www.ptpress. com. cn
  北京铭成印刷有限公司印刷

- ◆ 开本：720×960　1/16
  印张：17.75
  字数：262 千字　　　　　　2013 年 7 月第 1 版
  印数：75 001—85 000 册　　2014 年 12 月北京第 6 次印刷

定价：35.00 元
读者服务热线：(010)81055410　印装质量热线：(010)81055316
反盗版热线：(010)81055315

谨以此书献给我的母亲，并以此纪念我的父亲。

希望本书能够帮助和鼓励中国年轻的一代在世界科技大潮中有所作为。

读者赞誉

除了当年第一次读金庸的武侠以外，《浪潮之巅》是我到目前为止第一本看过第一遍之后马上就想重读一遍的书。因为第一次读时，我真的像饥饿的人看到面包一样，被心里的快感控制住，贪婪地读下去。因有太多的地方点燃了灵感，反而无法消化。而在第二次读的时候，这种"快感"才会消失，才能平静下来吸收营养。因此，精读的时候才是真正吸收这本书精华吸收的过程。为此，我也付出了好几个不眠之夜。

—— 吴楠／大连海事大学信息科学技术学院副教授

我认为不懂历史的人是不懂现在，也看不到未来的。作为一个互联网行业，更大一点说是信息技术行业的从业者，不懂历史就是不知道自己的位置，不知道自己的位置就会迷失。《浪潮之巅》这部 IT 史记就是告诉我们自己在哪里，追逐的又是什么。

《浪潮之巅》的价值不在于陈述的事实，而在于总结出来的规律，所以写历史的人不是光知道史实就可以了，更重要的是他的理解和总结。

吴军作为一个计算机博士，不仅有对技术的理解，还有对行业的看法，以及非常好的文笔。我觉得作为一位技术人员来说，千万不能把自己局限于一个方面，而是要广泛地获取各方面的知识，开拓自己的视野，给自己画个圈圈起来是一件可怕的事情。

—— 潘晓良／百姓网技术总监

终于把吴军博士所著的《浪潮之巅》读完了，由于工作太忙，读这本书的时间基本上是在上下班坐地铁的时候。平日在地铁上的单程要 45 分钟，这时候会十分枯燥，但这几天在地铁上读这本书，45 分钟却过得异常的快，每到最后一站时，都意犹未尽。

—— 龚天乙／StarryMedia（星点传媒）CTO

《浪潮之巅》是近期科技、商业领域一部不可多得的好书，我想，它甚至在"史学"书架里也预订了属于自己的一个格子。个人电脑带来的技术革命浪潮奔涌了 30 年，每个人都被它改变，连时代都以"信息"二字命名。那些弄潮者是如此神奇，它们的波澜壮阔与分崩离析，一定会被人们津津乐道。因为资本主义地球下的企业，就像冷兵器时代的乱战之国，每一个革命性的新技术或致敌死命的市场行为，就像英雄的宝剑神兵或暗器剧毒。再过 20 年，它们可能都会成为电台评书的题材，当人们说起"世纪之交，经济衰退"，就如同袁阔成拍响惊堂木后的"东汉末年，群雄并起"一样。

—— 刘阳子／《中国知识产权报》记者

《浪潮之巅》中的"浪潮"指的是互联网和 IT 行业的发展浪潮，Just-Pub 的周筠老师称这本书是"所有立志进入 IT 行业的年轻人必读"。而我觉得，这本书还值得商科同学一读。再往小了说，这本书值得学习金融的同学一读，因为不论你将来从事卖方抑或买方的工作，不管你是要配置一个资产组合，为一家 IT 公司承销上市，为一家新创的互联网公司做风投，你都需要了解互联网和 IT 行业。从这个意义来讲，我觉得这本书是很好的入门书籍。

—— 蒋科／富坤创投高级投资经理，CFA

对于一个 IT 互联网行业的产品经理来说，没有什么比这样一本书更符合我的需求了。对于大势的理解和对科技潮流之趋向的把握，是吴军博士所擅长的。这本力作也不会让人失望，希望所有产品经理都能精读此书。

也许是受了"细节就是生产力"的洗脑，平时的工作总是太关注细节，却忘了抬起头来看一看剧烈变化的天空。相信大多数 IT 从业者也有这个迫切的需求，希望有人能给我们讲一讲 IT 的历史、科技的历史。就像史蒂芬·霍金的《时间简史》为许多人开启了现代物理学窥豹之路，相信这本《浪潮之巅》也能为 IT 和互联网从业者打开一扇全新的大门。

—— chrisyxj / 豆瓣读者

花了一个晚上加一天的时间把《浪潮之巅》看完了（昨天晚上差点看通宵）。看完之后的最大的感受是：长见识了，真长见识了！市面上也从来没有一本讲 IT 历史的书籍讲得这么全面的。但如果单纯地叙述历史，这本书恐怕不会受到这么多读者的欢迎。这本书讲历史的同时也开阔了读者的思维，引申出读者对未来的看法。同时这本书也斧正了一些我对商业的看法，比如：什么是创业。同时也做了很多扫盲的工作，比如那些超级公司最初是如何融资的，如何开始的——这本书带给我的太多太多……

—— Join / 豆瓣读者

《浪潮之巅》是我在 2011 年全年看到的最好的一本书，没有之一。好书大致分两种。一种讲"道"，一种讲"术"。"道"给人指明方向，"术"给人提供解决问题的工具。吴军老师这本书讲的就是 IT 产业的"道"。在读本书之前，我对于 IT 产业有了解，但都是碎片化的，如同盲人摸象。阅毕本书，我终于将 IT 这头大象的腿、耳朵、尾巴连了起来，形成了一张完整的 IT 产业地图。这种融会贯通的感觉，着实令人酣畅淋漓。力荐！

——许维 / 明道企业社会化协作平台副总裁

我也经历过两家大公司合并的整个过程，最近一直在看《浪潮之巅》，身在其中，感触良多。大公司的合并，很艰难也很辛苦，基因非常重要。IT 行业风云变幻，未来的五到十年会非常精彩。作为个人来说，我认为，在时代潮流中，认准方向，参与其中，坚持努力，即使失败，也无怨无悔。

—— 夏明武 / 数据分析师，新浪微博读者虽然还没有看完，但已经按捺不住兴奋来推荐它了。这是一本让人看过之后会觉得很爽的书，你可以把它当作历史书，也可以当作科普书，还可以当作商业案例书。看过之后，你会发现内部创投基金的鼻祖是思科，你会看到 IBM、苹果、英特尔迈向卓越靠的都是精和专而非粗和泛。

—— 下雨不打伞 oYoY／新浪微博读者

看 Google 黑板报连载的时候就很好奇，一个搞技术搞研究的人，怎么能对这些事情了如指掌。之后听吴军老师介绍他在整个 IT 领域的经历才明白，只有这样的经历才能对全局有足够的把握：清华大学毕业；参与过中国最早对 Apple II 的仿制；在约翰·霍普金斯大学师从名师，研究自然语言处理；在 Google 的早期加入其中，经历了互联网在美国的潮起潮落；加入 Google 中国，体验过国内互联网的种种是非；再到腾讯。很难想象，没有这样的从业经历，如何能把握这类企业的沉浮。

—— 陈钢／中南大学计算机博士，深圳华大基因研究院研究员

《浪潮之巅》很好看，吴军以不输吴晓波《激荡三十年》的文笔，沿着技术的脉络记录了近年的 IT 风云变幻。有的内容以前在 Google 黑板报上看到过，但是网络阅读的感觉远远比不上纸本书在手中所能激起的豪迈。书要仔细地读，事要认真地做。浪潮之巅，碎浪如烟。

—— 李杨／展横智远总经理

看着吴军的《浪潮之巅》，既莫名激动，又绝望透顶，五味杂陈。激动是因为看到希望在升腾，绝望是因为看到硅谷的基因是创新和最先进的生产关系后，让身处异地的人感到机会就像烟雾般即刻消散。超级好的一本书，IT 创业者、从业者必读，不推荐心里不安。

—— 李巍／工信部电信研究院高级工程师

这是一部讲述了近百年来 IT 界发展史的书，其中有科技巨人微软、苹果、

惠普、IBM、AT&T 等大公司的兴衰之路，也有对整个世界 IT 业发展史的宏观叙述，还讲述了几个重要的商业模式、国际金融机构和世界经济操盘手。全书观点宏观而不空洞，跨时绵长而不累赘，故事传奇而不虚浮，评论精彩而不偏颇，是一部难得的史书。

对于非 IT 从业人员来说，这本书读起来几乎没有什么阅读门槛，只要当作一本小说来读就可以了，就跟看《故事会》似的。对于 IT 从业人员来说，从这些传奇故事中吸取教训，开拓视野，无疑对于今后的事业会有很大的帮助。总而言之，这也算是一本"相见恨晚"的好书。

—— 严哲／华南理工大学软件学院 08 级学生、设计师、前端开发者

对于一个年轻人，一个学习语言出身，但是即将踏足互联网行业的人而言，吴军博士的《浪潮之巅》在一个恰如其分的时候出现在我的生命里。他用一种极朴实的语言和略带诙谐的口吻带我走进了充满厮杀和血雨腥风的互联网战国时代，让我一面对互联网行业的传奇和残酷叹为观止，一面又静静地开始思考互联网行业立足和发展的本质。不得不说，这是一次非常值得经历的阅读之旅！

—— Jennychou ／译言网读者

这本书乍看目录好像是在讲 IT 发展史，但其实看完以后你会发现，从书里面补上的 IT 发展史也许只占你收获的三分之一不到，更大的收获来自于其他方面。每个人的阅历和知识结构都不同，所以在接收完一类信息以后的体会也都不同。《浪潮之巅》给我最大的启发是，作为一个工程师，关心和学习一些经济知识真的非常有必要，这在通常情况下能让你更接近问题的本质。我们都说以史为鉴，看了吴军先生对 AT&T、摩托罗拉等公司的兴衰分析，颇受启发。我们不仅看到了一家家公司沉浮的过程，还看到它们背后的原因（管理的、基因的、经济的），既有鱼吃，也有渔学，受益匪浅。

—— 刘志峰／思科系统（中国）研发有限公司杭州分公司

创新精神是企业发展的源泉，这一点在 IT 企业中表现得格外明显。而要保证创新，公司的体制非常重要。吴军先生敏锐地阐述了"基因"这个 IT 企业的中心，和创新与体制这两个"基本点"。传统行业的创新往往是"微小"的，而且大多在产品层面进行。比如乳业企业可以把不断开发新口味的酸奶视为创新。而 IT 行业的创新则是革命性的，大多数需要在思想层面产生变革。Google 的崛起、苹果对移动互联网行业的重新定义，以及当下以 Facebook 和 Twitter 为代表的社交网络的流行，无一不是巨大的创新。而创新背后的人才体制、分配体制、管理体制的变化，是创新能够成功，并且保证企业持续发展的推动力。

居安思危是企业管理者，尤其是成功企业管理者必备的素养。吴军先生在书中阐述："从 1986 年到 2001 年，太阳公司的营业额从 2.1 亿美元涨到 183 亿美元，成长率高达平均每年 36%，能连续十五年保持这样高速度发展，只有微软、英特尔和思科曾经做到过。在这种情形下，很少能有人冷静地看到高速发展背后的危机。"我在读博士的时候，实验室里用的小型机就是太阳公司出的，我们还曾经乐此不疲地研究 Unix 和 Sun Solaris 环境下的程序设计思想。高成长背后所带来的高风险，可能会在大环境发生变化的时候产生，而企业管理者决策的一点点失误，可能会在这个时候被无限放大。作为企业管理者，当我们的眼光瞄准收入、利润、成本控制、高速增长的时候，随时关注商业大潮的变化，并做到未雨绸缪，恐怕是防范风险的有效方法。吴先生在书中说到的 3M 公司的成功，即是如此。

《浪潮之巅》是一本信息技术行业的传记。吴先生没有在书中夹杂过多的个人评论，但是用翔实的数据和具体的案例为读者提供了理性思考的空间，并且，在看似独立的章节背后，吴先生阐述了 IT 行业发展的完整生态链，包括投资、教育、产业的相互交融，以及对未来行业发展的评述，读过之后，有一种"坐听潮起潮落，静看花谢花开"的感觉，同时，受益良多。

——杜昶旭 / 北京博智天下信息技术有限公司创始人，CEO

第二版出版说明

《浪潮之巅》出版以来，承蒙广大读者的抬爱，得到了较高的评价，同时在业界引起了一定的反响。信息产业的发展瞬息万变，在第一版上市后的 18 个月里，IT 行业又发生了很大的变化；因此，我将这些变化的内容补充到第二版中，与广大读者共享。补充的内容，除了一些一般性的信息更新和同步，主要集中在这些话题：

· 后乔布斯时代的苹果；

· 杨致远离开雅虎事件及雅虎总裁辞职，雅虎和阿里巴巴的交易；

· Google 的佩奇新政以及 Google 收购摩托罗拉；

· 欧债危机；

· Facebook 上市；

· 微软和 Google、苹果近年的竞争；

· 云计算的进展；

· 创新工场和中国的天使投资等。

一些读者问我为什么在第一版中没有写甲骨文（Oracle）公司，因为从市值和营业额来讲它确实能够上榜。原因在于我并非按照公司的市值或营业额大小来选择，而是看它在世界经济大潮中的作用。写作这本书的目的其实并不是讲 IT 公司的故事，而是要透过这些故事说明 IT 产业发展的规律性，因此，我会选取对说明该主题最有帮助的公司，故不可能覆盖所有公司。

甲骨文是个经营得很好的公司，但是它的成功很大程度上是靠创始人埃里森的个人本领，以及很多次成功的并购。根据上述原则，我在第一版中选择了现在已经式微的雅虎，而没有选择比它大几倍的甲骨文。但是，依然有很多热心读者希望看到领导人的作用以及并购对科技公司的影响，因此，我在第二版中加入了甲骨文一章。其中很多内容由 Google 的叶艳女士（原甲骨文市场经理）提供，在此对她表示衷心感谢。

读者的另一个问题是为什么没有把 Facebook 单独拿出来作为一章。我主要是考虑它的商业模式还有待时日来证实，同时它的业绩也有待时间来检验。或许三五年后再次修订这本书时，可以将它单独作为一章来处理。但即便如此，我也已经在第二版中对 Facebook 做了大量的分析。

第二版上市后再次得到读者好评，三个月内印刷了 4 万套（上下册），并即将推出第二版的精装本。第二版（精装本）进一步完善了内容细节，并增加了一项希望对读者有帮助的内容：**中国公司和美国股市的恩恩怨怨**。

在第二版的修订和编辑过程中，我除了要感谢从第一版开始就关心和帮助我的所有人（这里不再一一列举了）外，要特别感谢为我校正和修订全书的李琳骁先生。他不仅仔细校对了全书的文字，而且对书中每一个事件的细节进行了考证和确认。

2013 年 11 月于美国硅谷

第一版序言

最早看到吴军博士的《浪潮之巅》，是在 Google 黑板报上。2007 年，任 Google 资深研究员的吴军，应邀为 Google 黑板报撰写文章，介绍他对互联网和 IT 业界兴衰变化的观察和思考。由于文章篇幅较长，被单列为"浪潮之巅"栏目分次刊出。设立该栏目的直接收获就是，Google 黑板报随后人气大增，增加了大批的追随者。作为《浪潮之巅》的最早一批读者，我当时就感觉，这个系列完全应该编纂成书，如今，这个感觉变成了现实。

对于吴军，我比较熟悉，因为在语音识别领域，我们都有着共同的研究兴趣，并曾作为同事有过很多交流。吴军在清华大学获得学士和硕士学位，在美国约翰·霍普金斯大学获得计算机博士学位，致力于语音识别、自然语言处理等领域的研究。我在 2005 年加入 Google 时，吴军已经在那里工作多年。他在 Google 期间参与主持了许多研发项目，并在国内外发表过数十篇论文、获得和申请了近十项美国和国际专利。

我认识很多顶尖的工程师，但具备强大叙事能力的优秀工程师，我认识的可以说是凤毛麟角，而吴军是其中之一。从 AT&T、微软、Google、思科等引领整个时代浪潮的公司历史叙述，到硅谷之所以成为科技中心所依靠的天时、地利、人和因素，再到科技公司发展壮大过程中风险投资、银行、产业规律各自扮演的角色，以及新时代背景下金融危机和云计算（Cloud Computing）为科技产业带来的冲击和革命……虽然每个人的观点不尽相同，但是通过这本书中看似波澜不惊的行文，你会读出一个从事互联网行业十多年的"老行家"个人独到的见解，以及一个身处"浪潮"中的"弄潮儿"的切身体会。

作为"兼才"，《浪潮之巅》恰恰因此具备了两方面的优势。首先，作为一位曾每天与程序、算法、科研打交道的 Google 最优秀的研究员，势必能更客观地描述那些科技公司的兴衰得失，不会人云亦云，更不至于离题万里；第二，作为一位拥有写作天赋的工程师，吴军能够确保文章的有趣与可读，不会容忍自己的作品成为一本呆板的教科书式读物。

《浪潮之巅》又不仅是一部提供"快乐阅读"的大公司商业史，它融汇了作者多年来的所见所闻，更包含了大量的独立思考与独特见解。这份心血，不仅是他个人的天赋使然，也是他始终在研究领域孜孜不倦的成果。

值得一提的是，吴军的文章，没有将目光局限在大洋彼岸，内容上也不仅是停留在对若干巨头企业的探查。作者试图从整个产业链上向读者揭示科技公司的运作规律，并通过大量的调研与观察，客观分析中国本土企业在这次科技浪潮中的地位与影响。实际上，作者吴军本人也已离开了Google，目前正在一家中国著名互联网公司担任其核心业务的领军人物。

《浪潮之巅》不是一本历史书，因为书中着力描述的，很多尚在普及或将要发生，比如微博与云计算，又比如对下一代互联网科技产业浪潮的判断和预测。从文字中可以看出，作者对科技、对创新、对互联网都充满"虔诚"信仰，并为之激情四射。

我想，对所有身处并热爱高科技行业的人来说，对所有渴望创新、欣赏创新的中国创业者来说，《浪潮之巅》都是一本可读性很强的作品，足以做到"开卷有益"！

李开复

2011 年 4 月于北京

第一版前言
有幸见证历史

近一百多年来，总有一些公司很幸运地、有意无意地站在技术革命的浪尖之上。一旦处在了那个位置，即使不做任何事，也可以随着波浪顺顺当当地向前漂十年，甚至更长的时间。在这十几年到几十年间，它们代表着科技的浪潮，直到下一波浪潮的来临。

从一百多年前算起，AT&T 公司、IBM 公司、苹果（Apple）公司、英特尔（Intel）公司、微软（Microsoft）公司、思科（Cisco）公司、雅虎（Yahoo!）公司和 Google 公司，也许还有接下来的 Facebook 公司，都先后被幸运地推到了浪尖。虽然，它们来自不同的领域，中间有些已经衰落或正在衰落，但是它们都极度辉煌过。它们都曾经是全球性的帝国，统治过自己所在的产业。

这些公司里面大大小小的人在外人看来都是时代的幸运儿。因为，虽然对于一个公司来讲，赶上一次浪潮不能保证它长盛不衰；但是，对于一个人来讲，一生赶上这样一次浪潮就足够了。对于一个弄潮的年轻人来讲，最幸运的莫过于赶上一波大潮。

加拿大作家格拉德威尔（Gradwell）在《异类》（Outliers）一书中介绍了这样一个事实：在人类历史上最富有的 75 人中，有 1/5 出生在 1830~1840 年的美国，其中包括大家熟知的钢铁大王卡内基和石油大王洛克菲勒。这一不符合统计规律的现象的背后有着其必然性，他们都在自己年富力强（30~40岁）时，赶上了美国内战后的工业革命浪潮。这是人类历史上产生实业巨子的高峰年代。而第二个高峰年代就是从上世纪50年代末到70年代初的20年间，出现了苹果公司创始人史蒂夫·乔布斯（Steve Jobs）、微软公司的创始人比尔·盖茨（Bill Gates）、太阳公司的创始人安迪·贝托谢姆（Andy Bechtolsheim）和比尔·乔伊（Bill Joy）、戴尔公司的创始人迈克尔·戴尔（Michael Dell）、Google的创始人拉里·佩奇（Larry Page）和谢尔盖·布林（Sergey Brin）等，因为他们在自己年富力强时幸运地赶上了信息革命的大潮。而这恰恰发生在我们经过的这个时代，我们每一个人都有幸亲历了信息革命的历史。

要预测未来是很难的，但是看看过去和现在，我们也许能悟出一些道理。我希望将我这些年来看到的和听到的人和事拿出来与大家分享，帮助读者，尤其是年轻的读者，对当今世界科技产业的发展有系统的了解。我会谈一谈我对每次浪潮的看法，对上述每个公司的看法，以及对其中关键人物的认识。在极度商业化的今天，科技的进步和商机是分不开的。因此，我也要提到间接影响到科技浪潮的风险投资公司，诸如KPCB和红杉资本（Sequoia Capital），以及百年来为科技公司捧场的投资银行，例如高盛（Goldman Sachs），等等。

本书最初应崔瑾女士的约稿，以博客的形式在Google黑板报上连载。Just-Pub出版团队负责人周筠女士读后一直在热情地向读者推荐，并且后来和我约稿出版实体书。这前前后后有三四年的跨度，信息科技（Information Technologies，简称IT）产业的世界格局也发生了较大的变化，因此，这次在出版实体书时，我不仅补齐了全部的章节，也对原有章节进行了大规模的修改。书中适当地保留了一些章节的原貌，以帮助读者了解我的思考过程。

本书的结构有些独特，经常是介绍完一些公司后，中间穿插着一些其他的话题。一些媒体的朋友问我为什么这样组织全书？原因是为了帮助读者理解一些公司的决策的原因和它们的商业模式，必须提前介绍和它们相关的 IT 产业的一些规律。比如，在介绍英特尔公司和微软公司时，就一定会谈及半导体行业的摩尔定律和微机时代的 WinTel 体系[1]，以及由此产生的微机时代 IT 产业的生态链。我们在后面分析其他公司时，又会多次提到这个生态链，因此，必须在英特尔 / 微软之后，其他章节之前对 IT 的一些规律先做介绍。而对于影响科技公司业务和发展的幕后推动力，包括投资银行和风投公司，也必须在谈及一些公司的决策前先对其做一番介绍。因此，这本书在章节上做了一些特殊的安排。但是，全书基本还是按照时间顺序展开，也就是从 AT&T 和 IBM 这两个百年老店讲起，到微机时代，再到互联网时代，以及现在的云计算和互联网 2.0 时代。

在我写作的过程中，得到了很多人的帮助和鼓励，包括李开复博士、崔瑾女士、周筠女士、Google 和腾讯的数百名年轻人，以及成千上万的博客读者。Google 北京的工程师吴根清、宿华和单久龙先生帮助我校对了部分章节，李琳骁先生对这一版早期编辑印刷的一些错误进行了仔细更正，在此我对他表示衷心的感谢。尤其需要感谢的是我的妻子张彦女士和我的母亲朱秀珍女士，她们不仅是我的文章的第一读者，而且在我的写作过程中一直给予我不断的鼓励和支持。

2011 年 5 月于深圳

1

WinTel 源 于 微 软公司的操作系统 Windows 和英特尔（Intel）公司两个英文词的组合，表示在整个微机时代由微软公司和英特尔公司主导。在后面的章节会详细介绍。

目 录

AT&T 100 年来发展得非常健康。虽然它一直受反垄断法的约束，但是美国政府司法部并没有真正要过它的命，每一次反垄断其实是帮助 AT&T 修枝剪叶，然后让它发展得更好。

郭士纳在到 IBM 以前也是做（芯）片的，但是，是土豆芯片（He also made chips, but potato chips.）

38 第3章 "水果"公司的复兴——乔布斯和苹果公司

在每一次技术革命中,新技术必须比老的技术有数量级的进步才能站住脚。

60 第4章 计算机工业的生态链

一个 IT 公司如果今天和 18 个月前卖掉同样多的、同样的产品,它的营业额就要降一半。

72 **第 5 章 奔腾的芯——英特尔公司**

英特尔的 CEO 格罗夫虽然是学者出身，但他同时也是微机时代最优秀的领导者和管理者，数次被评为世界上最好的 CEO。

1　时势造英雄

2　英特尔、摩托罗拉之战

3　指令集之争

4　英特尔和 AMD 的关系

5　举步艰难

结束语

89 **第 6 章 IT 领域的罗马帝国——微软公司**

当乔布斯给盖茨看了新设计的麦金托什个人电脑，以及漂亮的基于图形界面的操作系统时，盖茨惊呆了。那一年，乔布斯和盖茨都是 26 岁。

1　双雄会

2　亡羊补牢

3　人民战争

4　帝国的诞生

5　当世拿破仑

6　尾大不掉

7　条顿堡之战

8　客厅争夺战

9　前门拒狼，后门进虎

结束语

甲骨文公司和微软公司一起，证明了在 IT 领域，软件公司不仅可以独立于硬件公司存在，而且靠卖软件的使用费可以获得比硬件公司更好的发展。甲骨文的成功，也再次说明了创始人和领袖的重要性，可以说没有埃里森，就没有甲骨文今天的辉煌。

1 硅谷老兵新传 —— 埃里森其人

2 钻了 IBM 的空子

3 天堂下的帝国

结束语

据说斯坦福两个系的计算中心主管莱昂纳多·波萨卡和桑迪·勒纳要在计算机上写情书，由于各自管理的网络不同，设备又是乱七八糟，什么厂家的、什么协议的都有，互不兼容，情书传递起来很不方便，于是两人干脆发明了一种能支持各种网络服务器、各种网络协议的路由器。于是思科公司赖以生存的"多协议路由器"便诞生了。

1 好风凭借力

2 持续发展的绝招

3 竞争者

4 诺威格定律的宿命

结束语

第1章　帝国的余晖

AT&T 公司

1　百年帝国

图 1.1　在弗洛勒姆帕克的 AT&T 实验室总部

图 1.1 是在上世纪 90 年代拍摄的美国新泽西州弗洛勒姆帕克日落时的景色。弗洛勒姆帕克占地十几平方公里，大多是芳草地和森林，在森林中央，是一片中等规模临湖的工业园——这是笔者见过的最美丽的工业园。在那里，每天都能看到天鹅在湖中悠闲地游荡，还不时可以见到野鹿出没。这里原是石油巨头埃克森美孚（Exxon-Mobil）的地产，1997 年，这里来了一个新主人——美国电话电报公司实验室。1996 年，如日中天的 AT&T 公司重组，分离成 AT&T、朗讯和 NCR 三家公司。AT&T 下

属的举世闻名的科研机构贝尔实验室也被一分为二。朗讯公司获得了一半的科研机构和贝尔实验室的名称。划归 AT&T 的一半研究室组成了 AT&T 实验室（后来更名为香农实验室，Shannon Labs），从原来的默里山（Murray Hill）搬到了弗洛勒姆帕克。在那里，出过 11 位诺贝尔奖获得者的 AT&T 实验室，像一颗进入晚年的恒星，爆发出极强的、但也是最后的光辉，然后就迅速地暗淡下来。10 年后，AT&T 和朗讯[1]（Lucent Technologies）公司分别被 SBC 公司和法国的阿尔卡特（Alcatel）公司并购。

1
朗讯公司曾经是 AT&T 公司的一部分。

1997 年，我在 AT&T 实验室实习，当时大家的情绪都很高，实验室的气氛很像 10 年后的 Google 和今天的 Facebook。不少人的座位旁都放着上面那张美丽的夕阳照。现在想起来，它似乎预示着一个帝国的黄昏。

说起美国电话电报公司，即 AT&T 公司，在美国乃至在世界上几乎无人不知、无人不晓。该公司由电话之父亚历山大·贝尔（Alexander Bell）创立于 1877 年，最初叫做贝尔电话公司。为了避免以后混淆，我们这里统一采用 AT&T 的称呼。电话的发明和 AT&T 公司的建立，第一次实现了人类远程实时的交互通信（虽然电报比电话出现得早，但它不是实时交互通信），并且促进了社会的进步。

AT&T 从它创立的第一天起，就是龙头老大，直到它被收购的那一天。但是，AT&T 起初的扩展速度远比我们想象的要慢。它用了 15 年（到 1892 年）才将生意从纽约地区扩展到美国中部芝加哥地区（当时从纽约到芝加哥一分钟的通话费是 2 美元，而当时的 1 美元的购买力相当于今天的 50 美元。今天在美国打国际长途，也不过 10 美分一分钟）。38 年后（1915 年），它的生意扩展到全国（但是从纽约到旧金山的电话费高达 7 美元一分钟）。50 年后的 1927 年，AT&T 的长途电话业务扩展到欧洲。[2]

2
AT&T 历史，参见：http://www.corp. att.com/history/。

1925 年，AT&T 公司成立了研发机构——贝尔实验室（Bell Laboratories，简称 Bell Labs）。贝尔实验室是历史上最大、最成功的私有实验室。由于 AT&T 公司从电信业获得了巨大的垄断利润，它拿出了产值的 3% 用于贝尔实验室的研发工作。在很长时间里，贝尔实验室的人总是用"无须为经费发愁"这一条理由来吸引优秀的科学家到该实验室工作，这使得贝尔实验室不仅在通信领域长期执牛耳，而且在射电天文学、晶体管和半导体、计算机科学等领域领先于世界。贝尔实验室闻名于世的发明，除了电话之外，还包括射电天文望远镜、晶体管、数字交换机、计算机的 Unix 操作系统和 C 语言等。此外，贝尔实验室还发现了电子的波动性，提出了信息论，组织发射了第一颗商用通信卫星，铺设了第一条商用光纤。在相当长的时间内，贝尔实验室不仅仅是信息领域科学家最向往的，也是基础研究领域学者梦寐以求的地方。那个时代进入贝尔实验室的人是很幸运的。如果确有才华，他可以成为业界的领袖，甚至得到诺贝尔奖、香农奖或图灵奖。即使是一般的研究员和工程师，也会有很好的收入、可靠的退休保障及受人尊重的社会地位。

AT&T 在很长时间内垄断美国并且（通过北电）控制加拿大的电话业务。1984 年，根据联邦反垄断法的要求，AT&T 的市话业务被分出去，根据地区划分成 7 个小的贝尔公司。这时贝尔电话公司才正式更名为 AT&T 公司。

根据当年的划分原则，7 家小贝尔（Baby Bells）公司从事市话业务，而 AT&T 公司（被称为老祖母）从事长途电话业务和通信设备的制造。贝尔实验室划给了 AT&T，并从贝尔实验室分出一部分，称为贝尔核心（Bell Core），划给 7 家小贝尔公司。不久，贝尔核心因为 7 个和尚没水喝，很快就退出了历史舞台，这当然是后话了。

现在，大多数人认为，这是 AT&T 走向衰落的开始。但我认为，AT&T 并没有因此而伤筋动骨。事实上，在接下来的 10 年里，AT&T 的业务得到长足的发展。虽然丢掉了市话服务，但是，它作为一家通信设备供应商，依然是市话通信设备几乎唯一的供货商，在海外市场它依然是龙头老大。在长途电话业务中，虽然有 MCI 和 Sprint 两个竞争者，AT&T 仍然控制着美国大部分市场，利润十分可观，足以维持贝尔实验室高额的研发费用，使得 AT&T 在通信和半导体技术上仍然全球领先。到 1994 年，它的营业额达到近 700 亿美元，大致等同于 2008 年金融危机前它和 SBC 合并后的总营业额。

这一年，贝尔实验室的总裁梅毅强（John Mayer）博士率庞大的代表团访华，中国国家主席江泽民亲自接见了他，足以说明对 AT&T 的重视。中国国家主席接见一个公司下属机构的总裁，这次可能是空前绝后的。AT&T 当时可以说风光到了极点。

既然 1984 年那次分家并没有使 AT&T 公司伤筋动骨，那么又是什么原因造成了它的衰落呢？

2 几度繁荣

1995 年可以说是 AT&T 公司的顶峰，接下来短短的 10 年，它便分崩离析，不复存在了。AT&T 不紧不慢地向上走过了百年，才爬到顶点，走下坡路却只是短短的 10 年。今天我们看到的 AT&T 实际上是由当年小贝尔公司之一的西南贝尔公司几次以小吃大合并出的类似于水电公司的设施服务公司，这类公司在美国统称为资源服务公司，毫无技术可言，这在后面细讲。

其实，从 1995 年起的这 10 来年间，AT&T 本来有两次绝佳的发展机遇：2000 年前后的网络革命，和从上世纪 90 年代中期延续至今的无线通信的飞跃。AT&T 不仅没有利用好机会，反而在这两场变革中丢了性命。

100 多年来 AT&T 发展得非常健康。虽然它一直受反垄断法的约束，但是美国政府司法部并没有真正要过它的命，每一次反垄断其实是帮助 AT&T 修枝剪叶，然后让它发展得更好。我们今天谈论作为美国仅有的两个被反垄断法拆分的公司之一的 AT&T 时，不能不看看 AT&T 的垄断地位是怎样形成的（另一个被拆分的公司是美孚石油公司）。

在 AT&T 成立时，它的电话技术受专利保护，因此，它前十几年的发展一帆风顺。但是，早在 1895 年，它的专利技术就无效了。一夜之间，美国冒出了 6 000 多家电话公司。我们以后还会提到，上个世纪初，美国还曾经有无数的汽车公司。10 年内，美国的电话装机数量从 200 万户增加到 3 000 万户。这时，AT&T 通过领先的技术和成功的商业收购，很快扫平了所有的竞争对手。到 20 世纪初，AT&T 几乎垄断了美国的电信业，并且在海外有很多的业务。1916 年，AT&T 成为道琼斯 20 种工业指数[3]中的一家公司。今天，当时的 20 家公司只有通用电气还在其中。

但是 AT&T 的麻烦也伴随着公司的发展而来，美国政府司法部盯上了它。1913 年，根据司法部的金斯堡（Kingsburg）协议，AT&T 不得不收敛一下它的扩张。1925 年，它甚至将加拿大的电信业务分离，专注于美国市场。分离出的公司就是后来加拿大最大的公司北方电信（Northern Telecom，简称北电）。这次收缩歪打正着，使它成功地在 1929-1933 年的大萧条中存活下来。可以想象，如果当初 AT&T 的摊子铺得太大，躲过经济危机的可能性会小得多。事实上，很多当时道琼斯工业指数中的公司都没有逃过那次经济危机。

大萧条后，AT&T 公司恢复得很快，二战后，美国的电话普及率达到 50%，AT&T 成为美国最挣钱的公司之一。它的贝尔实验室也是成果累累。最值得一提的是，在二战期间，贝尔实验室的天才青年科学家香农提出了信息论。信息论是整个现代通信的基础。到上个世纪 50 年代，AT&T 又发展到美国政府司法部都不得不管一管的地步了。1956 年，AT&T 和司法部达成协议，再次限制了它的活动范围。反垄断法逼着 AT&T 靠科技进步来提升自己的实力。我在 Google 总部曾接待了很多中国政府的领导干部，他们都关心为什么美国小公司能很快成为跨国公司，我认为其中一个原因是反垄断法逼着公司追求技术进步。当一个公司开始垄断一个行业时，它会更多地倾向于利用自己的垄断资源，而不是靠技术进步获得更多的利润，毕竟前者比后者容易得多。因此，AT&T 巩固了自己在技术上的领先地位。1948 年，AT&T 实现商用的微波通信；1962 年，它发射了第一颗商用通信卫星。尽管有些小的竞争者存在，但它们无法撼动 AT&T 的根基。

3
道琼斯工业指数在 20 世纪初包括 20 家上市公司，后来扩大到 30 家。这 30 家公司是美国支柱产业的大公司。因此道琼斯又称为蓝筹股——blue chips，因为蓝色的筹码是赌局中面值最大的筹码。

在整个 20 世纪直到 90 年代末的很长时间里，美国国际长途电话的价钱不是由市场决定的，而是由 AT&T 和美国联邦通信委员会（FCC）谈判决定的，定价是 3 美元一分钟。AT&T 计算价钱的方法听起来很合理——铺设光缆和电缆需要多少钱，购买设备需要多少钱，研发需要多少钱，雇接线员需要多少钱等，所以只有一分钟 3 美元才能不亏损。但是事实上，到 2002 年，当国际长途电话费降到平均一分钟只有 30 美分时，AT&T 仍然有 1/3 的毛利润。

到了上个世纪 80 年代，美国司法部不得不再次对 AT&T 公司提起反垄断诉讼。这次，美国政府终于打赢了旷日持久的官司，这才导致了 1984 年 AT&T 的第一次分家。这次反垄断的官司，不过是替 AT&T 这棵大树剪剪枝。剪完枝后，AT&T 公司反而发展得更健康。10 年后，AT&T 又如日中天了。当时，AT&T 不仅在传统的电话业务上，而且在新兴的网络和移动通信方面，都处于世界领先地位。

3　利令智昏

排除了反垄断导致 AT&T 衰落的原因，我们就得从其他地方找原因。

1995 年，AT&T 走到了一个分水岭。从 1994 年起，美国经济全面复苏，从图 1.2 标准普尔 500（Standard & Poor's 500）指数走向可以看出，美国股市从 1995 年起开始暴涨，直到 2000 年底。

图 1.2　标准普尔 500 指数走势图（数据来源：Google Finance）

这时，AT&T 设备制造部门的执行官们短视地提出分家的建议。他们的理由似乎有道理，因为 AT&T 和另外两家长途电话公司 MCI 和 Sprint 是竞争关系，后者拒绝购买 AT&T 的电话设备，如果成立一家独立的设备公司，就可以做 MCI 和 Sprint 的生意了。但是这种卖设备的一次性销售增长显然对公司长期增长意义不大。这一点 AT&T 很多管理者和员工都看到了。我亲身经历了 AT&T 的那次分家。1996 年夏天，贝尔实验室一分为二，大家从默里山搬到弗洛勒姆帕克，天天谈的就是分家的事。很多人觉得，设备部门为了 MCI 和 Sprint 的市场，离开收入和利润都很稳定的 AT&T 可能得不偿失。几年后他们的预言不幸言中。但是在当时，即使 AT&T 的高管意识到这一点，他们对公司也没有绝对的控制权。

美国几乎所有的老公司，创始人及其家族早剩不了多少股权了，大部分股权都散落在民间（包括基金），当然 AT&T 也不例外。因此，为了管理这些公司，董事会会请职业经理人担任各种管理人员，包括首席执行官。而董事会里除了大投资基金和银行的代表，剩下的是独立董事，他们的任务是监督执行官们的工作，保证投资人的利益，而不是考虑公司的长远发展。AT&T 几个执行官手上的股票远不如华尔街投资银行控制的多。事实上，AT&T 的总裁们非但不真正拥有公司，而且一些人的个人利益还和公司的利益有冲突。即使他们之中不乏有远见者，但是根本左右不了董事会。正是因为公司的长期利益和这些高管们没有太大关系，所以他们如果能在任期内狠狠捞一把，何乐而不为呢？作为华尔街的投资公司，他们关心的是手中的股票何时能翻番，他们关注的是时机，而1995 年正是一个机会。整个股市形势很好，在这时将设备制造部门和电信服务部门分开，那么前者的股票一定会飞涨，因为在短期内他们将获得 Sprint 和 MCI 的订单。华尔街看到了这一点，公司的老总们懂得这一点，公司大量拥有股权的员工也明白这一点。于是利令智昏，一场杀鸡取卵的分家开始了。

AT&T 首先将自己分为三个部分：从事电信服务业务的 AT&T，从事设备制造业务的朗讯和从事计算机业务的 NCR。NCR 较小，我们姑且不必

提它。朗讯从 AT&T 中分离，绝对是世界电信史上第一件大事。1996 年
2 月朗讯公司由华尔街最有名的投资银行摩根斯坦利（Morgan Stanley）
主承销上市，筹集现金 30 亿美元，成为当时历史上最大的上市行动，也
是迄今为止第 12 大上市活动。朗讯上市时，市值达 180 亿美元。

和预期的一样，MCI 和 Sprint 果然来买朗讯的设备了。朗讯的销售额比
原来作为 AT&T 的一部分时有了明显的增长。不久，股价就翻番暴涨，
而同期收益较稳，但是发展相对缓慢的 AT&T 公司的股票还按着原来的
速度慢慢地爬，这正应了华尔街和大家的预想。华尔街的人大发了，朗
讯的高管和中层也都不同程度地发财了，就连很多有股权的普通员工也
小发了一笔。1999 年，我在一个会议上见到不少贝尔实验室的科学家，
谈到股票时，他们一个个意气风发，人人都洋溢着笑容。在 2000 年的股
市泡沫破灭以前，朗讯的股票 4 年涨了 13 倍，市值达 2 440 亿美元。

但是，这些科学家也隐隐地感到了危机。原来的贝尔实验室因为有
AT&T 这个大靠山，从来不发愁经费。后来，朗讯的利润已不足以养活
有两万人的巨型实验室，于是开始要求那里的科学家和工程师将开发转
移到能尽快赚钱的研究上来（我在以后会谈到 AT&T 这种大实验室的弊
端）。贝尔实验室此时已不是过去以研究为主的地方了，它的创新能力
不复存在，从 1995 年至今，贝尔实验室没有再搞出轰动世界的发明。本
来，AT&T 的电信服务和设备制造相辅相成，是个双赢的组合。分家对
双方长远的发展都没有好处。AT&T 和朗讯的衰落都从这时开始。

从 MCI 和 Sprint 带来的销售额增长几乎是一次性的。华尔街在预测朗讯
盈利时，已经把这笔收入计算进去了。朗讯的股票要继续增长，它的销
售额和利润就必须不断超过华尔街的预期。[4] 朗讯其实根本做不到这一点。
为了能支撑高股价，朗讯走了一步后来被证明是败笔的险棋。在互联网
泡沫时代，有无数的中小公司在兴起、大公司在膨胀，朗讯决定"促销"
它的电信设备。具体做法是由朗讯借钱给各公司来买朗讯的设备。只要
设备运出朗讯，它就在每季度财务报表中，计入销售额。如果仔细读它

4
AT&T 一直在道琼
斯指数中，直到前
几年被 SBC 代替。
2005 年 SBC 并购
了 AT&T 公司后，
继承了 AT&T 的
名称。但是这个
AT&T 已不是以前
的 AT&T 了。

的财报，人们可以发现朗讯总有一笔很大的"应收款项"，这笔钱其实从未进到朗讯公司。到了 2000 年互联网泡沫破裂后，借钱买设备的公司纷纷倒闭，朗讯的这笔"应收款项"一下子变成了净亏损。在 2000 年初互联网泡沫尚未破灭时，朗讯就第一次没有达到盈利预期。但是当时整个互联网经济正处在第一次高潮，虽然朗讯的股价有所下跌，但是没有人注意到它可能遭受灭顶之灾。

由于移动通信业务的兴起，已经日渐衰落的朗讯居然再一次杀鸡取卵，将公司由那个后来在惠普做得很糟糕的女总裁卡莉·菲奥莉娜（Carly Fiorina）经手再次拆分，主要是将它的无线设备部门 Avaya 分出去单独上市。当然，华尔街的投资银行和朗讯的一些高管，尤其是菲奥莉娜自己又在已经鼓鼓的钱包中赚到了一大笔钱。但是这以后朗讯公司就更是一天不如一天。等到互联网泡沫破裂，朗讯的股票从每股近百美元一度跌到每股 0.55 美元。到 2001 年，朗讯公司不得不关闭贝尔实验室的几乎全部研究部门。只是象征性地留下了一两个实验室，以保住贝尔实验室这块招牌。这次裁员，使得世界上很多一流的科学家失业。从 2001 年起朗讯一次次裁员和变卖资产，人数从巅峰时的 16.5 万人减少到 3 万人，最终苟延残喘的朗讯被法国的阿尔卡特并购。并购时的市值还不到 1996 年上市时的水平，只有其峰值的 1/20。今天，贝尔实验室的牌子还在，只是联系地址已经到了法国。

AT&T 的境况比朗讯略好些。它有相对稳定、利润很高的长途电话收入，以及发展得很快的移动通信业务，因此在分家的前几年继续支撑并且扩大了它的实验室。因为没有抢到贝尔实验室这块牌子，AT&T 以信息论发明人香农的名字命名了它的实验室。这时互联网的崛起和无线通信的普及对 AT&T 的核心业务开始形成威胁。但是，AT&T 在这两方面及快速发展的宽带电视业务上都很强。本来，AT&T 最有资格成为这些新领域的老大，就像它成功地从有线通信扩展到微波通信一样，但是短视彻底毁了它！

在 2000 年前后，短线投资者发现最快的挣钱方法不是把一个企业搞好，而是炒作和包装上市。将公司的一部分拆了卖无疑挣钱最快。于是在朗讯进行第二次拆分的同时，AT&T 也决定分拆成 AT&T（含企业服务和个人业务）、AT&T 移动和 AT&T 宽带等公司。其中最大的手笔是将移动部门单独上市。2000 年 4 月，AT&T 移动（AT&T wireless）在华尔街最好的投资公司高盛[5]的帮助下挂牌上市，募集到现金 100 亿美元。

5
在介绍投资银行的
一章中会作详细介
绍。

这是人类历史上迄今最大的上市行动之一。当时 AT&T 的董事和执行官们给出了一些冠冕堂皇的理由，讲述拆分后对发展如何有利，但其实，用 AT&T 实验室的一位主管的话说，原因只有一个词——贪婪。AT&T 在一次性发了一笔横财时，也失去了立足于电信业的竞争能力，因为它所剩的只有一项收入不断下滑的传统长途电话业务。

2000 年前后，正是全球从传统电话到移动电话普及的关键时期，本来具有充足的资金保证和领先的无线技术的 AT&T 是可以走在世界移动通信前列的。但是，分家以后，长途电话公司和移动电话公司都是残缺的公司，前者没有发展的潜力，后者没有资金迅速扩张。这个双输的结果，在分家的第一天就已经注定了。这个失败不仅仅将 AT&T 推向死亡，而且使得美国在第二代移动通信上彻底输给了欧洲。如果看看大洋彼岸的中国在那个时代电信发展的状况，也会发现惊人的相似之处：拥有庞大固定资产、一度不可撼动的老大中国电信一下子停滞下来，而仅仅有无线业务的中国移动迅速后来居上。

随着互联网崛起的是移动电话业务。本来，AT&T 在此领域是领先的，借着移动电话业务，它可以在当今的通信业一拼高低。

同时，香农实验室萎缩到 1996 年成立时的规模。2001 年发生的 9·11 恐怖袭击，导致 AT&T 在纽约的很多设备被毁，而它几乎拿不出修复设备的钱。半年后，AT&T 香农实验室也几乎解散了。在 AT&T 实验室解散前，它的主管拉里·拉宾纳（Larry Rabinar）博士已经预感到情况不妙了，他很有人情味地为他的老部下们安排了出路，然后自己退离了香农实验室第一把手的岗位。身为美国工程院院士的拉宾纳，无论是学术水平还是管理水平，在世界上都是首屈一指的，但是他根本无力扭转 AT&T 实验室的困境。这也许就是命运。

4　外来冲击

如果说终结 AT&T 帝国的内因是华尔街和 AT&T 自己的贪婪和短视，那么互联网的兴起则从外部彻底击垮了这个帝国。在互联网兴起以前，固定电话几乎是人类唯一的交互通信手段，因此，只要在这个产业中占领一席之地，即使不做任何事，也可以随着它的波浪推着前进。100 多年来 AT&T 就是这样。它不紧不慢地发展着，虽有过很多失败的投资，但这些丝毫没有伤害到它，也不能阻止它一次又一次地形成垄断。

互联网兴起后，情况就不同了。当人们有了一种不要钱的实时通信方式后，就没人为一分钟 3 美元的国际长途买单了。以前，人们查找任何商业信息都离不开电话本，那时的黄页，就相当于今天的 Google。现在有了互联网，人们更多地从网上查找信息。为了促销，所有的长途电话公司不得不通过降价来维持生计。我十几年前到美国时，从美国到中国的长途电话费是 1 美元一分钟，现在电话卡打国际长途只要 2 美分一分钟。到了 2004 年，由于 AT&T 公司的影响力越来越小，终于被道琼斯工业指数除名。具有讽刺意味的是，取代它的 SBC 公司正是 1984 年从 AT&T 分出去的 7 家小贝尔公司中最小的西南贝尔公司，经过几轮小吃大，接连兼并兄弟贝尔公司，成为美国第二大电信公司。一年后，SBC 再次上演蛇吞象的一幕，不过这一次它吞下了老祖母 AT&T，只不过 SBC 考虑到 AT&T 的名气比自己大，新公司采用了 AT&T 的名称。因此，今天的这个 AT&T 不是当年的那个 AT&T 了。图 1.3 是老 AT&T 和新 AT&T 的标志。

图 1.3　老 AT&T 和新 AT&T 标志

随着 AT&T 的没落，很多优秀的科学家和工程师，包括 Unix 操作系统和 C 语言的发明人之一肯·汤普森（Ken Thompson），都来到了新兴的 Google 公司，他们成为了 Google 技术的中坚。花旗银行的一位有 30 年资本管理经验的副总裁对我讲，评价一个上市公司的好坏，其实只要看那些最优秀的人是流进这家公司，还是流出这家公司即可。

互联网对朗讯的冲击也是同样的。在互联网时代，世界上对数据交换设备的需求渐渐超过对语音交换设备的需求。前者是新兴公司思科的长项，而后者才是朗讯的强项。思科战胜朗讯，又成为一股不可阻挡的潮流。

互联网的崛起，对原贝尔实验室研究的影响也是巨大的。比如，语音的自动识别，曾经被认为是人类最伟大的梦想之一，现在随着电话时代的过去变得不重要了。今天，世界上主要的语音识别公司只剩下 Nuance 一家，2012 年美国整个语音识别市场的规模一年只有 15 亿美元，不到 Google 半个月的收入。而同时，对文字处理、图像处理技术的需求随着互联网的普及不断增加。

在工业史上，新技术代替旧的技术是不以人的意志为转移的。人生最幸运之事就是发现和顺应这个潮流。投资大师沃伦·巴菲特（Warren Buffet）在谈到上个世纪初他父亲失败的投资时讲，那时有很多很多汽车公司，大家不知道投哪个好，但是有一点投资者应该看到，马车工业要完蛋了。巴菲特为他的父亲没有注意到这一点而感到遗憾。互联网对传统电话业务的冲击，就如同数码相机对胶卷制造业的冲击一样，是从根本上断绝它的生存基础的。今天，互联网虽然还不能完全代替固定电话，但是前者已经大大挤压了后者的发展空间，因为它可以提供更灵活、更丰富，而且更便宜的通信手段。

回顾 AT&T 百年历史，几乎每个人都为这个百年老店的衰落而遗憾。它曾经是电话业的代名词，而它的贝尔实验室曾经是创新的代名词，现在这一切已成为历史。我和很多 AT&T 的主管及科学家聊过此事，大家普遍认为 AT&T 的每一个大的决定，在当时的情况下都很难避免，即使知道它是错的。上个世纪 90 年代，AT&T 已经不属于一个人、一个机构，没有人为它十年百年后的发展着想（我们以后还会多次看到，当一家公司没有人对它有控制权时，它的长期发展就会有问题）。要知道，我们今天最通用的高速上网方式 DSL 本来是从贝尔实验室诞生的，但是 AT&T 并没有把它作为今后可持续发展的利器，而是扔到了某个无人注意的角落。而曾经在贝尔实验室工作过的美国通信领域著名科学家约翰·乔菲（John Cioffi）教授后来在斯坦福大学将它实用化，成为 DSL 之父。在科技发展最快的 20 世纪 90 年代，AT&T 浪费掉的技术和机会远不止这些。因为那时，从华尔街到它的高管和员工，大都希望从它身上快快地捞一笔。以前，美国政府多次要求拆散 AT&T 而做不到，但是在美国经济最好、科技发展最快的 10 年中，它自己把自己拆了卖。这样，它不但不能把握过去 10 年信息革命的机会，反而将自己葬送在互联网的浪潮中。

结束语

从某种意义上讲，现代通信始于亚历山大·贝尔发明的电话和他创立的 AT&T 公司。在 AT&T 公司盛年时期，它杰出的科学家香农博士第一次量化地描述了信息，并把人类带入用信息论指导的时代。数字通信随之诞生，并且让我们今天的每一个人受益。但是，AT&T 这个靠信息起家的帝国却倒在了从 20 世纪末开始的全球信息大爆炸的时代。许多人为此遗憾，他们假设"如果 AT&T 不拆分"，"如果 AT&T 及时进入互联网领域"，"如果 AT&T 不犯那么多致命的错误"，等等，结果是否会好些。我的观点是，如果让 AT&T 重来一次，它犯的那些错误可能一样都不会少，因为它到年纪了。没有人能活两百岁，也没有公司能辉煌两百年，这就是规律，很难超越。今天，我们依然传扬着贝尔实验室昔日的辉煌，就如同我们传扬着东方的强汉盛唐的文治武功、西方的罗马帝国的传奇一样。毕竟，AT&T 是在历史上为人类做出了贡献的公司。

AT&T 大事记

1875　贝尔和沃森发明电话。

1877　美国贝尔电话公司成立。

1880　贝尔长途电话业务开通。

1892　长途电话业务进入美国中部芝加哥地区。

1913　和美国政府达成第一次反垄断协议。

1915　电话业务进入美国西部旧金山地区。

1925　贝尔实验室成立。

1972　Unix 操作系统和 C 语言诞生于贝尔实验室。

1982　美国司法部打赢了长达 8 年的针对贝尔电话公司的反垄断官司。

1984　美国贝尔电话公司被拆成 AT&T 和 7 家地区性贝尔公司。

1996　AT&T 主动地一分为三，包括新 AT&T、朗讯和 NCR。

2000　朗讯的移动部门 Avaya 单独上市。

2001　AT&T 再次主动拆分，变为独立的 AT&T（含企业服务和个人业务）、AT&T 移动和 AT&T 宽带等公司。

2004　AT&T 被道琼斯指数除名，从地区性贝尔公司发展起来的 SBC 替代了它在该指数中的位置。

2005　AT&T 被 SBC 并购，成为新 AT&T。此前，从 AT&T 分出的几家独立公司均被竞争对手或业界同行收购。

2006　朗讯被法国的阿尔卡特并购，原来的美国贝尔电话公司（AT&T）从此消亡。

第2章 蓝色巨人

IBM 公司

国际商用机器公司（International Business Machines Corporation），即 IBM 公司，和蓝色有不解之缘。因为它的徽标是蓝色的，人们常常把这个计算机界的领导者称为蓝色巨人。从 1997 年开始，IBM 的超级计算机深蓝（Deep Blue）和有史以来最神奇的国际象棋世界冠军卡斯帕罗夫（Garry Kasparov）展开了 6 盘人机大战。在此一年多前，IBM 的计算机侥幸地赢了卡斯帕罗夫一盘，但是随后卡斯帕罗夫连扳了 3 盘。一年多后，IBM 的深蓝计算机各方面性能都提高了一个数量级，"棋艺"也大大提高，而卡斯帕罗夫的棋艺不可能在一年多里有明显提高。人机大战 6 盘，深蓝最终以 3.5 比 2.5 胜出，这是人类历史上计算机第一次在国际象棋 6 番棋中战胜人类的世界冠军。几百万棋迷通过互联网观看了比赛的实况，十几亿人收看了它的电视新闻。IBM 在全世界掀起了一阵蓝色旋风。

IBM 公司可能是世界上为数不多的成功逃过历次经济危机，并且在历次技术革命中成功转型的公司之一。在很多人的印象中，IBM 仅仅是一个大型计算机制造商，并且在微机和互联网越来越普及的今天，它已经过气了。其实，IBM 并没有这么简单，它至今仍然是世界上最大的服务公司、第二大软件公司、第二大数据库公司。IBM 拥有当今工业界最大的实验室 IBM Research（虽然其规模只有贝尔实验室全盛时期的 1/10），是世界第一的专利申请大户（文中我们还要讲 IBM 对专利的态度），它还是世界上最大的开源 Linux 服务器生产商。

IBM能成为科技界的常青树，要归功于它的二字秘诀——保守。毫无疑问，保守让IBM失去了无数发展机会，但是也让它能专注于最重要的事，并因此立于不败之地。

1 赶上机械革命的最后一次浪潮

机械革命从200多年前开始到第二次世界大战结束，一般认为其高峰是19世纪末期。当时很多人认为机械可以代替一切，就如同今天不少人认为计算机可以代替一切一样。IBM就是在那个背景下成立的。IBM的前身CTR公司创立于1911年。1914年，老托马斯·沃森（Thomas J. Watson, Sr.）加入CTR，1924年，他将公司更名为IBM。但是，IBM和外界一般都把它的历史向前推进30年到19世纪末。在那时，还没有任何电子计算设备，但是经济生活中却有大量的报表处理和科学计算的需要。因此，美国一个叫霍勒里斯（Herman Hollerith）的统计学家发明了机械的自动制表机。那是一种大小和形状都很像立式钢琴的机器（见图2.1）。霍勒里斯成立了一个自动制表机的公司，并为美国国家统计局服务，大大提高了统计工作的效率。上个世纪初，几家做办公仪器，诸如计算尺、打表机等的公司合并成一家大公司。1914年，老托马斯·沃森加入该公司并很快成为公司总裁。10年后，他将该公司改组成了IBM公司。

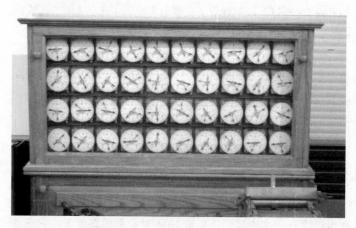

图 2.1 机械的自动制表机

沃森父子对 IBM 的影响是巨大的。公司创始人的灵魂常常会永久地留在这家公司，即使他们已经离去。我们在以后介绍苹果公司和其他公司时，还会看到这一点。早期的 IBM，产品主要是一些用于管理的机械，诸如打孔机、制表机等，服务对象是政府部门和企业。IBM 从那时起，就锁定了政府部门和企事业单位为它的主要客户，直到今天。很多人奇怪为什么第一个开发出主流 PC（即以英特尔处理器和微软操作系统为核心的 PC）的 IBM 没有成为 PC 之王。实际上，IBM 的基因决定了它不可能领导以个人用户为核心的 PC 产业。以后我们还会仔细地分析这一点。

IBM 成立后不久就遇到了资本主义历史上最大的经济危机——1929-1933 年的大萧条。在很多公司关门、客户大量减少的情况下，IBM 能存活下来，可以说是个奇迹。沃森的经营和管理才能在这段时间起了关键的作用。在 IBM 逃过一劫后，它接下来的路在长时间内很平坦。任何经济危机都是这样，它淘汰掉经营不善和泡沫成分大的公司，为生存下来的公司提供了更好的发展空间。随着经济的恢复，办公机械的市场开始复苏。尤其是罗斯福的新政，雇用了大量的政府工作人员。政府对制表机的需求大大增加。除了正常的生意，IBM 还将它的打孔机、制表机等设备大量地卖给了德国纳粹政府。不过，IBM 从未回避这段不光彩的历史。

但是，二战前后毕竟剩下的只是机械时代的余晖。IBM 光靠卖办公机械很难有持续的发展，因此它未雨绸缪，也在找出路。正巧赶上了第二次世界大战，以制造精密机械见长的 IBM 马上把它的生产线民用转军用，参与制造著名的勃朗宁自动步枪和 M1 冲锋枪（见图 2.2）。这些是美军二战时的主力武器。包括日本在内的美国的敌人常常低估美国的军事工业潜力，但是，连 IBM 这样的公司都可以改造武器，说明美国的军工潜力深不可测。随着战争的发展，有大量的军事数据需要处理。IBM 的制表机大量地卖给了美国军方。IBM 也从此和美国军方建立了良好的关系。IBM 为军方研制了世界上第一台继电器式计算机。注意，它和真正的电子计算机有很大的不同。此外，IBM 还间接地参与了研制原子弹的曼哈顿计划。

图 2.2　勃朗宁自动步枪和 M1 冲锋枪

二战后，整个世界都在重建之中，对各种工业品的需求都在增加。尤其是杜鲁门总统完成了美国的社会保障制度后，有大量的统计工作需要制表机等机械。这一切都对 IBM 的核心业务给予了强有力的支持。IBM 很轻易地再将生产线军用转民用。但是，如果 IBM 仅仅满足于卖机械，我们今天可能就听不到它的名字了。

第二次世界大战可以看作是机械时代和电子时代的分水岭。英国在二战后很长时间里试图恢复它的机械工业，虽然它做到了，但是也已经落伍了。而一片焦土的日本，已经没有剩下什么工业基础了，因此另起炉灶，发展电子工业，结果成为了西方世界中的老二。二战后，IBM 的情况也类似，它显然面临着两种选择，是继续发展它的电动机械制表机，还是发展新兴的电子工业。这两派争执不下，而代表人物恰恰是沃森父子。老沃森认为电子的东西不可靠，世界上至今还有不少人持老沃森的观点。而小沃森则坚持认为电子工业是今后的发展趋势。这场争论以小沃森的胜利而告终。1952 年，小沃森成为 IBM 的新总裁。IBM 从此开始领导电子技术革命的浪潮。

2　领导电子技术革命的浪潮

如果说 IBM 在上一次的机械革命中不过是一个幸运的追随者，那么它在从二战结束开始的电子技术革命中则完全是一位领导者。电子计算机和

IBM 的名字是分不开的，就如同电话和 AT&T 分不开一样。一方面，IBM 因为有了计算机，得以持续发展了半个多世纪；另一方面，计算机因为有 IBM 的推广，才从科学计算领域转而应用到商业领域和人们的日常生活中。

在谈论 IBM 和计算机的关系之前，让我们先来回顾一下电子计算机发明的背景和过程。

恩格斯说过，社会的需求对科技进步的作用要超过 10 所大学。计算机就是在这种背景下发明出来的。美国研制计算机的直接目的是在第二次世界大战中为军方计算弹道的轨迹。在流体力学中，计算量常常大到手工的计算尺无法计算的地步，因此，对通用计算机的需求就产生了。在计算机的研制过程中，有无数的科学家和工程师做出了卓越的贡献，但是最主要的三个人应当是冯·诺伊曼（John von Neumann，看过美国电影《美丽心灵》和中国电视剧《暗算》的读者应该对他有印象，见图 2.3）、约翰·莫奇利（John Mauchly）和约翰·埃克特（John Presper Eckert）。应该讲冯·诺伊曼是今天运行程序的电子计算机的系统结构的主要提出者，这个被称为冯·诺伊曼的系统结构影响至今。莫奇利和埃克特是世界上第一台电子计算机 ENIAC 研制的总负责人（很遗憾，它其实并不是今天计算机的祖先，因为它不能加载程序，指令要重复地输入进去）。在研制世界上第一台现代计算机 ENIAC 的设计方案时，他们三个人共同参与了，最后由冯·诺伊曼起草并交给了军方，军方的负责人拿到方案后随手在上面写上了冯·诺伊曼的名字，从此莫奇利和埃克特的贡献就被淡忘了。后来，莫奇利和埃克特认为计算机的发明权应该属于他们自己而不是他们所在的宾夕法尼亚大学。两个人和大学闹翻了，出来成立了世界上第一家计算机公司 —— 埃克特 - 莫奇利公司（Eckert-Mauchly Computer Corporation）。该公司研制出一种叫 UNIVAC 的计算机，提供给美国统计局和军方使用。但是，因为埃克特和莫奇利都是不会经营的学者，很快他们的公司就因赔钱关门了。

图 2.3　冯·诺伊曼

IBM 的小沃森看到了计算机在今后社会中将扮演一个非常重要的角色，他决定投资发展计算机，并请来冯·诺伊曼做顾问。IBM 还请来了很多工程师，并且把麻省理工学院作为它强大的技术支持。小沃森将 IBM 的研发经费从他父亲时代公司营业额的 3% 增加到 9%。到上个世纪 60 年代，IBM 生产出著名的 IBM System/360（S/360，下文简称 IBM360）为止，IBM 在计算机研制和生产上的总投入高达 50 亿美元，相当于整个马歇尔计划的 1/3。小沃森上台后短短 5 年，就将 IBM 的营业额提高了 3 倍。在小沃森执掌 IBM 的 20 年里，IBM 的平均年增长率高达 30%，这在世界上可能是绝无仅有的，他的父亲也没有做到这一点。

在我个人看来，小沃森对世界最大的贡献不是将 IBM 变成一个非常成功的公司，而是将计算机从政府部门和军方推广到民间，将它的功能由科学计算变成商用。这两点使计算机得以在公司、学校和各种组织机构中普及起来。上个世纪 80 年代以后，当计算机在中国还不是很普及时，如果做一次民意调查，问计算机是干什么的，我估计被调查者十有八九都会认为计算机是用于科学计算的。而实际上，世界上并没有那么多的题目需要计算。如果将计算机局限于科学计算，它就不会像今天这样普及。当然，今天我们知道计算机可以单纯用于存储信息、处理表格和文字、编辑和打印文章。但是在半个多世纪前就能够看到这一点是非常了不起的。小沃森看到了这一点，这一方面是他的天分，另一方面则由于 IBM 是长期制造表格处理机械的公司，了解这方面的需求。

IBM 从它开始做计算机起，基本上遵循性能优先于价格和集中式服务的原则。高性能、服务于多用户的主机一直是 IBM 硬件制造的重点，直到上个世纪 90 年代才略有转变。IBM 的许多大型机，成为计算机系统结构设计的经典之作，而且生命期特别长，有点像波音公司的客机。其中最著名的有上世纪 60 年代的 IBM360/370 系列和上世纪七八十年代的 IBM4300 系列。当时的售价都在百万美元以上，而性能还不如现在的一台个人电脑。但是，这些计算机的设计思想，仍然是计算机设计的精髓。

上个世纪中叶，计算机的造价高得惊人，除了政府部门和军方，只有大的银行和跨国公司才用得起。银行里有大量的简单计算，主要是账目上的加加减减，不需要复杂的函数功能，比如三角函数、指数函数、对数函数等，而是需要有一种专门处理大量数据而运算简单的程序语言。上个世纪六七十年代的主流高级程序语言 COBOL 就在这个背景下诞生了。COBOL 的全名为"面向商业的通用语言"（Common Business Oriented Language）。顾名思义，它是专门处理商业数据的程序语言。虽然 COBOL 不是由 IBM 制定的，但是，IBM 对它影响巨大，因为制定它的 6 人委员会中，有两人来自 IBM。上世纪六七十年代，COBOL 是世界上最流行的程序语言，但是会写 COBOL 程序的人很少，因此他们的收入远比今天的软件工程师要高得多。这在某种程度上鼓励了年轻人进入计算机软件领域。IBM 的研究水平很高，还参与制定了很多标准，因此，它在商业竞争中，同时扮演着运动员和裁判员的双重角色。从上个世纪 50 年代到 80 年代初，IBM 在计算机领域基本上是独孤求败。

在计算机发展史的前 30 年里，IBM 在商业上只有一个轻量级的竞争对手——数字设备公司（Digital Equipment Corporation，简称 DEC）。由于 IBM 的大型机实在太贵，中小企业和学校根本用不起，市场上就有了对相对廉价、低性能小型计算机的需求，DEC 应运而生。在很长时间里，虽然两家公司在竞争，但是基本上井水不犯河水，因为计算机市场远没有饱和，完全可以容纳两个竞争者。在这 30 年里，两家公司发展得如鱼得水。基本上可以说是 IBM 领导着浪潮，DEC 随浪前行。

如果说 IBM 还有什么对手的话，那就是美国政府司法部。在美国从来没有过国王，美国人也不允许在一个商业领域出现一个国王。在垄断产生以后，美国司法部会出面以反垄断的名义起诉那家垄断公司。从上世纪 70 年代初到 80 年代初，美国司法部和 IBM 打了 10 年的反垄断官司，最终于 1982 年和解。一般认为，这是 IBM 的胜利。但是，IBM 也为此付出了很大的代价。我认为主要有两方面：第一，IBM 分出了一部分服务部门，让它们成为独立的公司；第二，IBM 必须公开一些技术，从而导致了后来无数 IBM-PC 兼容机公司的出现。

应该讲，IBM 在第二次世界大战后，成功地领导了计算机技术的革命。它使得计算机从政府走向社会，从单纯的科学计算走向商业。它顺应着计算机革命的大潮一漂就是 30 年。由于有高额的垄断利润，IBM 给员工的薪水、福利和退休金都很丰厚。在二战后很长时间里，它是人们找工作时最向往的公司之一。它甚至有从不裁员的神话，直到上世纪八九十年代它陷入困境时才不得不第一次裁员。

3　错过全球信息化的大潮

如果要对计算机工业的历史划分阶段，那么，1976 年可以作为一个分水岭。这一年，没有读完大学的天才史蒂夫·乔布斯（Steve Jobs）和沃兹尼亚克（Steve Wozniak）在车库里整出了世界上第一台可以商业化的个人电脑 Apple-I。在硅谷，很多公司创业时因为资金有限，常常租用租金便宜的民房甚至车库来办公，这几乎是硅谷特有的现象，苹果起家时也不例外。"蓝色巨人"在这次信息革命浪潮中开始步子并不慢。1971 年小沃森从 CEO 的位置上退下来，中间经过了两年短暂的拉尔森（T. V. Learson）时代，最后在 1973 年将接力棒交给了新总裁弗兰克·卡里（Frank Cary）。卡里在花了大量时间去应付美国司法部提出的反垄断诉讼的同时，密切注视着新技术的发展。对于个人电脑，IBM 观望了几年。这对 IBM 这样一家大公司来讲是非常有必要的。我们前面讲过，IBM 成功的秘诀是保守，它基本上是不见兔子不撒鹰。如果苹果公司失败了，IBM 无需做任何事情。如果前者成功了，IBM 依靠它强大的技术储备完全可以后发制人。我们在前面已经提到，IBM 其实是第二家做计算机的公司。我们以后还会看到很多大公司用这种办法对付小公司的例子。4 年后，卡里。决定开发个人电脑。

也许是不想惹人注意，也许是没有太重视这件事，IBM 没有让它力量最强的华生实验室（T. J. Watson Labs）来做这件事，而是将它交给了 IBM 在佛罗里达的一个十几人的小组。为了最快地研制出一台 PC，这个只有十几人的小组不得不打破以前 IBM 自己开发计算机全部软硬件的习惯，采用了英特尔公司的 8088 芯片作为该电脑的处理器，同时委托独立软件公司为它配置各种软件。这样，仅一年时间，IBM-PC 就问世了，那是 1981 年的事。虽然第一批 IBM-PC 的性能只有现在个人电脑的万分之一，但是，它比苹果公司的 Apple 系列已经好很多了，而且对当时的字处理、编程等应用也足够了。因此，它很受欢迎，当年就卖掉 10 万台，占领了 3/4 的微机市场。IBM 在和苹果的竞争中真可谓是后发制人。直到今天，IBM-PC 还是个人电脑的代名词。

如果当时问大家，以后谁会是个人电脑时代的领导者，十有八九的人会回答是 IBM。事实上，当时《时代周刊》就评选 IBM-PC 为 20 世纪最伟大的产品。《华尔街日报》也高度评价了 IBM 的这一贡献。但是，现在我们知道，个人电脑时代的最终领导者是微软和英特尔，而不是 IBM。随着 2005 年 IBM 将个人电脑部门卖给了中国的联想公司，IBM 彻底退出了个人电脑的舞台。

是什么原因造成了 IBM 的这个结局呢？虽然原因很多，但最主要的有三个：IBM 的基因、反垄断的后遗症及微软的崛起。

先谈谈 IBM 的基因。IBM 无论是在老沃森执掌的机械时代，还是在小沃森接管的电子时代，它的客户群基本上是政府部门、军方、银行、大企业和科研院所，它从来没有过经营终端消费型产品的经验，也看不上这类产品。以往，IBM 卖计算机的方式是和大客户签大合同。上个世纪 80

年代的计算机，除非是专业人员，没有人玩得转。因此，IBM 都将计算机和服务绑在一起卖，至今也是如此。IBM 一旦签下一个大型机销售的合同，不但可以直接进账上百万美元，而且每年还可以收取销售价 10% 左右的服务费。等客户需要更新计算机时，十有八九还得向 IBM 购买。这样，它每谈下一笔合同，就可以坐地收钱了。因此，虽然 IBM-PC 在外面的反应很好，在公司内部反应却很冷淡。IBM-PC 第一年的营业额大约是两亿美元，只相当于 IBM 当时营业额的 1% 左右，而利润还不如谈下一个大合同。要知道，卖掉十万台 PC 可比谈一个大型机合同费劲儿多了。因此，IBM 不可能把 PC 事业上升到公司的战略高度来考虑。

1982 年，IBM 和美国司法部在反垄断官司中达成和解。和解的一个条件是，IBM 得允许竞争对手发展。如果不是 PC 的出现，这个条件对 IBM 没有什么实质作用，因为过去一个公司要想开发计算机，必须是硬件、软件和服务一起做，这个门槛是很高的。但是，有了 PC 以后，情况就不同了。因为 IBM-PC 的主要部件，如处理器芯片、磁盘驱动器、显示器和键盘等，或者本身是第三方公司提供的，或者很容易制造，而它的操作系统 DOS 又是微软的。因此，IBM-PC 很容易仿制。IBM-PC 唯一一个操作系统的内核 BIOS 是自己的，但是很容易就被破解了。在短短的几年间，IBM-PC 的兼容机如雨后春笋般冒了出来。如果不是反垄断的限制，IBM 可以阻止这些公司使用自己的技术进入市场，或者直接收购其中的佼佼者。但是，有了反垄断的限制后，它对此也只能睁一只眼，闭一只眼。一方面，自己不愿意下功夫做 PC；另一方面无法阻止别人做 PC，IBM 只好看着康柏（Compaq）[1]、戴尔（Dell）等公司做大了。

1
现在是惠普公司的
一部分。

第三个原因也不能忽视，如果说在过去的 30 年里，IBM 是独孤求败，笑傲江湖，现在它真正的对手比尔·盖茨出生了。我总是对人讲，盖茨是我们这个时代的拿破仑。在我们生活的这个和平年代，不可能出现汉尼拔或凯撒那样攻城略池的军事统帅，但是会在商业这个没有硝烟的战场上出现纵横捭阖的巨人，而比尔·盖茨就是科技界的第一巨人。

当时 IBM 为了以最快速度推出 PC，连操作系统都懒得自己开发，而是向其他公司招标。IBM 先找到了 DR（Digital Research）公司，因为价钱没谈好，只好作罢。盖茨看到了机会，他空手套白狼，用 7.5 万美元买来磁盘操作系统（DOS），转手卖给了 IBM。盖茨的聪明之处在于，他没有让 IBM 买断 DOS，而是从每台 IBM-PC 中收一笔不太起眼的版权费。而且，IBM 和微软签的协议有个很小的漏洞，没有指明微软是否可以将 DOS 再卖给别人。盖茨后来抓住了这个空子，将 DOS 到处卖，IBM 很不高兴，告了微软好几次。因为在大家看来这是以大欺小，IBM 得不到别人的同情，从来没有赢过（在美国，以大欺小的官司常常很难赢，而且即使赢了，也不可能得到太多的赔偿，因为小公司没有什么油水可榨）。IBM 原来认为 PC 赚钱的部分是几千块钱的硬件，而不是几十块钱的软件，后来发现根本不是这么回事。由于兼容机的出现，IBM 沦为了众多 PC 制造商之一，利润受到竞争的限制。而所有微机的操作系统只有一种，虽然每份操作系统现在还挣不了多少钱，但将来的前途不可限量。显然，微软已经占据了有利的位置。于是，IBM 决定和微软合作开发微机新的操作系统 OS/2，共同来开发微机的软件市场。如果换作别人，也许就乐于当 IBM 的一个合作伙伴了。但是，盖茨可不是一般的人，他志存高远，不会允许别人动微机软件这块大蛋糕，尽管此时微软的规模远没法和 IBM 相比。盖茨明修栈道，暗渡陈仓，一方面和 IBM 合作开发 OS/2，挣了一点短期的钱；另一方面下大力气开发视窗操作系统（Windows）。当视窗 3.1 研制出来的时候，微软帝国也就形成了。十几年后，硅谷一位很成功的 CEO 讲，凡是和微软合作的公司，最后都没有好结果。IBM 也许是其中第一个吃亏者。

应该讲，虽然 IBM 最先研制出今天通用的个人电脑，但是在上世纪 80 年代开始的信息革命中，IBM 不情愿地成为了落伍者。同时，一个新的霸主微软公司横空出世。到 80 年代末，由于微机性能每 18 个月就翻一番，微机慢慢开始胜任以前一些只有大型机才能做的工作。这样，微机开始危及到大型机的市场。IBM 出现了严重的亏损，有史以来第一次开始大

规模裁员。这段时期，是 IBM 历史上最艰难的时期。当时有人质疑 IBM
是否会倒闭。

4 他也是做（芯）片的

如果在 IBM 做一个民意调查，谁是对 IBM 贡献最大的人，那么除了沃
森父子外，一定是路易斯·郭士纳（Louis Gerstner）。1993 年，从未
在 IBM 工作过的郭士纳临危受命，出任 IBM 的首席执行官。他成功地帮
IBM 完成了从一个计算机硬件制造公司到一个以服务和软件为核心的服
务型公司的转变，复兴了这个百年老店，并开创了 IBM 的 10 年持续发展。
郭士纳原来是一家食品公司的总裁，再以前任职于美国运通信用卡公司，
根本不懂计算机。在英语中，计算机的芯片和土豆片是一个词——chip，
因此，大家就开他的玩笑说，他也是做（芯）片的，但做的是土豆片（He
also made chips, but potato chips.）。这句原先是嘲笑他的话，以后成为
他传奇的象征。没有高科技公司工作经验的郭士纳在世界上最大的高科
技公司创造了一个奇迹。

郭士纳上台后的第一件事就是对 IBM 进行大规模改组。IBM 由于长期处
于计算机产业的垄断地位，从上到下都习惯于高福利的舒适环境。机构
庞大、官僚主义、人浮于事和内耗严重等，总之，繁荣的背后危机四伏。
因此，一旦进入群雄逐鹿的信息革命时代，IBM 这个被郭士纳比喻成大
象的公司就开始跟不上竞争对手的步伐了。

IBM 内部曾流传这么一个故事：如果要把一个纸箱子从二楼搬到三楼，需
要多长时间？这件本来几分钟就能办成的事，在 IBM 却往往需要几个月。
原因是，要搬动一个箱子，你要先打报告，然后经过层层审批；审批后，
审批报告再层层向下转达，最后交给替 IBM 搬家的搬运公司。在搬运公司
的任务单上，上个月的任务可能还没有完成呢，现在提交的任务单一个月
以后能完成就不错了。这样，搬动一个纸箱花几个月时间一点也不奇怪。

郭士纳像个高明的医生，开始医治千疮百孔的 IBM，他的第一招用他自

己的话讲是将 IBM 溶解掉，通俗地讲，就是开源节流。他首先裁掉了一些冗余的部门和一些毫无前途的项目，包括前面提到的操作系统 OS/2。这样，人员相应减少了，费用自然降低了。但是，短时间内增加收入不是一件容易的事。郭士纳的做法是卖掉一些资产。去过 IBM Almaden 实验室的人都会发现，那座非常豪华的大楼非常不对称，似乎只盖了一半。事实上的确如此，IBM 当时盖了一半没钱了，就留下了这座烂尾楼（见图 2.4）。而且，郭士纳还想把盖好的这一半卖掉，只是这座楼实在太贵，在上个世纪 90 年代初美国经济不景气时，没有公司买得起，它才得以留在IBM。郭士纳事后讲，这些裁撤部门和变卖资产的决定，不仅是他在IBM，也是他一生中最艰难的决定。

图 2.4　IBM Almaden 实验室

接下来，他对公司的一些机构和制度进行改革。首先，他不声不响地将分出去的一些服务公司买回来（那时 IBM 快破产了，美国政府不反对它将服务公司买回来），然后将 IBM 的硬件制造、软件开发和服务合成一体。对比几乎同时代 AT&T 将公司拆分的做法，郭士纳完全是反其道而行之。他的目的是打造一艘 IT 服务业的航空母舰。在公司内部，他引入竞争机制，一个项目可能有多个组背靠背地开发。为了防止互相拆台，加强合作，郭士纳将每个人的退休金与全公司的而不是以前的各部门的效益挂钩。

在研究方面，郭士纳将研发经费从营业额的 9% 降到 6%。以前的 IBM 实验室很像贝尔实验室，有不少理论研究，郭士纳砍掉了一些偏重于理论而没有效益的研究，并且将研究和开发结合起来。一旦一个研究项目进入实用阶段，他就将整个研究组从实验室挪到产品部门。到后期，他甚至要求 IBM 所有的研究员必须从产品项目中挣一定的工资。这种做法无疑会很快地将研究成果转化成产品，但是这样做会影响 IBM 的长线研究和基础研究，为了弥补这方面的损失，IBM 加强了和大学的合作，在几十所大学开展科研合作，或者设立奖学金。

在郭士纳的领导下，IBM 很快走出了困境。IBM 将自身确立为一个服务型的技术公司，并将用户群定位在企业级，而放弃了自己并不在行的终端消费者市场。以往，在争夺低端企业用户的竞争中，IBM 并没有优势，因为它的产品太贵。在郭士纳任期的最后几年里，IBM 开始大力推广廉价、开源的 Linux 服务器。IBM 的产品头一次比竞争对手便宜了。经过 10 年的努力，郭士纳完成了对 IBM 的改造，确立了 IBM 在针对各种规模企业的计算机产品和服务上的优势地位。今天，IBM 成为世界上最大的开源操作系统 Linux 服务器的生产商。上个世纪 90 年代，IBM 和 AT&T 走了两条截然相反的路。AT&T 是将一家好端端的公司拆散卖掉，IBM 则是将分出去的公司整合回来，打造了一艘从硬件到软件到服务一条龙的航空母舰。今天看来，无疑是 IBM 的路走对了。从图 2.5 的 IBM 股票价格走势图中可以看出，从 1993 年下半年起，IBM 的业绩突飞猛进。在郭士纳担任 CEO 的 10 年间，IBM 的股票价格涨了 10 倍。今天，郭士纳虽然已经不再担任 IBM 的 CEO，但 IBM 依然沿着他确立的方向发展。从 IBM 和 AT&T 的不同结果可以看出，一个有远见的经营者和一群贪婪的短期投机者在管理方针和水平上的差别。

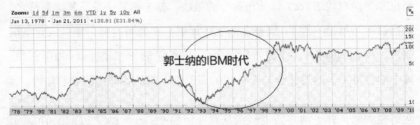

图 2.5　IBM 股票走势图（数据来源：Google Finance）

5　保守的创新者

IBM 在经营上相当的保守，它一直固守自己的核心领域，很谨慎地开拓新的领域。从机械的制表机到大型计算机，到今天的 Linux 开源服务器，IBM 始终牢牢地控制着美国政府部门、军队、大公司和银行的业务，即使它生产的笔记本电脑，也是针对企业用户而不是个人用户的。在同档次的笔记本电脑中，它的价格比其他厂家的要贵很多，因此个人很少自己掏腰包购买 IBM 笔记本。IBM 在自己一些非核心领域也常常处于领先地位，但是它也不轻易在那些领域快速扩展。比如，很长时间里它在存储技术、数字通信技术、半导体芯片设计和制造技术上都是世界领先的，但是我们很少看到 IBM 花大力气开拓这些市场。保守的好处是不容易出错，因为像 IBM 这样服务于美国乃至世界各国核心部门的公司，产品上出一点错就会造成不可弥补的损失，要知道美国主要银行对计算机系统的要求是一年宕机时间不能超过 5 分钟。IBM 这种保守的做法让大客户们很放心，因此，即使它的产品和服务比别人贵，政府和企业还是很愿意，或者说不得不用 IBM 的。

从技术上讲，IBM 是一家极富创新的公司。几十年来，如果说在工业界哪个实验室有资格和贝尔实验室相提并论，恐怕只有 IBM 实验室了。1945 年，IBM 在纽约开设了第一个实验室，这就是后来的华生实验室，几年后，它在硅谷开设了第二个实验室。今天，它在全球有 10 个实验室。上个世纪 50 年代，IBM 发明了计算机的硬盘和 FORTRAN 编程语言；上个世纪 60 年代，IBM 发明了现在通用的计算机内存（DRAM），提出了现在广泛使用的关系型数据库（Relational Database）。上个世纪 70 年代以来，IBM 的重大发明和发现包括今天通信中使用最广泛的 BCJR 算法、精简指令集（RISC）的工作站、硬币大小的微型硬盘（用于照相机等设备），以及后来获得诺贝尔奖、看得见原子的扫描隧道显微镜。至今，IBM 在计算机技术的很多领域都是非常领先的。比如，它为索尼游戏机设计的 8 核处理器，是今天英特尔双核处理器性能的 10 倍。不过，IBM 的主要发明都和计算机有关，这一点上，它有别于研究范围广泛的 AT&T 贝尔实验室。

IBM 一直是美国专利大户，每年都有几千个专利。尤其是贝尔实验室分家以后，IBM 成了专利申请的老大。IBM 十分鼓励员工申请专利，每申请一个专利，员工不仅能得到一笔不错的奖金，还可以计点，计够一定的点数，对员工涨工资乃至升职都有好处。我曾经问 IBM Almaden 实验室 DB2 的实验室主任，IBM 如何衡量一个研究员的工作。他告诉我有三条衡量标准：发表论文、申请专利和产品化。由此可以看出专利申请在 IBM 的重要性。

在美国，申请专利的目的一般有两种，第一种是保证自己不被别人告侵权，即防御性的。一个公司发明一种东西后，为了防止其他公司和个人将来提出什么不合理的要求，通过申请专利来保护自己。第二种是进攻性的，一个公司申请一些可能以后有用但是自己未必使用的专利，专门来告别人侵权。IBM 的专利很多是后一种。IBM 每年花上亿美元，养了一支庞大的知识产权方面的律师队伍，专门去告那些可能侵犯 IBM 专利的公司，每年 IBM 从专利上挣来的钱是 10 亿美元左右。这显然是一个非常赚钱的买卖。IBM 华生实验室的一位主任很骄傲地告诉我，不要看 IBM 在微机市场上远远落后于戴尔和惠普等公司，但它们每年要向我们交很多的专利费！ [2]

2
至于每年 IBM 从知识产权中挣了多少钱，在它的财报中有记载。

IBM 实验室迄今为止有两次大的变动。一次是在 1993 年郭士纳上台后大量削减研究经费，很多人离开 IBM 去了华尔街。其中很多人，主要是一些数学很强的科学家，去了后来最成功的对冲基金（Hedge Fund）文艺复兴技术公司（Renaissance Technologies），并撑起了半个公司。可见科学和金融也是相通的。文艺复兴技术公司 1987-2007 年 20 年间平均投资回报率为每年 37%，而 2008 年金融危机那一年全球股市暴跌时，它的回报却高达 80%。这在世界上是独一无二的，而且远远超过股神巴菲特的旗舰公司伯克希尔－哈撒韦（Berkshire-Hathaway）。从 1987-2007 年的 20 年中，这两家公司的总回报率分别是 200 倍和 20 倍，而标普 500 指数是 6 倍。IBM 实验室第二次大的变动是在最近几年。现在，IBM 的很多研究员只能从研究项目中拿到一大半而不是全部的工资，另一小半必须通过参加产品项目而获得，因此一些单纯搞研究的科学家不得不离开。对 IBM 的这种政策，仁者见仁，智者见智。IBM 的目的非常清楚：科研必须和产品相结合。

6 内部的优胜劣汰

如果看一看 IBM 从 2002 年到 2010 年来的业绩，你会发现 IBM 的年收入 8 年来只涨了 22%（从 810 亿美元到 987 亿美元），而利润却涨了 5 倍（从 23 亿美元到 104 亿美元）。原因是，IBM 不断地淘汰不挣钱或挣钱少的部门，扩充利润高的部门。2002 年，IBM 将效益不好的硬盘部门以 30 亿美元的价格卖给了日本的日立公司。2004 年底，IBM 将个人电脑业务以 17.5 亿美元的价格卖给了中国的联想公司，交易于次年完成。这 17.5 亿美元包括 6.5 亿美元现金及 6 亿美元联想集团 18.9% 的股份，此外，联想还必须承担 IBM PC 业务带来的 5 亿美元负债。在以前，IBM 也类似地出售过一些部门。

我们且不去管 IBM 和日立的交易，单来看看 IBM 和联想的交易，因为这是中国公司第一次收购美国著名公司的部门。当时，不少人觉得联想能收购 IBM 的个人电脑部门说明中国国力增强了，扬眉吐气了；一些人担心联想是否能消化得了 IBM 这个部门，因为这个部门在亏损。显然，这笔生意能做成是因为 IBM 卖有卖的道理，而联想买有买的道理。

我没有联想这些年来经营情况的数据，但是有 IBM 历年的财报。让我们先来看一看 IBM 的情况。表 2.1 是我从 IBM 提交给美国证券会的年度财报表中摘要出来的。其中很多小项目，比如一次性收入和支出等，我都省略了。

表 2.1 IBM 历年财报表（单位：美元）

	2004 年	2006 年	2009 年
总收入	963 亿	914 亿	987 亿
毛利润	360 亿	383 亿	417 亿
毛利率	37.3%	41.9%	42.2%

	2004 年	2006 年	2009 年
成本	607 亿	531 亿	570 亿
管理、市场	201 亿	203 亿	220 亿
研发	59 亿	61 亿	62 亿
税后纯利	75 亿	95 亿	104 亿
每股利润	4.47	6.20	7.15

从表 2.1 中我们可以看出，卖掉 PC 部门后，IBM 的总收入有小幅下降，但是利润有明显提高，因为成本大幅下降。管理、市场开拓、研发等费用基本持平。从 2004 年到 2006 年，税后利润增加了 1/4 以上，到 2009 年又有了进一步的提高。在卖掉 PC 部门后，IBM 用所得现金几次购回自己的股票，因此公司总股票数量减少，每股利润的提升要明显快于税后利润的增长。显然，IBM 在卖掉亏损的 PC 部门后，甩掉了一个包袱，同时它得以集中精力在它的服务业上，使利润大幅提高，同时也回报了投资者。IBM 一直这样不断优化自己的业务，盈利能力稳步上升。

那么，联想并购 IBM 的 PC 部门是否亏了呢？虽然我没有看过联想这几年的营收情况数据，但是我认为联想当年的决定是非常正确的。有两条原因当时所有的人都已经看到。第一，IBM 笔记本 ThinkPad 是笔记本电脑的第一品牌，联想买下这个品牌就可以直接在世界各地销售自己品牌的电脑，而不是为美日公司组装机器。有时，即使花很多时间和金钱，也不一定能创出一个世界级的品牌。联想这次一步到位。第二，当时联想个人电脑在世界市场上销量不过 2%，这个市场份额无足轻重，根本无法和戴尔、惠普等公司竞争。当时 IBM 有 5% 的市场份额，两家加起来大约有 7%，这个份额在世界上可以进前 5 名，和美国、日本的公司就有一拼了。当然，几乎所有人都有一个疑问，联想是否能将 IBM 亏损的 PC 部门扭亏为盈。

对笔记本电脑行业进行一些分析和研究，可以看出这种可能性是很大的。我想，联想之所以愿意收购，必然是三思而行的。事实上，IBM 的 PC 部门的毛利润大约是 25%，远高于戴尔的 19%，也高于惠普的 23%。但是，IBM 的 PC 业务在亏损，而惠普还有 7% 左右的税后利润，主要原因是 IBM 的非生产性成本，即管理、市场和研发的费用太高，占了总收入的 27%。IBM 在财务上，是将全公司的这些费用平摊到各个部门，IBM 除 PC 以外的其他部门，毛利润均在 40% 以上，扣除非生产性成本，还充分盈利。但是，PC 部门就变成亏损的了。IBM 很难扭转 PC 部门的亏损局面，因为整个公司盈利太好，从上到下没有精打细算的习惯。但是，联想应该很容易扭亏为盈，因为中国的人工便宜，很容易将管理和研发的费用降下来。再不济，联想的非生产性成本也不会比惠普高。总的来讲，IBM 和联想的这次交易应该是双赢的。

IBM 就是这样，时不时地调整内部结构，将一些非核心的、长期效益不好的部门卖掉，同时扩大核心的、利润高的业务。

7 后金融危机时代

从 2000 年到 2010 年，IBM 的业绩没有多少值得圈点的地方。它的利润很高，但是发展并不是很快，甚至在有了很多现金收入时不知道如何利用这些现金进行再投资，最后只好以回购股票的形式发还给股东们。在过去的 10 年里，它的股价几乎是一条直线，因此，它的股票期权对新老员工已经没有吸引力了。从 2007 年起，IBM 干脆直接对员工发放限制性股票。但是，它在 2001-2003 年和 2007-2009 年两次经济危机中再次显示出的超乎寻常的生存能力，依然让业界叹为观止。

2000-2003 年互联网泡沫破碎，给世界经济带来了短期的局部动荡，IBM 本来就没有赶上互联网的快车，当然受泡沫的负面影响也较小，这些就不再赘述了。但是 2007-2009 年的全球金融危机对社会的冲击却是无所不在。在这次金融危机中，很多"巨无霸"的跨国公司或者倒闭（如通用汽车[3]公司、雷曼兄弟公司等），或者被并购（如太阳公司、贝尔斯登公司），或者一蹶不振（如雅虎公司、花旗银行），即使是很健康的公司，包括微软公司、eBay 公司等，也没有回到危机以前的情况。而 IBM 不但在危机中没有受到太多的影响，而且在危机过后业绩迅速提升。图 2.6 是

3

通用汽车 2009 年进入破产保护，政府注资，原有的普通股价值清零。2010 年重新上市后股东已经是另一拨人了。现在只是名字未改而已，但是所有权已经完全不同。

2006-2011 年 IBM 的股价和标准普尔 500 指数的对比。从图中可以看出，即使是金融危机最严重的 2008 年底，IBM 的股价也没有跌破经济很健康的 2005 年末的水平。而在股市触底的 2009 年 3 月，IBM 的股价已经走出了谷底，几天后它的股价比 2005 年增长了 70% 左右，而同期美国股市的三大指数收益均是负值。

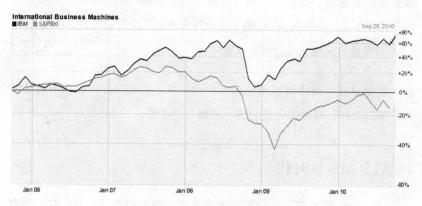

图 2.6　IBM 股价与标准普尔指数对比（数据来源：Google Finance）

为什么 IBM 能在金融危机中岿然不倒？为什么投资人对它这么有信心呢？这要从它的业务、商业模式、管理方式及全球化等几个角度来看。

IBM 几乎 100% 的客户都是商业客户，本来这样的生意最容易受宏观经济的波动而变得很不稳定。但是，它的核心业务主要是 IT 服务，和金融本身相关性不大。我们在前面已经讲过，IBM 不是一个简单的设备公司或软件公司，而是一个服务公司。无论世界如何发展，对 IT 服务的需求总是存在的，而且是上升的。因此，虽然有金融危机，使得各个公司和企业会迅速减少，甚至终止对 IT 产品的采购，但是，只要这些企业还存在一天，就需要 IT 服务一天。有了这个稳定的收入来源，IBM 在金融危机最严重的季度，营收也没有受到多少影响。相反，那些以销售设备、器件和软件为主的 IT 公司，比如太阳公司和英特尔公司，营收就会锐减。英特尔公司家大业大，虽然营业额与金融危机前一年相比少了 1/4，但是尚可维持；而本来就风雨飘摇的太阳公司，在连续亏损几个季度后，就不得不被兼并掉了。这显示出 IBM 的业务和商业模式的平稳性。

作为 IT 领域罕见的百年老店，IBM 的中层管理虽然机构臃肿，但是它的高层管理还是很有经验的。IBM 在过去不断淘汰毛利率非常低的业务，使得全公司的毛利率一直维持在非常高的水平。IBM 全球有 40 万员工，工资和其他人工成本占它成本的主要部分。在宏观经济良好的时期，它不太在意人工的成本，这给 IBM 的中层领导一个胡乱扩张的机会。但是，IBM 的高层很清楚，即使裁员 20%，他们的业务也不会有什么根本的影响。从郭士纳掌权以后，每到经济危机时期，IBM 就开始变相裁员。他们首先裁掉的是在美国的合同工（而非正式员工）。这一次，他们比郭士纳时代更进一步，把很多工作永久性地移到了印度，因为那里的成本能比美国少一半。作为一个业务遍布全球的跨国公司，IBM 的服务也是全球化的，从美国给全球服务和从印度给全球服务没有本质的区别。IBM 为了对美国员工显得人性化一些，当他们减掉一个美国工作岗位时，会给相应的员工一个"搬到印度"（relocate to India）去的机会，但是要求到了印度后拿当地的工资。当然除了原本来自印度的员工，其他人根本不会考虑这个"善意的选择"。

IBM 业绩稳定的第三个，也许是最重要的一个原因来自于全球化。关于全球化我们以后还会再介绍。实际上，不仅仅是 IBM，美国在这次金融危机中实体经济并没有受到太大的打击，原因就是美国各个行业主要的龙头公司都是跨国公司，它们的收入有一半，甚至更多来自海外。我们不妨看看美国最大的 10 家 IT 公司海外营收占其总收入的比例。

表 2.2　美国 10 大 IT 公司海外营收统计

公司	2007 年海外营业额 （单位：美元）	2007 年 海外占比	2009 年海外营业额 （单位：美元）	2009 年 海外占比
IBM*	577 亿	58.4%	555 亿 *	57.9%
惠普	659 亿	66.6%	732 亿	63.8%
微软	245 亿	41%	263 亿	42%
英特尔 *	306 亿	80%	280 亿	80%

公司	2007 年海外营业额 （单位：美元）	2007 年 海外占比	2009 年海外营业额 （单位：美元）	2009 年 海外占比
思科 *	183 亿	46%	183 亿	46%
苹果	126 亿	51.2%	240 亿	55.9%
Google	79 亿	48%	125 亿	53%
太阳 *	79 亿	53%	69 亿	60%
甲骨文	111 亿	49.5%	130 亿	48.5%
高通	77 亿	87.6%	98 亿	94.2%

上面标记 * 的公司在地理市场上的划分是以美洲为一个整体，那么"海外"收入其实是非美洲的收入。具体到 IBM，它在美国的收入 2009 年较 2007 年少了 4%，但是在拉美等国有较大的提升，因此整个美洲的营收比例得以维持。

从表中我们不难看出，这些公司原来的收入就主要来自于海外，金融危机后这个比例还在上升。因此，虽然金融危机的中心是美国，但是美国真正好的企业抗击本土经济衰退的能力非常强。具体到 IBM，由于在金融危机一开始的时侯，美元迅速贬值，导致它的出口变得强劲。同时，它在海外的业务是以当地货币进行的，而它在财报中的营收是按美元结算的，所以其他国家货币相对升值时，IBM 的财报就显得很漂亮。

基于上述原因，即使在金融危机最危险时，华尔街对 IBM 相对都是有信心的。保守和谨慎对于这个百年老店至关重要。

结束语

IBM 百年来在历次技术革命中得以生存和发展，自有其生存之道。它在技术上不断开拓和发展，以领导和跟随技术潮流；在经营上，死死守住自己核心的政府、军队、企事业部门的市场，对进入新的市场非常谨慎。迄今为止，它成功地完成了两次重大的转型，从机械制造到计算机制造，再从计算机制造到服务。它错过了以微机和互联网为核心的技术浪潮，这很大程度上是由它的基因决定的，但是它平稳地渡过了历次经济危机。

今天，它仍然是世界上员工人数最多、营业额和利润最高的技术公司之一。2011 年，IBM 的市值终于在 20 多年后，超过了老对手微软公司，可见保守和稳妥的好处。在可以预见的未来，它会随着科技发展的浪潮顺顺当当地发展，直到下一次大的技术革命。

IBM 大事记

1924　老沃森控股原制表机公司，改名 IBM。

1925　进入日本市场，此前制表机公司已经开始逐渐进入欧洲市场。

1933　IBM 工程实验室成立。

1936　在罗斯福新政时，IBM 获得美国政府大订单。

1940　20 世纪 40 年代进入亚洲市场。

1943　IBM 研制出真空管放大器。

1945　华生实验室成立。

1952　小沃森成为 IBM 总裁，开始了快速发展的 20 年计算机时代。

1953　研制出使用磁鼓的计算器。

1964　IBM360 大型计算机问世。

1969　开始语言识别的研究，司法部开始对 IBM 进行反垄断调查。

1971　小沃森退休。

1973　江崎玲于奈（ Leo Esaki ）博士因在电子隧道效应上的研究为 IBM 获得第一个诺贝尔奖。

1981　IBM–PC 诞生。

1993　郭士纳接管 IBM，开创 IBM 的黄金十年。

1997　计算机深蓝战胜国际象棋世界冠军卡斯帕罗夫。

2005　IBM 将 PC 部门卖给联想，从此退出 PC 市场。

参考资料

1. IBM 历史参见：www.ibm.com/ibm/history。

2. IBM 历年财报参见：www.sec.gov。

3. Thomas J. Watson; Peter Petre (1991). Father, Son & Co: My Life at IBM and Beyond. Bantam Books. ISBN 9780553290233. 参见：http://books.Google.com/books?id=p55F1nV1MigC。

4.《谁说大象不能跳舞？ ——IBM 董事长郭士纳自传》，郭士纳著。

第 3 章 "水果"公司的复兴

乔布斯和苹果公司

看过汤姆·汉克斯主演的电影《阿甘正传》的读者，也许还记得那么一个镜头。傻人有傻福的阿甘最后捧着一张印有苹果公司标志的纸说："我买了一个水果公司的股票，有人说我这一辈子不用再为钱发愁了。"那是上世纪 90 年代初的电影，导演挑中了苹果公司，因为它的股票确实在几年间涨了 10 倍。

几年前，我在硅谷的库帕蒂诺市（Cupertino）找房子，有一次来到一个办公楼和公寓混杂的社区，那里到处是各种颜色的、被咬了一口的苹果标志。那就是今天大名鼎鼎的 iPod 和 iPhone 的制造者苹果公司的总部了。那时苹果公司还不太景气，想把办公楼租给刚刚开始腾飞的 Google。幸好这笔生意没有谈成，否则，那片狭小的社区无论如何是容不下当今两个发展最快的公司的。

生于上个世纪六七十年代的人，可能对世界上最早的个人电脑苹果机还有印象。而生于上个世纪八九十年代的人，可能对很酷的 iPod、iPhone 和 iPad 印象更深。苹果最初是便宜的低端品牌，现在成了高端的时尚品牌，这看似矛盾的两方面，通过苹果的创始人史蒂夫·乔布斯很好地结合了起来。

1 传奇小子

在硅谷，可能没有人比史蒂夫·乔布斯更具有传奇色彩了。乔布斯可能是唯一一个还没在大学读完一年书的美国工程院院士。比尔·盖茨虽然没有大学毕业，毕竟正儿八经地上了两年。乔布斯只读了半年大学，又旁听了一段时间，然后就彻底离开了学校。他入选院士的原因是"开创和发展个人电脑工业"（For contributions to creation and development of the personal computer industry.）。

乔布斯的生母是一名年轻的未婚在校研究生，因为自己无法在读书的同时带孩子，她决定将乔布斯送给别人收养。她非常希望找一个有大学学历的人家。最开始，她先找了一对律师夫妇，但是那对夫妇想要个女孩。就这样，乔布斯就被送到了他后来的养父母家。但是，乔布斯的生母后来发现不仅他的养母不是大学毕业生，养父甚至连中学都没有毕业，于是她拒绝在最后的收养文件上签字。后来，乔布斯的养父母许诺日后一定送他上大学，他的生母才答应了。

乔布斯高中毕业后进了一所学费很贵的私立大学。他贫困的养父母倾其所有的积蓄为他付了大学学费。读了半年，乔布斯一方面觉得学非所用，另一方面不忍心花掉养父母一辈子的积蓄，就退了学。但是，他并没有离开学校，而是开始旁听他感兴趣的、将来可能对他有用的课。乔布斯没有收入，就在同学宿舍地板上蹭块地方睡觉，同时靠捡玻璃瓶、可乐罐挣点小钱糊口。每个星期天，为了吃一顿施舍的饭，他要走十公里到一个印度庙去。当时，乔布斯只做自己想做的事。他所在的大学书法很有名，他也迷上了书法。虽然当时他还不知道书法以后有什么用，但是后来事实证明，乔布斯的艺术修养使得苹果公司所有的产品设计得非常漂亮。比如，以前的计算机字体很单调，乔布斯在设计苹果的麦金托什（Macintosh）计算机时，一下子想到了当年漂亮的书法，为这种个人电脑设计了很漂亮的界面和字体。

1976 年，乔布斯 21 岁时，和史蒂夫·沃兹尼亚克（Steve Wozniak）及罗恩·韦恩（Ron Wayne）三人在车库里办起了苹果公司，研制个人微机。

后来韦恩退出，只剩下乔布斯和沃兹尼亚克两人。当时一台计算机少说要上万美元，即使价钱降得再多也不可能进入普通百姓家。在每一次技术革命中，新技术必须比老的技术有数量级的进步才能站住脚。乔布斯很清楚这一点，他必须让计算机的价钱降至原来的几十分之一才会有人买得起。同年，两人研制出了世界上第一台通用的个人电脑 Apple-I。老百姓花上几百美元就可以买到。为了降低成本，Apple-I 除了有一个带键盘的主机之外，什么外设都没有。但是，它有一个可以接家用电视机的视频接口，和一个接盒式录音机的音频接口，保证数据和程序可以存在一般的录音带上，而电视机和录音机在美国几乎家家都有。10 年后，中国的原电子工业部主持清华大学等几家单位攻关，研制出了被称为中华学习机的 Apple 兼容机，当时售价也只有 400 元人民币，而当时一台 IBM-PC 要两万元人民币，所以中华学习机不到两年就卖掉了 10 万台，超过其他微机同期在中国的销售总和。很遗憾，中国的这家公司，也是我工作过的公司，非常不善经营，作风上很像政府机关而不是商业公司，从来就没有发展起来。当然这是题外话了。

最早的苹果机实际上做不了什么事，只能让学计算机的孩子练习一下简单的编程和玩一点诸如"警察抓小偷"的简单游戏。苹果机的操作也很不方便，一般老百姓是不会喜欢用它的。因此，它的象征意义远比它的实际意义要大得多，那就是计算机可以进入家庭。以前，DEC 的总裁认为，计算机进入家庭是最不切实际的幻想。现在，乔布斯和他的同事做到了这一点。DEC 为他们的傲慢与偏见付出了代价。个人电脑的出现，强有力地冲击了 DEC 的小型机市场，1998 年，长期亏损的 DEC 终于支撑不下去了，被个人电脑公司康柏收购。乔布斯很清楚，像早期苹果机这样的玩具是无法让广大消费者长期喜欢的。事实上，当 IBM 推出了一款真正能用的 PC 后，一下就抢掉了苹果机 3 / 4 的市场。因此，乔布斯开始致力于研制一种真正能用的个人计算机。1984 年，第二代苹果机麦金托什诞生了。

麦金托什是世界上第一款普通百姓可以买得起、拥有交互式图形界面并且使用鼠标的个人电脑。它的硬件部分性能略优于同期的 IBM-PC，而它的操作系统领先当时 IBM-PC 的操作系统 DOS 整整一代。后者是命令行式的操作系统，用户必须记住所有的操作命令才能使用计算机。今天，当我们已经习惯了使用交互式图形界面的 Windows 时，如果要退回到 DOS，会觉得很别扭。麦金托什和 IBM-PC 当年的差别就有 Windows 和 DOS 那么大。除了界面上的差别，麦金托什操作系统还在内存管理上有 DOS 不可比拟的优势，因为后者实际可用的内存始终局限在 640KB，而前者没有任何限制。麦金托什一上市就卖得很好，因此无论从技术上讲还是从商业上讲，都是一个巨大的成功。

谈到麦金托什，必须提两点。第一，它的交互式图形窗口界面最早是从施乐（Xerox）公司帕洛阿尔托（Palo Alto，斯坦福大学所在地）实验室（Parc）研制出来的。帕洛阿尔托实验室可能是世界上最善于创新，同时也是最不善于将发明创造变成商品的地方。它另一个改变了世界但是没有为施乐带来任何好处的发明是今天每个网民都用的以太网。虽然苹果公司在将图形界面用于操作系统上做出了卓越的贡献，但由于它毕竟最先由施乐发明，因此苹果在后来对微软的官司上并没有占到便宜。第二，苹果走了一条封闭的道路，它不允许别人造兼容机，意欲独吞个人电脑市场。如果苹果开放了麦金托什的硬件技术，允许其他硬件厂商进入市场，我们今天可能使用的就不是 IBM-PC 系列，而是苹果系列了。但是，因为苹果可能在硬件上竞争不过兼容机厂商，因此它只能扮演一个像微软一样的以操作系统为核心的软件公司角色。这时，两种系列的个人电脑胜负的关键就要看苹果和微软在操作系统上的决斗了。在没有兼容机帮忙的情况下，苹果无法挑战微软，虽然它努力试过，但最终败下阵来。

到 1985 年为止，苹果发展顺利，拥有 4 000 员工，股票市值高达 20 亿美元。乔布斯个人也顺风顺水，名利双收。但接下来，乔布斯遇到了别人一辈子可能都不会遇到的两件事——被别人赶出了自己创办的公司，然后又去鬼门关走了一遭。而苹果公司，也开始进入长达 15 年的低谷。

2 迷失方向

1983 年，乔布斯说服了百事可乐公司的总裁约翰·斯卡利（John Sculley）到苹果出任 CEO。斯卡利以前在百事可乐工作了十几年，并成功地推广了百事可乐公司的品牌。以前，人们普遍认为可口可乐就是比其他的可乐好喝。斯卡利发现大家有先入之见，他采用了双盲对比评测——发给大量测试者两瓶没有标签的可乐。结果更多测试者认为百事好喝，斯卡利打赢了市场之战。乔布斯请他来为苹果开拓市场，并负责苹果的日常工作，自己则退出第一线，专注于麦金托什的技术。如果说斯卡利是统筹全局的宰相，乔布斯则是运筹帷幄的元帅。

斯卡利一到苹果就试图让苹果成为 PC 市场的主流。为了迎合市场的需要，斯卡利在苹果搞出了无数种机型，同时提高了销售价格，将利润用来发展苹果新的成长点——Newton PDA，最早的掌上机。乔布斯和斯卡利头一年合作得很好；第二年，将相就开始失和了。乔布斯和斯卡利之争持续了一年多，董事会最后站在了斯卡利的一边。1985 年，斯卡利胜利了，同时乔布斯被踢出他自己创办的苹果公司。那一年，乔布斯刚满 30 岁。一般的创业者 30 岁时还未必能创建自己的公司，乔布斯这一年已经被自己的公司开除了。乔布斯一气之下，卖掉了他持有的苹果公司全部股票[1]。当时工作站很红火，乔布斯创立了一家设计制造工作站的公司 NeXT，不是很成功。NeXT 工作站的图形功能很强，使得乔布斯想在动画制作上发展。于是他用 500 万美元买下了电影《星球大战》导演卢卡斯创办的一个极不成功的动画制作室，并把它重构成一个用图形工作站做动画的工作室 Pixar 公司，这是今天世界上最好的动画工作室，后来被迪斯尼公司以 74 亿美元的高价收购，很多很好的动画片都是 Pixar 制作的。事实上，乔布斯从 Pixar 挣到的钱比他从苹果挣的还多。

斯卡利在赶走乔布斯以后，让麦金托什顺着个人电脑的技术潮流向前漂了七八年。斯卡利很清楚，以苹果领先的技术，即使不做任何事，也可以挣 10 年钱。他一直致力于开发新产品，努力为公司寻找新的成长点，

[1] 乔布斯最后还保留了 1 股，以便可以收到公司的财报。

但始终不得要领。到后来，规模不算太大的苹果公司居然有上千个项目，大大小小的各级经理，为了提高自己的地位，到处招兵买马，上新项目。这些项目中，90% 都是没用的。事实证明，所有的项目中最后只有苹果新的操作系统是成功的，就连斯卡利寄予厚望的 Newton PDA 也没有形成什么气候。苹果的股票上个世纪 90 年代开始是上升的，这就是电影中的阿甘觉得持有了苹果的股票就不用为钱发愁的原因。如果这部电影晚拍几年，导演就不得不为阿甘另找一家公司的股票了。在斯卡利当政的后期，麦金托什的市场占有率渐渐被微软挤得越来越小，而摊子却越铺越大，苹果公司开始亏损，斯卡利不得不下台。斯卡利的两个继任者也是回天无力。苹果被微软打得一塌糊涂，差点被卖给 IBM 和太阳公司，但这两家公司谁也看不上苹果这个市场不断萎缩的个人电脑制造商。如果卖成了，今天就没有 iPod 了。

上个世纪 90 年代，苹果和微软还未就 Windows 侵权苹果的操作系统一事打那好几年的官司。在微软推出 Windows 3.1 以后，IBM-PC 的用户也可以享受图形界面了，苹果的市场迅速萎缩。苹果公司将微软告上了法庭，因为 Windows 的很多创意实实在在是复制苹果的操作系统。在法庭上，微软的盖茨指出苹果的窗口式图形界面也是抄施乐的。盖茨说，凭什么你能破窗而入去施乐拿东西，我不可以从门里走到你那里拿东西呢? 最后，法庭还是以 Windows 和苹果的操作系统虽然长得像，但不是一个东西为由，驳回了苹果的要求。那时硅谷的公司不但在商业竞争中被微软压着一头，连打官司也打不赢微软，十几年来硅谷一直梦想着有一个可以和微软抗衡并且占到上风的公司。

1996 年,苹果走投无路的董事会不得不把他们 11 年前赶走的乔布斯请回来。虽然刚开始他是以顾问的方式介入公司的决策,但是一年后(1997 年)开始实际执掌"底下有个大洞的船"(乔布斯语)的苹果公司了。在美国,董事会赶走一个公司创始人的情况虽然不常见,但还是发生过。但是,再把那个被赶走的创始人请回来执掌公司,不仅以前没听说过,以后也很难再有。

3   再创辉煌

苹果董事会起先对乔布斯的能力也没谱，1997 年给了他一个临时 CEO
的头衔。乔布斯也不在乎这个，他甚至答应一年只拿一块钱的工资。毕竟
苹果公司是他的亲儿子，只要让他回苹果就什么都好说。但是，乔布斯嘴
上却说自己无意回苹果，以增加自己的职权范围以及将来和董事会谈条件
的筹码。事实上乔布斯最后提出的要求是非常苛刻的，苹果公司不仅要
付给他自己数量巨大的股票，授予他管理的全权，而且需要撤换掉大部
分董事会成员，以方便他的工作。从他回到苹果公司后非常系统而有章
法的做法来看，他是对重塑苹果公司有着充分准备的 —— 他可能早就在
等待这一天了。我和硅谷很多创业者聊过，发现他们对自己创办的公司，
哪怕再小的公司，在感情上也像对自己的孩子一样亲。乔布斯上台后推
出了一些样子很酷的电脑，那时苹果电脑已经比 IBM 兼容机贵了很多，
成了高端的产品，用户主要是很多搞艺术的人——他们很喜欢苹果优于其
他个人电脑的图形功能，其次是一些赶时髦的学生和专业人士。乔布斯
自己也更像一个才华横溢的艺术家，而不是一个严谨的工程师。既然苹
果在微机领域已经不可能替代兼容机和微软的地位了，他干脆往高端发
展，讲究性能、品味和时尚。慢慢地，苹果的产品成了时尚的东西。

乔布斯的运气很好，一上台就赶上了网络泡沫时代，那时几乎所有公司的
业绩都上涨，苹果也跟着上涨。由于苹果已经将自己定位在很窄的高端市
场，就避免了与微软、戴尔和惠普的竞争。加上微软当时正被反垄断官司搞
得焦头烂额，也无暇顾及苹果这个“小弟弟”了。苹果在乔布斯接手的两年
里恢复得不错，董事会也在一年后将乔布斯扶正，任命他为正式的 CEO。

好景不长，随着网络泡沫的破碎，苹果公司的发展面临再次受到阻碍的
可能。当然只要它老老实实地固守自己的高端市场，随着经济的复苏，
苹果还会慢慢好起来，成为高端个人电脑的制造商。但如果只是这样的话，
苹果就不值得我们在此大写特写，而乔布斯也就不是乔布斯了。乔布斯
的超人之处在于他善于学习，并能把准时代的脉搏。经过十几年磨炼的

乔布斯已经不是当年那个毛头小伙子了。他已经认识到了苹果封闭式的软硬件，从成本上讲，无法和微软加兼容机竞争，也无法为用户提供丰富的应用软件。乔布斯做了两件事，他在苹果的微机中逐渐采用了英特尔的通用处理器，同时采用 FreeBSD 作为新的苹果操作系统内核。这样相对开放的体系使得全社会大量有兴趣的开源工程师能很容易地为苹果开发软件。但是，至关重要的是如何为苹果找到个人电脑以外的成长点，实际上，他已经接受了当年斯卡利的观点。

斯卡利明白新成长点的重要，但是他没有找到，苹果历任 CEO 都想做这件事也都没有做到。斯卡利搞的掌上个人助理想法不错，但是时机不成熟，因为那时无论是手机还是互联网都没有发展起来，很少有人愿意花几百美元买一个无法联网的高级记事本。因此，这个产品的市场即使存在，也不过是一个很窄的市场，这样的产品不可能掀起一个潮流。斯卡利的运气不太好，因为在他执掌苹果的年代，移动通信和互联网还没有发展起来，除了微机的发展形成了一种潮流，没有别的潮流。虽然苹果本来有可能成为微机领域的领导者，但它封闭的做法，使得它战胜微软的可能性几乎是零。乔布斯比较幸运，他再次接掌苹果时，已经进入到了网络泡沫时代。雅虎似乎代表了一种潮流，很多公司在跟随着雅虎，但事实证明，它们都在面对网络泡沫，而且会因此面临严重的危机。乔布斯在网络泡沫时代，能高屋建瓴，不去趟互联网这滩浑水，而是看到了网络大潮下面真正的金沙。

上个世纪最后 10 年，以互联网和多媒体技术为核心的一场技术革命开始了。互联网是信息传播的渠道，多媒体技术则提供了数字化的信息源。原来的录音带和录像带很快被激光唱盘和 DVD 代替，随着声音和图像压缩技术的出现，这些数字化了的音乐和录像很容易在互联网上传播。到上世纪 90 年代末，互联网上充斥了各种盗版的音乐和电影。以前，音乐唱盘属于一个垄断的暴利行业，这个行业的一位朋友告诉我，音乐 CD 平均一张卖 10 美元左右，而除去版税后的制作成本总共只有十几美分到几十美分，视批量而定。现在网上有了不要钱的音乐，音乐下载很快占

整个互联网流量的 1/4，广大网民一下子学会了听下载的音乐、看下载
的录像。同时，市场上出现了一些小型音乐播放器，但做得都不是很理想。
虽然唱片公司集体告赢了帮助提供盗版音乐的 Napster 公司，盗版的音
乐和录像很快从互联网中消失了，但是，用户用一个小播放器听音乐和
歌曲的习惯已经养成了。

乔布斯看到了两点最重要的事实：第一，虽然已经有了不少播放器，但
是做得都不好，尤其是在音乐数量多了以后，查找和管理都很难。要知道，
从一千首歌里面顺序找到自己想听的可能要花几分钟时间。另外，要把
自己以前买的几十张 CD 上的歌导到播放器上更是麻烦。第二，广大用
户已经习惯戴着耳机从播放器中听歌而不是随身带着便携的 CD 唱机和
几十张光盘。因此，它不需要花钱和时间培养出一个市场。基于这两点
的考虑，乔布斯决定开发被称为 iPod 的音乐和录像播放器。

苹果公司很好地解决了上面提到的两个技术问题。他们在播放器上设计
了一个用手转圈划动的音乐查找手段，使用户可以非常快地找到自己要
听的歌。同时，他们开发了一种叫 iTunes 的软件，安装之后，可以自动
地把电脑上和光盘中的音乐传到 iPod 中。另外 iPod 充电一次，播放时
长可达 10 小时，比以往的各种播放器都要长得多。同时，苹果 iPod 的
外观设计非常漂亮，所以，2001 年，iPod 一经推出，就俘获了大批爱听
音乐的年轻人。仅一年，iPod 的销售额就突破 1 亿美元。又过了一年多，
iPod 的销售额接近 10 亿美元，占公司营业额的 15%。2008 年，iPod 的
销售额近 80 亿美元，占整个公司收入的 4 成。苹果公司的股票从 2003
年的最低点开始，到 2012 年 6 月已经涨了 60 多倍。今天，iPod 已经不
仅仅是一个简单的播放器，而是一个不小的产业。不同的厂家，从音箱
生产厂到汽车公司，都在主动为 iPod 设计和制造各种配套产品，比
如音箱、耳机、汽车音响，甚至是皮套，等等。这有点像有无数软件
公司在微软的操作系统上主动开发应用程序。神奇小子乔布斯终于再现
辉煌。

4 大难不死

从 2004 年到 2006 年，乔布斯和苹果都经历了两场大的劫难，但都奇迹般地生存下来。

2003 年 10 月，乔布斯患上癌症，医生估计他最多还能活 3 到 6 个月。医生建议他回去把一切都安排好，其实就是在暗示他"准备后事"。医生马上给他做了手术，很幸运的是，那是一种少见的可治愈的恶性肿瘤。手术后，他很快就好了。这次经历，使乔布斯对死亡有了真正的认识。他认为，死亡推动着生命进化和变迁，旧的不去，新的不来。现在，新的人和新的技术，在不久的将来，也会逐渐成为旧的，也会被淘汰。苹果没有沉浸在 iPod 的成功中，而是加紧了新品的开发。

苹果公司 2005-2006 年也不太顺，经历了产品受阻和期权风波。

华尔街总是期望上市公司不断创造营收的奇迹。为了获得进一步增长，在垄断了播放器市场后，2003 年苹果开始寻求在高额利润的音乐市场上分一杯羹。世界上整个音乐市场当时被五家大的唱片公司——百代、环球包括下属的宝丽金、华纳兄弟、索尼和 BMG 垄断。后两家今天已经合并。这五家基本上各自签约不同的艺术家，各卖各的音乐，共同维持着一个高利润的市场。大部分听众可能都有一个体验，就是每个人可能只喜欢一张唱片中的一两首曲子而不是全部，但是，买 CD 时必须整张 CD 一起买。苹果建议唱片公司和它一起开发音乐付费下载市场，把一个专辑拆成一首首的曲子来卖，这样听众可以只选择自己喜欢的来下载。这个主意当然很好，问题是唱片公司和苹果如何分成，当然谁都想多得一些。乔布斯是个非常优秀的谈判高手，他把在价格上最强硬的索尼放在最后，他和其他四家公司共同达成了协议，索尼只好就范，否则就永远被隔离在广大的 iPod 用户群以外。苹果推出音乐付费下载以来，下载量远比想象的要增长得慢。整个 2006 年，苹果公司在股市上的表现都不好，这时，苹果又爆出了期权风波，更是雪上加霜。关于这次风波媒体上报道很多，大致情况如下想了解美国的高科技公司，必须了解它的股票期权制度。在传统的公司里，一个员工的薪酬福利包括奖金和退休金等现金。一般员工并不拥有公司的一部分。很多高科技公司，为了将员工的利益和公司的前途绑在一起，发给员工一些股票的期权。所谓期权（Option）就是在一定时间，比如十年内，按一定价格，比如当前市场价购买股票的权利。获得期权的员工，会对公司有主人翁的责任感。如果公司的股票上涨，那么拥有股票期权的人可以以过去较低的价格买进股票，即所谓的行权（Exercise），然后以现在较高的价格卖出，从中赚到差价。期权只有当公司股票不断上涨时才有意义。遗憾的是，没有一家公司的股票只涨不落，因此期权有时会变得毫无意义。一些公司为了让期权变得有意义，在中间做手脚，修改期权授予时间，用最低的价钱将股票授予管理层和员工。苹果公司就是在这件事上栽了跟头。2006 年，美国证监会开始调查苹果公司这一行为。经过长期调查，证监会掌握了确凿的证据，苹果公司终于低头了，并交了罚款。最后，苹果公司首席财务官弗雷德·安德森（Fred Anderson）为此受罚。

从后来的情况发展看，这位被解雇的财务官觉得委屈，跑到《华尔街日报》去鸣冤。乔布斯一手对付证监会的调查，一手开发新品。2006 年底，苹果公司推出了 Apple TV。Apple TV 不是任何意义上的电视机，而是一台豆腐块大小的计算机，这个盒子可以存储几千小时的音乐或几十小时的电影。它一头可以和互联网连接，下载音乐和电影，另一头，和家里的电视机和音响连接，播放出 5.1[2] 电影院效果的环绕立体声、高清晰度的音像。别小看了这个价格和 iPod 差不多的豆腐块，当时有人猜测它很有可能成为未来每一个家庭客厅的娱乐中心。直到今天，很多人依然认为，在个人电脑之后，家庭的娱乐中心将成为一个新的产业。事实上，在 Apple TV 出来的 10 多年前，盖茨就在他的《未来之路》一书中预言音像制品将数字化，可以根据用户特殊需求下载并存在一个服务器中，这个服务器可以管理和控制所有的家电。2006 年，盖茨的这个梦想似乎快实现了，却让苹果抢先了一步，不过微软和索尼马上跟进。那一年，

2
美国电影院的基本音响要求有五个声道加上一个超低音声道，简称 5.1。

在这个领域有三个候选者，苹果、微软和索尼，后两者靠各自的游戏机作为家庭娱乐中心。苹果拥有最大的付费下载 iTunes 用户群，微软有很强的技术储备，索尼有领先的蓝光（Blu-Ray）DVD 技术。照理讲，这三家巨头应该有一家能占领家庭的客厅，但事实是最终三家都没有笑到最后。

另外两家的原因暂且不去说，第一代 Apple TV 的失败原因颇为明显：这个产品设计有问题。虽然第一代的 Apple TV 从外形到功能都很酷，从外形上看，它和其他苹果产品一样是漂亮的乳白色，是一个只有一张光盘盒大小，一英寸厚的白盒子。从功能上看，它能输出 1080 线的图像和 5.1 声道的家庭影院音响，并且有一定存储量可以存一些音乐和节目，似乎很不错，但是这些性能根本无法发挥作用。

首先，1080 线的视频分辨率是为高清晰电视和蓝光 DVD 用的，而苹果的 Apple TV 本身不带蓝光 DVD 的播放器，事实上它什么光驱都没有。也就是说它可以输出 1080 线的视频节目，却没有相应的输入；对于 5.1 声道的音响也是如此。Apple TV 的信号输入，只能通过互联网，或者通过 Wi-Fi 和联网的计算机，非常不方便。另外，在 2006 年，美国大部分家庭的电视根本达不到 1080 线的分辨率，而当时，大部分音响功放也根本无法解析 Apple TV 输出的 HDMI 信号。因此，这些看上去很好的功能都是摆设。其次，由于版权的问题，Apple TV 不能备份自己已有的 DVD（因为分不清是用户自己的还是借的），而一定要从 iTunes 在线商店购买，而下载一个平均 9GB 左右的电影（普通 DVD 还不是高清晰的）当时几乎要一天的时间，还要付 10 美元左右的版权费，既不方便也不便宜。而实际上购买了 Apple TV 的人最多的是用来看只有 320 线、清晰度很低的 YouTube 免费视频，和苹果的初衷完全不相符。最后，市场给的结论是：没用，因为主要的功能超前，或者不配套，或者应用环境根本不存在。

这一段时间乔布斯在各方面都比较背运，如果乔布斯的创新到此为止，苹果今天也不过是个二流公司。但是乔布斯运气很好，他居然挺过了最艰难的时候，他第二个新的拳头产品——智能手机 iPhone 获得了巨大的成功，使乔布斯和苹果公司都得以大难不死。

5 i 十年

2000-2010 年，是美国经济多灾多难的十年。美国经历了两次经济危机，先是 2001-2002 年互联网泡沫破灭引起的危机，后一次是 2007-2009 年房地产次贷危机引起的历史上第二大的金融危机。加上两次战争的拖累，这十年美国经济的发展是二战后最缓慢的十年。但是，这十年却是苹果公司的黄金十年。它的风头甚至盖过了另一家明星公司 Google。虽然这十年 Google 也很出色，并且在收入的增长上超过苹果，但是从资本的回报看，苹果更胜一筹。从 2004 年 Google 上市，到 2010 年底股票的回报是 7 倍，从每股 85 美元到 600 美元。而同期苹果股票的回报是 21 倍，从每股 15 美元到 320 美元（见图 3.1）。

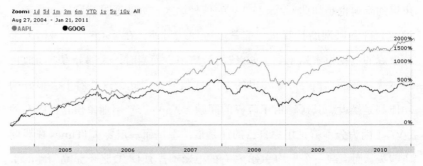

图 3.1　苹果公司和 Google 的股价比较

由于苹果新一代产品都是以字母 i 开头的，我们不妨把这个年代称为 i 十年。最早是 iMac——苹果新的电脑，但是它的光环远比不上 i 家族的其他后来者。iPod（及相应的 iTunes 软件和 iTunes 在线商店）是苹果第一个非电脑的成功产品。iPod 上市的第一年 2001 年，只有 13 万用户，而十年后的 2009 年底，这款产品的用户数增加到 2.5 亿。iPod 在给苹果带来巨额利润的同时，颠覆了整个音乐唱片行业。1999 年，全球音乐唱片 CD 的销售额是 400 亿美元，10 年后的 2009 年，CD 几乎消失，而整个音乐市场（包括 iTunes）也由于 iPod 的效应缩小到不足 200 亿美元，因为 iPod 让音乐变得很便宜。

在 iPod 改变了音乐市场之后，iPhone 颠覆了通信行业。制造手机本来是摩托罗拉和诺基亚这些公司的事情，和计算机公司无关。但是随着手机中信号处理的重要性逐渐下降，或者说这些技术难点已经不存在了，打电话的用途在逐渐淡化；功能的要求，上网的需求在上升，智能手机制造商开始崛起。最早的智能手机的代表是加拿大制造黑莓手机（Blackberry）的 RIM 公司，它一度垄断智能手机市场，接下来是诺基亚。它们的智能手机基本上还没有摆脱手机的框框，手机加上 Email 的功能，只是比传统的手机好用些。

但是，智能手机到了乔布斯的手里，就完全不同了。当时，我有幸在第一时间目睹和试用了这款革命性的产品。说实话，这是我见到的最好的手机。它已经超出一个普通的手机加 iPod 播放器，它还具有一个完整的、联网的计算机和一般电视机的主要功能。下面一段文字是我 2007 年在"Google 黑板报"上第一次介绍 iPhone 的话。

> 用它上网查邮件和冲浪的体验和用一般手机是不同的。至于其他很酷的功能，各种新闻已经有了很多报道，我就不再赘述了。虽然它 600 美元的价格实在贵了点，但是根据电子产品 18 个月降一半价钱的规律，iPhone 很有可能成为今后普及的手机，成为苹果继 iPod 以后新的成长点，它甚至会冲击传统的手机行业。

如今，我的预言完全得到了证实。它在美国的售价只有 200 美元，已经被很多人接受了。它确确实实是苹果 2007-2009 年主要的增长点。更重要的是，它彻底颠覆了手机行业。诺基亚在中国以外的市场已经日薄西山，摩托罗拉、索尼爱立信 [3] 和三星已经投降，它们完全抛弃了传统的手机，切换到智能手机上了。到 2009 年，iPhone 及其姊妹产品 iPod Touch 的用户一共下载了 25 亿次各种应用软件。

2010 年苹果公司又推出了极具人气的 iPad 触摸型平板电脑。它有一个

3
索尼 2011 年已收购
爱立信持有的股份。

9.7英寸的显示屏，没有键盘，非常轻巧，大约一本200页书的大小和重量。它可以通过触摸输入文字和指令来上网或使用各种应用软件，因此有人说它是一个放大了的iPhone。但是它对PC产业同样是具有颠覆性的，因此它成为了颠覆整个PC工业生态链（WinTel体系）的重要一环。从功能上讲，小小的iPad可以替代90%，甚至更多我们对个人计算机的需求。而由于它的方便性，在大多数场合，我们更倾向于使用iPad而不是台式计算机甚至笔记本电脑。我可以大胆地预言，今后个人计算机的销量将下降，而现在的计算机公司将不得不步苹果的后尘，把重点转到各种触摸型平板电脑上来。而微软公司也会因此渐渐失去它对IT行业的主导作用。

如果稍微比较一下苹果10年前的产品和现在的产品，我们很容易发现，苹果早已经不是一个单纯的个人电脑生产厂商，因为它有大量类似家电的产品，比如iPod、iPhone和iPad。因此，一些专家认为，苹果正在从计算机公司向家电公司过渡。2007年苹果的正式名称由原来的"苹果计算机公司"改为"苹果公司"。但是，这些产品和传统的家电又不一样，每样东西都给人耳目一新的感觉，让人看了后，不由得顿生感慨——原来这东西还可以这么玩儿。公平地讲，现在苹果的每一款产品都并非它的原创：在iPod出现以前，MP3播放器已经"烂大街"了；iPhone也不是第一款智能手机；类似iPad的平板电脑微软以前也做过，虽然不成功。但是，苹果把每一款产品做到了极致，这很大程度上是因为乔布斯达到了一个将技术和艺术结合得炉火纯青的境界，而至今世界上没有第二个人做到这一点。如果要问什么是创新，这就是创新！今天，苹果已经成为一种时尚的品牌。

6. 乔布斯和盛田昭夫

4
市面上充斥着各种乔布斯的传记，但是真正权威的，只有他本人授权沃尔特·艾萨克森（Walter Isaacson）写的这一本。

2011年10月5日，56岁的传奇人物乔布斯走完了他富于戏剧性的人生历程。他一生战胜了无数的对手，但是和所有人一样，他最终输给了死神。乔布斯的死讯传出，世界上很多国家都对他的逝世表示了哀悼。伴随着他的传记《史蒂夫·乔布斯传》[4]的出版以及苹果新一款手机iPhone 4S

的问世，已经离世的乔布斯再次成为新闻人物，并且上了《时代周刊》、《经济学人》等有影响力的杂志封面。两个星期后，乔布斯渐渐从美国人的话题中淡去、消失，但依然是中国人的热点话题。不过，对他已经可以盖棺定论了。虽然在中国他已经被神化，但是在个体自我意识很强的美国，人们对他的评价远没有中国人高。那么他是一个什么样的人呢？

当年明月在他的畅销历史读物《明朝那些事儿》中将皇帝分为"好皇帝、好人"，"好皇帝、坏人"，"坏皇帝、好人"和"坏皇帝、坏人"四种。乔布斯虽然不是皇帝，考虑到他在很多人心中的地位比皇帝高多了，我们也不妨这么划分。他是一个能干的传奇人物，但不是什么好人。

作为凡人的乔布斯实在说不上是好人。在他看来，朋友的友谊还抵不上几千美元。乔布斯一生没有什么挚友，憨厚老实的苹果共同创始人史蒂夫·沃兹尼亚克知道乔布斯对他的欺骗以后，伤心落泪。乔布斯一生挣了 80 亿美元的巨额财富，他生前除了给他的养父养母几十万美元付清了房贷，没有给过什么人钱，除了为治疗他的疾病给癌症研究进行过捐助，没有任何其他捐助。这在美国的富豪中是无法想象的。在美国，真正的富豪不是看挣多少钱，更不是看花多少钱，而是看捐多少钱。历史上的范德比尔特（Cornelius Vanderbilt）、卡内基、洛克菲勒、福特，以及现在的巴菲特、盖茨和布隆伯格都是这方面的典范。从这个角度讲乔布斯不是典型美国意义上的有钱人。另外，乔布斯拒绝承认他的女儿，虽然是非婚生的，这在强调家庭价值的美国[5]是无法让大众接受的。加上他暴君式的性格，有时粗暴的言语，包括在面试候选人时问及别人的性事这样不体面的做法，都不讨人喜欢。因此，美国人对他的为人评价并不高。

但是，作为发明家和魔术师的乔布斯，却是一个伟大的人物。他对微机工业的贡献、对产品品质的追求以及在艺术和技术结合方面他人无法望其项背的境界，在他的传记和各种报道中已经讲得太多了，我也就不再重复那些已为人们所熟知的故事了。这里我们通过一个真实采访的内容，

5
美国是清教徒的国家，对家庭的看重实际上远远超出中国人的想象。

看看真实的魔术师乔布斯。

2011 年 10 月初，乔布斯过世后两天，我在美国接到一个意料之外的电话。电话是腾讯网的总编陈菊红女士打来的，她讲自己刚好在美国，想采访一下苹果内部熟知乔布斯的人。那些尚在苹果公司的人给出的都是千篇一律的官方说辞，毫无新闻价值，因此我介绍她去采访了乔布斯的老朋友、上个世纪 70-80 年代苹果的副总裁迈克尔·穆勒先生。陈菊红回来，收获颇丰。

穆勒和乔布斯是上个世纪 70 年代认识的，当时他们都还年轻，会一起骑着意大利产的自行车，穿行在伍德赛德（Woodside，加州的一个小镇）的山路上。当时，穆勒的公司 TKC（The Keyboard Company）为苹果供应键盘。1976 年，苹果的生意很好，他们向穆勒提出这年需要大量的键盘。为了备足这么多键盘的配件，穆勒的公司资金不够。这时乔布斯动员穆勒把公司卖给苹果，当然条件是以后不能再帮别人生产东西了。穆勒考虑了一下，还是同意了。从此，他就成为苹果的副总裁，一干就是近 10 年。

上个世纪 80 年代初，苹果公司已经很大了，可是乔布斯等人工作起来还是没日没夜的。当时的键盘在技术上和今天不可同日而语，敲快了，连字母切换都很有难度，一不小心按一次 A 就跳出来两三个，这不光需要技术，还涉及到成本。但乔布斯基本不去讨论可能性，只是很清楚地说出他非常具体的愿望。而且乔布斯的主意变得很快，半小时前，他同意说这些机器上的配件都标准化了吧，当团队快速行动已经开始讨论执行的时候，半小时不到，他却突然出现在门口，对大家说，我有了新点子，咱们得做点不一样的。当键盘越变越好用的时候，乔布斯想要的却是另一个东西：只有屏幕，没有键盘的电脑。这些想法导致了后来的麦金托什和 iPad。可见乔布斯这些改变世界的发明绝非一时的灵感所致，而是数十年的深思熟虑和经验的积累。

当第一次看到 CD 的时候，乔布斯拿起一张，里面也就只存 5 首歌。他把 CD 插进硕大的播放器，回来后穿过董事会的桌子，对大家说，看，这个东西会成为未来！那个年代，他已经在琢磨里面的内容（音乐）意味着什么。他的远见,经常穿透时间,直接看到他想象中的结果。从现在看,也是乔布斯,通过他的产品 iPod,一手把 CD 送往终点。从见到 CD 到 iPod 问世,又是 20 年的时间,看似是灵机一动,岂不知已经孕育了两个十年。大多数产品经理之所以做不出改变世界的产品,是因为他们只看见了成功者最后的临门一脚,而忽视了别人的长期思考。

一天乔布斯跟穆勒说,走,我听到一个有趣的东西,咱们去看看。他们来到一个动画实验室,离金门大桥不远,屋子很小,里面只有三个人。乔布斯和穆勒坐在三个显示器前,看到电脑上出现海面,然后海风吹过,浪花飞溅在屏幕上栩栩如生。他们俩都很兴奋。三个做动画的在一个小实验室里,很开心地给他们演示。乔布斯看到的可不只是什么动画。1986 年他买下了实验室,也就成了后来的皮克斯(Pixar),也就有了《玩具总动员》。在乔布斯做的大多数"改变世界"的事情中,原创并非他自己,但是拿着魔术棒"点石成金"的人是他。如果我们承认乔布斯的创作力,那么创新远不止是原创,而更多的是发现价值,点石成金。

1981 年,穆勒住在纽波特比奇(Newport Beach,南加州)。乔布斯想说服穆勒搬到洛斯加托斯(Los Gatos,加州湾区)附近去住。穆勒跟着乔布斯去到他洛斯加托斯的家,一座很大的西班牙式建筑。院子里停着一辆黑色的宝马自行车(他极少碰那辆车,只是喜欢它的设计),偌大的房间里,只有餐桌和旁边的两把椅子,加上客厅里的一架白色的 Bösendorfer[6] 三角钢琴。走在里面空空荡荡,因为对产品品质偏执的乔布斯几乎看不上任何家具。而另一方面,他对真正堪称精品的产品有着非同寻常的喜爱,比如穆勒提到的宝马自行车、Bösendorfer 钢琴以及他自己经常挂在嘴边的保时捷汽车。后来,乔布斯先后搬到了伍德赛德的穆勒家附近,以及帕洛阿尔托(Palo Alto),同样是很少的家具,一架钢琴。这就是他生活的样子,简单,少量,专注。

穆勒说,乔布斯总是知道自己要什么,然后就专注去完成。从苹果一开始就是这样。1996 年,乔布斯回苹果,他走进会议室,看到白板上 14

6
奥地利高端钢琴,和德国的斯坦威(Steinway & Sons)钢琴齐名。

条产品线，拿着笔画了好多个叉叉，转过身，只剩下四个。穆勒说，乔布斯的这些叉叉，从死亡线上救回了苹果。

如果用一个词概括作为 IT 行业领袖的乔布斯，那应该就是魔术师，他有化平凡（如果不是腐朽）为神奇的本领。但在这个本领的背后，是几十年的专注和努力，以及对品质的追求。

有人将他和爱迪生相提并论，这确实有些太夸张了，毕竟爱迪生开创了整个电的时代，影响至今，而随着乔布斯的离世，他的影响力已经开始渐弱。我想，准确定位乔布斯最好的参照系应该是被称为索尼先生的盛田昭夫了。作为盛田昭夫曾经的崇拜者，乔布斯如果知道别人把他比作盛田昭夫，应该很满意了。

随着经济和国力的发展，中国似乎已经不满足于借鉴一衣带水的邻邦日本，而是直接一切向大洋彼岸的美国看齐，在学习管理经验上更是如此。其实，日本从某种程度上讲是更适合中国的老师。而在带领日本全面走向国际化的过程中，出了一批世界级、面向国际的经营管理和产品设计大师，索尼公司的共同创始人盛田昭夫是其中最杰出的一员。可以毫不夸张地讲，在全世界范围来看，盛田昭夫就是上个世纪 70 年代的乔布斯。或者说乔布斯是 21 世纪初期的盛田昭夫。遗憾的是，21 世纪的中国对盛田昭夫的了解远不如对乔布斯的认识。

在苹果进入 i 十年以前，索尼公司在电子产品上的地位和今天的苹果相当，这些很大程度上是盛田昭夫的功劳。作为优秀的产品设计者，盛田昭夫直接领导了 Walkman 随声听的设计和开发，这款听音乐的产品当时在世界上的轰动效应完全抵得上今天的 iPod。而在此不久前，盛田昭夫利用他的谈判技巧，迫使飞利浦公司开放了卡式录音带的格式标准，使得这个标准在和美国 RCA 的标准竞争中获胜，成为我们使用了 40 年的盒式磁带的世界标准。同时，盛田昭夫引进了另一名音乐产业的奇才大贺典雄，后者设计了我们今天的音乐 CD 标准[7]。就如同乔布斯开创了个人电脑工业一样，盛田昭夫开创了数字化的音乐市场。作为领导者的盛田昭夫，他

7
大贺典雄自己是一位歌唱家和指挥家，他坚持一张 CD 必须能完整地录下他最喜爱的《贝多芬第九交响曲》，为此制定了 80 分钟的 CD 标准。

是少有的能够和西方人无隔阂沟通的东方人，他具有东方式的文雅谦和与西方式的坦诚直白，打动了许多西方的企业家和政治家。在盛田昭夫的努力下，索尼不仅成为日本第一个被全球认可，同时在美国上市的公司，而且把索尼从一个简单的日本制造的公司变成引领全球电子产品时尚的跨国公司。

乔布斯虽然为人傲慢，但是对盛田昭夫却恭敬有加，这可能是因为乔布斯受东方神秘主义影响较大，同时盛田昭夫也是业界了不起的人物，另外他们俩也有很多相似之处。上个世纪 90 年代，乔布斯亲自到索尼公司向盛田昭夫请教管理之道。当他看到索尼公司让员工穿制服上班，也在美国照猫画虎地学起来，但是并不受欢迎，毕竟美国人强调独特的性格，和将公司利益放在个人利益之上的日本人大不相同。乔布斯和盛田昭夫有很多相似之处。首先，两个人都有着通过产品改变人们生活的远大抱负。两个人又都有着无穷的好奇心和与凡人不同的新思维，导致两家公司不断推出出众而广为人知的新产品。两个人都将品牌视为生命，乔布斯对产品品质的执著和苛刻自不必说，而盛田昭夫一生为"让索尼享誉全球"而工作。有意思的是，两个人都在生前为自己找好了合适的接班人，乔布斯选择了产品的负责人蒂姆·库克（Tim Cook），而盛田昭夫选择的是上面提到的音乐产业的奇才大贺典雄。大贺保证了索尼在盛田昭夫之后 10 年的兴旺，库克能否做到这一点现在很难说。两个人另一个有趣的相似之处是都不看重学历。乔布斯自己辍学不必说了，盛田昭夫虽然是大阪大学的毕业生，但是在用人上一直强调注重个人能力而非学业背景。他还为此写了本《学历无用论》的书，从上个世纪 60 年代起多次再版成为畅销书。

另一方面，乔布斯和盛田昭夫的经历和为人又有很大的不同。盛田昭夫作为家族企业盛田酒业原本的继承人，虽然经历了二战后的贫困，但是作为社会上层人士，给人留下的总是积极向上的活力和可亲品行。乔布斯是个被遗弃的孤儿，从小品行乖张，同时对别人缺乏信任。盛田昭夫和他的合作伙伴、索尼的另一位创始人井深大一辈子兄弟般的友谊一直被业界誉为美谈。而这方面乔布斯的表现就不必说了。作为一个日本人，盛田昭夫毕生不得不花费大量精力让西方世界接受索尼，而乔布斯则完全没有这种麻烦，但是他不得不花了一生中的很多时间跟自己公司的合作伙伴和董事会展开权力斗争。

乔布斯和盛田昭夫都给我们留下了丰富的遗产。但是缺了盛田昭夫（和大贺典雄）的索尼却没有了灵魂。而缺了乔布斯的苹果前途可能也不会很美妙。事实上，乔布斯去世后苹果真正自主发布的第一款产品新iPad，即 iPad3 销路并不是很好，2012 年，苹果公司在美国以半价回购iPad2，希望对新的版本销售有所提高。iPad3 的优点不如大家想象的明显，但是使用起来明显烫手，这个小的产品缺陷，如果乔布斯还在的话是一定不会允许出现的。苹果公司现在成为了全球市值最高的公司，但是我依然不看好它能在这个巅峰维持太长的时间。

结束语

30 年来，苹果公司经历了从波峰到低谷再回到浪潮之巅的过程。2010 年苹果公司的市值终于再次超过微软，成为全球最值钱的公司。苹果公司的兴衰和其创始人的沉浮完全重合。从苹果公司诞生到它开发出麦金托什，可以认为是它的第一个发展期，麦金托什的出现，使得它领先于微软而站在了浪尖上。中间的近 20 年，苹果公司到了几乎被人遗忘的地步。好在它艺术家般的创新灵魂未死，在它的创始人再次归来之后，得到再生和升华，并在乔布斯生命的最后达到了辉煌的顶点。乔布斯送给年轻人两句话：永远渴望，大智若愚（Stay Hungry, Stay Foolish.），愿与诸君共勉。

苹果公司大事记

1976   苹果计算机公司成立。

1977   发明个人电脑。

1984	推出采用图形用户界面操作系统的麦金托什电脑。
1985	乔布斯和新 CEO 斯卡利开始权力斗争,前者失败离开苹果公司。
1994	苹果告微软的视窗操作系统抄袭它的麦金托什操作系统,官司最终和解。
1996	乔布斯以顾问的身份回到苹果公司,经过权力斗争,1997 年接接管了多年亏损的公司;同年,和微软的官司以微软注资苹果而得到和解。
1998	iMac 诞生,苹果重新盈利。
2001	iPod 诞生,颠覆了音乐产业。
2007	iPhone 诞生,颠覆了整个手机行业。
2010	iPad 诞生,同年苹果公司的市值再次超过微软,成为全球最值钱的 IT 公司。
2011	苹果创始人乔布斯去世,此前,他将 CEO 一职交给了蒂姆·库克,同年苹果超过埃克森美孚石油公司,成为全球市值最高的公司。

参考文献

1. 苹果公司历年财报参见:http://www.sec.gov。

2. 乔布斯在 2005 年斯坦福大学毕业典礼上的讲演参见:http://news.stanford.edu/news/2005/june15/jobs-061505.html。

3. 约翰·斯卡利,《奥德赛:从百事可乐到苹果》,John Sculley,Odyssey: Pepsi to Apple: A Journey of Adventure, Ideas, and the Future。

4. 沃尔特·艾萨克森,《史蒂夫·乔布斯传》,中信出版社

第4章 计算机工业的生态链

整个信息技术（Information Technologies，简称 IT）产业包括很多领域、很多环节，这些环节之间都是互相关联的。和世界上任何事物一样，IT 产业也是不断变化和发展，并且有着它自身发展规律的。这些规律，被 IT 领域的人总结成一些定律，称为 IT 定律（IT Laws）。我们结合一些具体的例子，分几次介绍这些定律。本章将介绍摩尔定律（Moore's Law）、安迪 - 比尔定律（Andy and Bill's Law）和反摩尔定律（Reverse Moore's Law）。这三个定律合在一起，描述了 IT 产业中最重要的组成部分——计算机行业的发展规律。

1 摩尔定律

科技行业流传着很多关于比尔·盖茨的故事，其中一个是他和通用汽车公司老板之间的对话。盖茨说，如果汽车工业能够像计算机领域一样发展，那么今天，买一辆汽车只需要 25 美元，一升汽油能跑 400 公里。[1] 通用汽车老板反击盖茨的话我们暂且不论，这个故事至少说明计算机和整个 IT 行业的发展比传统工业要快得多。

最早看到这个现象的是英特尔公司的创始人戈登·摩尔（Gordon Moore）博士。早在 1965 年，他就提出，在至多 10 年内，集成电路的

1
这是盖茨 1999 年在计算机展览会 COMDEX 讲的，他的原话是 "If GM had kept up with the technology like the computer industry has, we would all be driving $25.00 cars that got 1,000 miles to the gallon"。

集成度会每两年翻一番。后来，大家把这个周期缩短到 18 个月。现在，每 18 个月，计算机等 IT 产品的性能会翻一番；或者说相同性能的计算机等 IT 产品，每 18 个月价钱会降一半。虽然，这个发展速度令人难以置信，但几十年来 IT 行业的发展始终遵循着摩尔定律预测的速度。

1945 年，世界上第一台电子计算机 ENIAC 的速度是能在一秒钟内完成 5 000 次定点的加减法运算。这个 30 米长、两米多高的庞然大物，重 27 吨，耗电 15 万瓦。到 2007 年我第一次在 Google 黑板报上发表这篇博客时，当时使用英特尔酷睿芯片的个人电脑计算速度是每秒 500 亿次浮点运算，已经是 ENIAC 的 1 000 万倍[2]，体积和耗电量就更不用比了。那一年（2007 年），世界上最快的计算机、IBM 的蓝色基因（BlueGene/L），速度高达每秒钟 367 万亿次浮点运算，是 ENIAC 的 734 亿倍，正好是每 20 个月翻一番，和摩尔定律的预测大致相同。2010 年 11 月本书第一版编辑时，世界上最快的计算机是中国的天河 1A，计算速度高达 2 570 万亿次，仅隔 3 年，就把 2007 年 IBM 的记录提高了 7 倍。2012 年 6 月，IBM 的红杉（Sequoia）成为最快的计算机，速度是 1.6 亿亿次，比 19 个月前竟提高了将近 6 倍[3]。

计算机速度的提高如此，存储容量的增长更快，大约每 15 个月就翻一番。1976 年，苹果计算机的软盘驱动器容量为 160KB，大约能存下 80 页的中文书。今天，同样价钱的台式个人电脑硬盘容量可以达到 500GB，是当时苹果机的 300 多万倍，可以存下北京大学图书馆藏书的全部文字资料。不仅如此，这十几年来，网络的传输速率也几乎是按摩尔定律的规律在增长。1994 年，我有幸成为中国第一批上网的用户，那时还是通过高能物理所到斯坦福大学线性加速实验室的一根专用线路和互联网相联，当时电话调制解调器的速度是 2.4Kbit/s，如果下载 Google 拼音输入法，需要 8 个小时。2007 年，商用的 ADSL 通过同样一根电话线可以达到 10Mbit/s 的传输率，是 13 年前的 4 000 倍，几乎每年翻一番，下载 Google 拼音输入法或腾讯的 QQ 只需要 10 秒钟左右。2011 年，一些地区光纤入户已经开始，网络的传输率又可以提升一两个数量级。在世界

2
这里只是简单地比较运算次数，实际上浮点运算本身比加减法运算更复杂。

3
http://online.wsj.com/article/SB10001424052702303379204577472773983130902.html

经济的前五大行业，即金融、IT、医疗和制药、能源及日用消费品，只有 IT 一个行业可以以持续翻番的速度进步。

人们多次怀疑摩尔定律还能适用多少年，就连摩尔本人一开始也只认为 IT 领域可以按这么高的速度发展 10 年，至于以后会怎样，当时他也说不清。而事实上，从二战结束至今，IT 领域的技术进步一直是每一到两年翻一番，至今看不到停下来的迹象。至少，在我第一次刊登本章文字的 2007-2012 年的今天，摩尔定律依然适用。在人类的文明史上，还没有其他行业做到了这一点。因此，IT 行业必然有它的特殊性。

和任何其他商品相比，IT 产品的制造所需的原材料非常少，成本几乎是零。以半导体行业为例，2007 年 1 月 [4] 上市的一个英特尔的酷睿双核处理器集成了 2.9 亿个晶体管，1978 年推出的英特尔 8086 处理器仅有 30 000 个晶体管。虽然二者的集成度相差近 10 000 倍，但是所消耗的原材料差不太多。IT 行业硬件的制造成本主要是制造设备的成本。据半导体设备制造商 Applied Materials 公司介绍，建一套能生产 45 纳米工艺酷睿四核芯片的生产线，总投资在 30-40 亿美元。从 2006-2010 年这 5 年里，英特尔公司的研发费用为每年六七十亿美元。当然，英特尔在研制酷睿的同时还研发了很多不成功的芯片，直接投到酷睿上的资金没有那么多。但是英特尔平均一年也未必能研制出一个酷睿这样的产品，如果把英特尔的研发成本摊到所有成功的芯片上，像酷睿这么重量级的芯片研发费用和英特尔一年的研发总预算是在同一个数量级。假如我们将这两项成本平摊到前一亿片酷睿处理器中，平均每片要摊上近 100 美元。这样，当英特尔公司最新处理器上市时，价格总是很贵；但是，在收回生产线和研发两项主要成本后，酷睿处理器的制造成本就变得非常低，英特尔就有了大幅度降价的空间。在从 2007 年至今的 5 年里英特尔 PC 处理器销量在两亿片左右，因此，一种新的处理器收回成本的时间不会超过一年半。通常，用户可以看到，一般新的处理器发布一年半以后，价格会开始大幅下调。当然，英特尔的新品此时也已经在研发中。

摩尔定律主导着 IT 行业的发展。**首先，为了能使摩尔定律成立，IT 公**

---

[4]
双核处理器是我 2007 年在 Google 中国黑板报上写这篇博客时最通用的服务器芯片，现在 5 年过去了，服务器最常用的芯片已经增加到 8 核，主频从早期双核的 1G 左右到 2012 年初的 2.4G，正好是每 18 个月翻一番。

司必须在比较短的时间内完成下一代产品的开发。这就要求，IT 公司在研发上必须投入大量的资金，这使得每个产品的市场不会有太多的竞争者。在美国，主要 IT 市场大都只有一大一小两个主要竞争者。比如，在计算机处理器芯片方面，只有英特尔和 AMD 两家；在高端系统和服务方面，只有 IBM 和太阳（已经被甲骨文并购）；在 3G 手机处理器方面，只有高通（Qualcomm）、博通（Broadcom）、德州仪器（Texas Instruments，简称 TI）和 Marvell 一大三小共 4 家。

其次，由于有了强有力的硬件支持，以前想都不敢想的应用会不断涌现。比如，20 年前，将高清晰度电影（1920×1080 分辨率）数字化的计算量连 IBM 的大型机也无法胜任；现在，一台笔记本大小的索尼游戏机就可以做到。这就为一些新兴公司的诞生创造了条件。比如，在 10 年前，不会有人去想办一个 YouTube 这样的公司，因为那时候网络的速度无法满足在网上看录像的要求；现在 YouTube 已经融入了老百姓的生活。

第三，摩尔定律使得各个公司现在的研发必须针对多年后的市场。我们不妨往后看 10 年，如果我现在提出 10 年后家庭上网的速度将提高一千倍，也许有人会觉得我疯了。事实上，这是一个完全能够达到的目标。如果做到了这一点，我们每个家庭可以同时点播三部高清晰度、环绕立体声的电影，在三台不同的电视机上收看，还可以随时快进和跳到下一章节，在任何时候停下来，下次可以接着看。在看三部电影的同时，我们可以把自己的照片、录像和文件等信息存到一个在线服务器上，从家里访问起来就如同存在自己本机上一样快。这并不是我自己杜撰出来的幻想，我在 2007 年为 Google 黑板报写这篇稿时的想法，已经在当时思科和微软等公司开始实施的 IP-TV 的计划中。后来虽然无论是思科，还是微软这方面都没有做成功，因为它们规模太大，行动太慢；但是苹果、Google 和 Netflix（一家通过邮递和在线出租电影、电视剧的公司）现在基本上把这件事做成了。2010 年，Google 甚至提出了比我 4 年前提出的每户 100Mbit/s 更激进的光纤入户的设想，那时每家的上网速度真的将提高上百倍[5]。

5
2012 年 7 月，Google 宣布推出每个家庭 1G 带宽的宽带网络计划，将互联网、有线电视和电话服务统一。

当然，任何事情都有两面。摩尔定律的存在，让现有的 IT 公司必须有办法消除摩尔定律带来的不利因素，即每 18 个月价格降一半。这一点，我们在接下来的两节中再讨论。

2　安迪 – 比尔定律

摩尔定律给所有的计算机消费者带来一个希望，如果我今天嫌计算机太贵买不起，那么我等 18 个月就可以用一半的价钱来买。要真是这样简单的话，计算机的销售量就上不去了。需要买计算机的人会多等几个月，已经有计算机的人也没有动力更新计算机。其他的 IT 产品也是如此。IT 行业也就成了传统行业，没有什么发展了。

事实上，在过去的 20 年里，世界上的个人微机销量在持续增长。2004 年，英特尔公司估计，5 年内，即到 2009 年，世界上 PC（包括个人微机和小型服务器）的销量会增长 60%，远远高于经济的增长。事实上也是如此，在过去的 5 年里，虽然有金融危机，虽然有 3G 手机和 iPad 这样的掌上设备对 PC 市场的冲击，PC（包括服务器）的销量还是增长了 50%。那么，是什么动力促使人们不断地主动更新自己的硬件呢？ IT 界把它总结成安迪 – 比尔定律，即比尔要拿走安迪所给的（What Andy gives, Bill takes away.）。

安迪是原英特尔公司 CEO 安迪·格罗夫（Andy Grove），比尔就是大家熟知的微软公司创始人比尔·盖茨。在过去的 30 多年里，英特尔处理器的处理速度每 18 个月翻一番，计算机内存和硬盘的容量则以更快的速度增长。但是，微软的操作系统和应用软件越来越慢，也越做越大。所以，现在的计算机虽然比 10 年前快了 100 倍，软件的运行速度感觉上还是和以前差不多。而且，过去整个视窗操作系统的大小不过十几兆字节，现在则要几千兆字节，应用软件也是如此。虽然新的软件功能比以前的版本强了一些，但是，增加的功能绝对不是和它的大小成比例的。因此，一台 10 年前的计算机能装多少应用程序，现在的也不过装这么多，尽管硬盘的容量增加了 1 000 倍。更糟糕的是，用户发现，如果不更新计算机，现在很多新的软件就用不了，连上网也成问题。当然，吃掉用户计算机性能的不仅是微软公司一家，而是所有的软件公司。而 10 年前买得起的车却照样可以跑。

这种现象，乍一看像是微软等公司在和大家作对。实际上，盖茨本人和其他厂商也不想把操作系统和应用程序搞得这么大。据李开复介绍，从本意上，盖茨等人也希望把软件做快做小。盖茨自己就多次说，他过去搞的 BASIC 只有几十 KB，你们（微软工程师们）搞一个 .NET 就要几百 MB，其中一定可以优化。当然，我们知道微软现在的 .NET 比 20 年前的 BASIC 功能要强得多，但是否强了一万倍，恐怕没有人这么认为。这说明，现在软件开发人员不再像 20 年前那样精打细算了。我们知道，当年的 BASIC 解释器是用汇编语言写成的，精炼得不能再精炼了，否则在早期的 IBM-PC 上根本运行不了。但是，要求软件工程师使用汇编语言编程，工作效率是极低的，而且写出来的程序可读性很差，不符合软件工程的要求，也无法完成越来越复杂的功能。今天，由于有了足够的硬件资源，软件工程师做事情更讲究自己的工作效率、程序的规范化和可读性，等等。另外，由于人工成本的提高，为了节省软件工程师编写和调试程序的时间，编程语言越来越好用，同时执行效率却越来越低。比如，今天的 Java 就比 C++ 效率低得多，C++ 又比 20 年前的 C 效率低。因此，即使是同样功能的软件，今天的比昨天的占用硬件资源多在所难免。

虽然用户很是反感新的软件把硬件提升所带来的好处几乎全部用光了，但是在 IT 领域，各个硬件厂商恰恰是靠软件开发商用光自己提供的硬件资源得以生存。举个例子，到 2005 上半年，因为微软新的操作系统 Vista 迟迟不能面市，从英特尔到惠普、戴尔等整机厂商，再到 Marvell 和 Seagate 等外设厂商，全部销售都受到很大的影响，因为用户没有更新计算机的需求。这些公司的股票不同程度地下跌了 20% 到 40%。2005 年底，微软千呼万唤始出来的 Vista 终于上市了，当然微软自己的业绩和股票马上得到提升，萧条了一年多的英特尔也在 2006 年年初扭转了颓势，当然惠普和戴尔也同时得到增长。2006 年，这 3 家公司的股票都有大幅度上涨。接下来，不出大家意外，又轮到硬盘、内存和其他计算机芯片的厂商开始复苏了。Vista 相比前一个版本 XP，也许多提供了 20% 的功能，但是它的内存使用几乎要翻两番，CPU 使用要翻一番，这样，除非是新机器，否则无法运行 Vista。由于 Vista 实在太慢，加上没有给用户带来实际的好处，很多用户选择了继续使用原来的 Windows XP。但是很快的，微软和其他软件开发商逐渐减少对 Windows XP 的支持，这样就逼着用户更新机器。4 年后的 2009 年，微软又发布了 Windows 7。而在中国以外的国家，Windows XP 几乎见不到了，2009 年底，全世界又开始了新的一轮更新 PC 的周期。这一年，又是微软、惠普、几家外设公司，以及 Marvell 等外设芯片厂商业绩非常好的一年。

可以看出，个人电脑工业整个的生态链是这样的：以微软为首的软件开发商吃掉硬件提升带来的全部好处，迫使用户更新机器，让惠普和戴尔等公司受益，而这些 PC 整机厂商再向英特尔这样的半导体公司订购新的芯片，同时向 Seagate 等外设厂商购买新的外设。在这中间，各家的利润先后得到相应的提升，股票也随着增长。各个硬件半导体和外设公司再将利润投入研发，按照摩尔定律预定的速度，提升硬件性能，为微软下一步更新软件、吃掉硬件性能做准备。华尔街的投资者都知道，如果微软的开发速度比预期的慢，软件的业绩不好，那么就一定不能买英特尔等公司的股票了。

对用户来讲，现在买一台能用的计算机和 10 年前买一台当时能用的计算机，花出去的钱是差不多的，如果不是"中国制造"促使计算机降价，还会因为通货膨胀在绝对价格上略有提高。当然，微软和其他软件开发商在吃掉大部分硬件提升好处的同时，或多或少地会给用户带来一些新东西。因此，人们把这个时期的 PC 产业的格局描述成 WinTel，即 Windows 加上 Intel。

如果说在美国，始于 30 年前的信息革命是基于个人电脑和互联网的，那么在亚洲，主流则是手机和移动通信。今天的手机处理器一般都有两个部件，一个数字信号处理器（DSP）和一个与微机处理器类似的通用处理器（CPU）。今天，一部中档手机的计算性能，超过了 5 年前的个人微机，而且还按着摩尔定律预计的速度在增长。虽然在手机行业，到 2008 年还没有一个类似微软的通用操作系统公司存在，但是手机制造商自己、运营商和增值服务商加在一起，起到了微软的作用。它们在提供新的但是越来越消耗资源的服务，使得用户不得不几年更新一次手机。

到 2008 年后，全世界手机和移动通信的格局又几乎回到了当年的 WinTel 格局。Google 的 Android 渐渐起到了当年微软 Windows 的作用，而高通、博通和 Marvell 这一大两小的基于 ARM 的手机芯片公司起到了当年英特尔和 AMD 的作用。也许这个格局可以描述成 And-Arm。而在 Android 以外的主要手机操作系统，无论是苹果的 iOS，还是诺基亚的 Symbian，都是 Android 的兄弟，它们源于同一个内核 Unix/Linux。如果说上一次 PC 的产业链从操作系统，到芯片，再到微机还是自然形成的，那么这一次，Google 干脆主动将手机产业链整合起来，搞了一个 Android 联盟，在这里面除了 Android 操作系统和上述芯片厂商，还有主要的手机厂商摩托罗拉、三星、索尼爱立信及 HTC。从 PC 到手机，安迪 - 比尔定律照样适用。2008 年底上市的 HTC 第一代 Android 手机 G1，主频只有 528MHz，2010 年初它为 Google 制造的 Nexus One 超薄手机主频达到了 1GHz，即 1 000MHz，不到 18 个月速度基本上翻了一番，但是同时，G1 已经慢得很不好用了。到 2011 年，三星公司的 Galaxy 手机已经采用 1.5GHz 的双核 CPU，仅仅一年时间速度又提高了一倍，而价格和一年前的 Nexus One 相当 。

就这样，安迪 - 比尔定律把原本属于耐用消费品的电脑、手机等商品变成了消耗性商品，刺激着整个 IT 行业的发展。

3 反摩尔定律

Google 的前 CEO 埃里克·施密特（Eric Schmidt）在一次采访中指出，

如果你反过来看摩尔定律，一个 IT 公司如果今天和 18 个月前卖掉同样多的、同样的产品，它的营业额就要降一半。IT 界把它称为反摩尔定律。反摩尔定律对于所有的 IT 公司来讲，都是非常可怕的，因为一个 IT 公司付出同样的劳动，却只得到以前一半的收入。反摩尔定律逼着所有的硬件设备公司必须赶上摩尔定律规定的更新速度。事实上，所有的硬件和设备生产商活得都非常辛苦。下面列举了各个领域最大的公司在 2006 年的股价最高值的比例 。

IBM：82%

思科：40%

英特尔：33%

AMD：30%

Marvell：60%

惠普：70%

戴尔：35%

太阳：10%

摩托罗拉[6]：33%

6
摩托罗拉移动已经于 2012 年被 Google 收购。

我之所以在这个版本中保留这些历史数据是因为它们非常好地验证了我的观点。下面是 2007 年 Google 黑板报的原文——

> 这里面，除了 IBM 不单纯是硬件厂商，而有很强的服务和软件收入得以将股票维持在较高的水平外，其余的公司和它们的最好水平相去甚远。而今天，美国股市几乎是在历史最高点。这说明以硬件为主的公司因为反摩尔定律的影响生计之艰难。如果有兴趣读一读这些公司的财报，你就会发现，这些公司的发展波动性很大，一旦不能做到摩尔定律规定的发展速度，它们的盈利情况就会一落千丈。有的公司甚至会有灭顶之灾，比如 10 年前很红火的 SGI 公司。即使今天它们发展得不错，却不能保证 10 年以后仍然能拥有翻番的进步，因此，投资大师巴菲特从来不投这些 IT 公司。

现在几年过去了，上述公司又如何了？首先，IBM 由于集中在服务业，基本上不受反摩尔定律的影响，股价 2010 年达到了历史最高点。惠普在 CEO 马克·赫德（Mark Hurd）的领导下，业绩有大幅提升，同时向服务业转型，营业额一度超过了 IBM，同时股价也在赫德 2010 年离职前达到了历史的高点。Marvell 成功搭上了 3G 芯片的快车，成为半导体公司的新贵，表现也不错。剩下的公司受反摩尔定律的影响，基本上可以用"好一天没一天"来形容，其中太阳公司已经因为无法跟上整个行业的速度，而被 IT 生态链上游的软件公司甲骨文并购了。AMD 要不是因为政府对英特尔的反垄断限制，恐怕也已经不存在了。

事实上，反摩尔定律积极的一面更为重要，它促成科技领域质的进步，并为新兴公司提供生存和发展的可能。和所有事物的发展一样，IT 领域的技术进步也有量变和质变两种。比如说，同一种处理器在系统结构上没有太大变化，而只是主频提高了，这种进步就是量变的进步。当处理器由 16 位上升到 32 位，再到 64 位时，就有了小的质变。如果哪一天能用到纳米技术或生物技术，那么就做到了质的飞跃，半导体的集成度会有上百倍的提高。为了赶上摩尔定律预测的发展速度，光靠量变是不够的。每一种技术，过不了多少年，量变的潜力就会被挖掘光，这时就必须要有革命性的创造发明诞生。

在科技进步量变的过程中，新的小公司是无法和老的大公司竞争的，因为后者在老的技术方面拥有无与伦比的优势。比如，木工厂出身的诺基亚在老式的模拟手机上是无法和传统的通信设备老大摩托罗拉竞争的。但是，在抓住质变机遇上，有些小公司会做得比大公司更好而后来居上，因为它们没有包袱，也比大公司灵活。15 年后，当 3G 手机逐步取代 2G 手机时，PC 时代不起眼的三星公司一跃成为全球最大的智能手机厂商，而默默无闻的 HTC 也及时踏上 Android 的快船。苹果和众多 Android 的手机厂商把诺基亚这个 2G 时代的龙头老大逼上了当年摩托罗拉的老路。这也是硅谷等新兴地区出现了众多的新技术公司的原因。

1994 年，我作为中国第一批互联网网民上网时使用的是一个 2.4Kbit/s 的调制解调器。两年后，我的一个同学，中国最早的互联网公司东方网景的创始人龚海峰送了我一个当时最新的 14.4Kbit/s 的调制解调器，我马上感觉速度快多了。由于数字电话传输率本身限制在 64Kbit/s，因此调制解调器的传输率最大到 56Kbit/s 就到顶了，所以到 1995 年，我的几个同事就预言用电话线上网速度超不过这个极限。如果停留在用传统的方法对调制解调器提速，确实要不了几年摩尔定律就不适用了。但是到了上个世纪 90 年代，出现了 DSL 技术，可以将电话线上的数据传输速度提高近 200 倍，虽然早期大众对此并不知晓。DSL 技术虽然最早由贝尔实验室发明，但真正把它变为实用技术的是斯坦福大学的约翰·乔菲教授。乔菲教授三十几岁就成为 IEEE 的资深会员（Fellow），刚 40 岁就成为美国工程院院士。1991 年，他带着自己的几个学生，办起了一家做 DSL 的小公司 Amati。1997 年，他把 Amati 公司以 4 亿美元的高价卖给了德州仪器。这是硅谷新技术公司典型的成功案例。在调制解调器发展的量变阶段，就不会有 Amati 这样的小公司出现，即使出现了，也无法和德州仪器竞争。但是，一旦调制解调器速度接近原有的极限，能够突破这个极限的新兴公司就有机会登上历史的舞台。当上个世纪末美国克林顿总统第一次提出光纤入户时，大家觉得还是遥远的憧憬，到 2010 年 Google 再次提出这个概念时，现在许多地方都已实现光纤入户。

反摩尔定律使得 IT 行业不可能像石油工业或飞机制造业那样只追求量变，而必须不断寻找革命性的创造发明。因为任何一家技术发展赶不上摩尔定律要求的公司，用不了几年会被淘汰。大公司除了要保持很高的研发投入，还要时刻注意周围和自身相关的新技术的发展，经常收购有革命性新技术的小公司。它们甚至出钱投资一些有希望的小公司。在这方面，最典型的代表是思科公司，它在过去的 20 年里，买回了很多自己投资的小公司。

反摩尔定律同时使得新兴的小公司有可能在发展新技术方面和大公司处在同一个起跑线上。如果小公司办得成功，可以像 Amati 那样被大公司并购（这对创始人、投资者及所有的员工都是件好事）。甚至它们也有可能取代原有大公司在各自领域中的地位。例如，在通信芯片设计上，博通和 Marvell 在很大程度上已经取代了原来朗讯的半导体部门，甚至是英特尔公司在相应领域的业务。

当然，办公司是需要钱的，而且谁也不能保证对一家新兴公司的投资一定能够得到收益。有些愿意冒风险而追求高回报的投资家将钱凑在一起，交给既懂理财又懂技术的专业人士打理，投给有希望的公司和个人，这就渐渐形成了美国的风险投资机制。办好一家高科技公司还需要有志同道合又愿意承担风险的专业人才，他们对部分拥有一家公司比相对高的工资更感兴趣，因此就有了高科技公司员工的期权制度。

IT 行业发展至今，自有它的生存发展之道。它没有因为硬件的价格不断下降而萎缩，而是越来越兴旺。10 年前，全球半导体市场的规模和胶带（Tapes）市场的规模相当，2011 年半导体市场的规模比 10 年前大了 5 倍左右，远远高于全球经济的增长。我们以后还会陆续介绍它的发展规律。

结束语

IT 行业总体来讲是一个高速发展的行业；在这个行业中发展，犹如逆水行舟，不进则退。由于安迪 - 比尔定律的作用，在 IT 工业的产业链中，处于上游的是"看不见摸不着"的软件和 IT 服务业，而下游才是"看得见摸得着"的硬件和半导体。因此，从事 IT 业，要想获得高额利润，就得从上游入手。从微软，到 Google，再到 Facebook，无一不是如此。唯一的例外是苹果公司，它是通过硬件实现软件的价值，因为在过去的 10 年里它的产品成为了一种时尚和潮流。

参考资料

1. 世界 500 快计算机网参见：www.top500.org。
2. 英特尔产品线参见：http://www.intel.cn/content/www/cn/zh/homepage.html（将鼠标挪到菜单处）。
3. 约翰·乔菲生平，参见：www.tracked.com/person/john-cioffi。

第5章 奔腾的芯

英特尔公司

1

根据英特尔公司向证监会提供的年报，它 2005 年营业额为 388 亿美元，达到历史高点。2006 年它将 XScale 等部分业务卖掉，营业额有所下降。2007 年的营业额为 383 亿美元。

2

2012 年 6 月初英特尔的市值是 1 300 亿美元。

在美国西海岸旧金山到圣何塞市（San Jose）之间，围绕着旧金山海湾有几十公里长、几公里宽的峡谷，通常称为硅谷（如图 5.1 中用虚线圈出来的部分）。那里之所以叫硅谷，并不是因为它生产硅，而是它有很多使用硅的半导体公司，包括全球最大的半导体公司英特尔。全世界一大半的计算机都使用英特尔的中央处理器（CPU），它对我们日常生活的影响是很少有公司可比的。我们在上一章介绍了摩尔定律和安迪 - 比尔定律，其中摩尔是英特尔公司的创始人，而安迪·格罗夫是第三个加入英特尔的人，并且后来成为其 CEO。格罗夫把英特尔公司真正发展成世界上最大的半导体公司。2007 年金融危机前，英特尔已经有近 10 万人，年产值一度高达 388 亿美元[1]，股票市值高达 1 400 亿美元[2]。虽然在 2008-2009 年它的业务受到金融危机的影响，但是它恢复得非常快，2011 年其营业额达到了创纪录的 540 亿美元。40 多年来，英特尔公司成功的关键首先是赶上了个人电脑革命的浪潮，尤其是有微软这个强势的伙伴，IT 业者甚至将整个 PC 时代称为 WinTel 时代，即微软的 Windows 操作系统加上 Intel 的处理器；第二，英特尔公司 40 多年来严格按照其创始人预言的惊人的高速度在为全世界 PC 提高着处理器的性能，用它自己的宣传语来说，它给了每台微机一颗奔腾的芯。

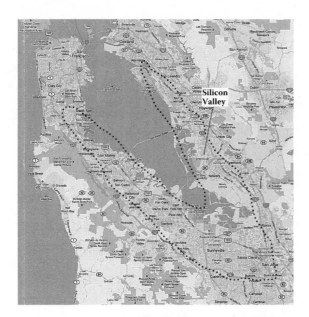

图 5.1　旧金山附近的硅谷（图片来源：Google earth 截图）

1　时势造英雄

英特尔公司由戈登·摩尔和罗伯特·诺伊斯（Robert Noyce）于 1968 年创立于硅谷。此前，摩尔和诺伊斯在 1956 年还和另外 6 个人[3] 一起创办了仙童（Fairchild）半导体公司。同 IBM、DEC 和惠普等公司相比，英特尔在很长时间内只能算是个婴儿。说它是婴儿有两方面含义，第一，它是一家人数少、生意小的小公司；第二，在上个世纪 80 年代以前，几乎所有的计算机公司如 IBM、DEC 都是自己设计中央处理器的，因此这些计算机公司代表了处理器设计和制造的最高水平，而英特尔生产的是低性能的微处理器，用来补充大的计算机公司看不上的低端市场。单从性能上讲，英特尔上个世纪 80 年代的处理器还比不上 IBM 上个世纪 70 年代的产品，但是，它的处理器大家用得起，不是阳春白雪的产品。即使在上个世纪 70 年代末，英特尔公司生产出了著名的 16 位 8086 处理器，大家仍然将它看成小弟弟。在很长时间里，英特尔的产品被认为是低性能、低价格的产品。虽然它的性价比很高，但并不是尖端产品。

3
这 8 个人在 IT 历史上被称为"八叛徒"。

虽然 8086 是我们今天所有 IBM-PC 处理器的祖宗，但是，当时连英特尔自己也没有预想到它的重要性。当时英特尔公司对 8086 并没有明确的市场定位，只是想尽可能多地促销。IBM 只不过是英特尔当时众多大大小小的客户之一。1981 年，IBM 为了短平快地搞出 PC，也懒得自己设计处理器，拿来英特尔的 8086 就直接用上了。结果，英特尔一举成名。1982 年，英特尔搞出了和 8086 完全兼容的第二代 PC 处理器 80286，用在了 IBM-PC/AT 上。由于 IBM 无法阻止别人制造兼容机，随着 1985 年康柏造出了世界上第一台 IBM-PC 兼容机，兼容机厂商就像雨后春笋般在世界各地冒了出来。这些兼容机硬件不尽相同，但是为了和 IBM-PC 兼容，处理器都得是英特尔公司的。图 5.2 展示了整个个人电脑工业的生态链。

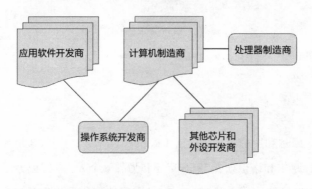

图 5.2　个人电脑工业生态链

可以看出在这个生态链中，只有作为操作系统开发商的微软和作为处理器制造商的英特尔处于不可替代的地位。因此，英特尔的崛起就成为历史的必然，正所谓时势造英雄。

当然，虽然信息革命的浪潮将英特尔推上了前沿，英特尔还必须有能力来领导计算机处理器的技术革命。英特尔的 CEO 安迪·格罗夫在机会和挑战面前，最终证明了英特尔是王者。英特尔起步的上个世纪 80 年代恰恰是日本经济达到巅峰的黄金 10 年，当时日本股市的总市值占了全世界的一半，日本东京附近的房地产总值相当于半个美国的房市总值。世界上最大的三家半导体公司都在日本，PC 里面日本芯片一度占到数量的

60%（不是价钱的 60%）。以至于日本有些政治家盲目自大，认为日本到了全面挑战美国的时候，全世界都在怀疑美国在半导体技术上是否会落后于日本。但是冷静地分析一下全世界的半导体市场就会发现，日本的半导体工业集中在技术含量低的芯片上，如存储器（即内存）等芯片，而全世界高端的芯片工业，如计算机处理器和通信的数字信号处理器全部在美国。20 世纪 80 年代，英特尔果断停掉内存业务，将这个市场完全让给了日本人，从此专心做处理器。当时日本半导体公司在全世界挣了很多钱，日本一片欢呼，认为它们打败了美国人。其实，这不过是英特尔等美国公司弃子求势的一招棋。1985 年，英特尔公司继摩托罗拉后，第二个研制出 32 位的微处理器 80386，开始扩大它在整个半导体工业的市场份额。这款芯片的研制费用超过 3 亿美元，虽然远远低于现在英特尔新款处理器芯片的研制成本，但在当时确实是一场豪赌，这笔研制费用超过中国当时在五年计划中对半导体科研全部投入的好几倍。英特尔靠 80386 完成了对 IBM-PC 兼容机市场一统江湖的伟业。

接下来到了 1989 年，英特尔推出了从 80386 到奔腾处理器的过渡产品 80486，简单来说，这款 CPU 就是 80386 加一个浮点处理器 80387 及缓存[4]。靠 80486 的销售，英特尔超过所有的日本半导体公司，坐上了半导体行业的头把交椅。顺便说句题外话，2012 年日本的股市总市值不到 1989 年的 30%[5]，可是美国股市总市值却涨了 4 倍。1993 年，英特尔公司推出奔腾处理器。从奔腾起，英特尔公司不再以数字命名它的产品了[6]，但是在工业界和学术界，大家仍然习惯性地把英特尔的处理器称为 x86 系列。

奔腾的诞生，使英特尔甩掉了只会做低性能处理器的帽子。由于奔腾处理器的速度已经达到工作站处理器的水平，高端的微机从那时起，开始取代低性能的图形工作站。到今天，即使是最早生产工作站的太阳公司和世界上最大的计算机公司 IBM，以及以前从不使用英特尔处理器的苹果公司，都开始在自己的计算机中使用英特尔的或和英特尔兼容的处理器了。现在，英特尔已经垄断了个人计算机和服务器处理器市场。

4
另外，还采用了紧耦合的流水线，MMU 性能也有改进。

5
在 2011 年 和 2012 这过去的两年里，日经指数一直在 8 000～11 000 之间徘徊。在 2012 年 6 月，日经指数为 9 000 点左右，只有 1989 年 12 月 29 日历史高点 38 916 点的 23%。期间 20 多年，日本很少有新公司上市。

6
因为法律上的原因，单纯的数字很难注册为商标。

2 英特尔、摩托罗拉之战

资金密集型的日本半导体公司终究敌不过技术密集型的英特尔公司。英特尔公司迄今唯一遇到的重量级对手只有上个世纪 80 年代的摩托罗拉。正如罗马帝国的崛起是通过在部落战争中打败原有的霸主迦太基而完成的，英特尔的崛起是靠击败老牌半导体公司摩托罗拉而实现的。摩托罗拉成立于 1928 年，早在二战期间，它就是美军无线通信的供应商。从上世纪 60 年代起，它在通信和集成电路方面领先于世界。摩托罗拉比英特尔早两年推出在小数运算性能上比 8086 高 5 倍的 16 位微处理器 68000。68000 这个名字是以它集成的晶体管数目 68 000 个而获得的。而 8086 只有不到 30 000 个晶体管。当时，不少工作站包括惠普、太阳和已经不存在的阿波罗等都采用摩托罗拉的处理器。在英特尔推出 80286 的同一年（1982 年），摩托罗拉推出了在性能上明显优于 80286 的 68010，继续作为当时主要工作站的处理器。据说英特尔为了和摩托罗拉竞争，在型号上耍了个小花招，英特尔公司第二代处理器本来应该命名为 80186，但是英特尔将这个编号留给了一个不重要的输入输出处理芯片，而将其系列处理器的编号一下跳到 80286，不懂技术的人还以为英特尔的处理器比摩托罗拉高一代。在 32 位微处理器的较量中，摩托罗拉在技术上和推出的时间上完全占了上风，它接下来的 68020 明显好于英特尔的 80386，除了用在主要工作站上，68020 还被苹果选为麦金托什的处理器。

这时，英特尔公司从外部得到了强援。由于 IBM-PC 兼容机的逐步普及，技术上相对落后的英特尔反而占了更多的市场份额。虽然，摩托罗拉后来又推出了对应于英特尔 80486 的 68030，但是，这时众多工作站厂商都开始开发自己的精简指令（RISC）处理器，摩托罗拉只剩下苹果一家用户，便很难和英特尔竞争了。几年后，摩托罗拉干脆自己也加入了 RISC 的行列做起 PowerPC。2005 年，随着苹果也开始使用英特尔的处理器，摩托罗拉彻底退出了微机处理器市场。

摩托罗拉并没有败在技术和资金上，20 世纪 80 年代以前，摩托罗拉在资金、技术等各个方面都明显强于英特尔。在很长时间里，它的处理器从性能上讲要优于英特尔的同类产品。摩托罗拉之败，首先是微软的因素，即英特尔有了微软这个没有签约的同盟军。此外，摩托罗拉自己在商业、管理和市场诸方面也有很多失误。如果摩托罗拉自己经营得当，它今天应该能通过精简指令集的处理器守住工作站和苹果的市场。

要分析摩托罗拉之败，我们不妨来比较一下英特尔和摩托罗拉这两家公司。**首先，这是两家不同时代的公司**。总部在美国中部伊利诺伊州的摩托罗拉虽然也是一家高科技公司，也经历了上个世纪 80 年代的信息革命，但是它完全还是 20 世纪五六十年代的传统公司。摩托罗拉的雇员在工资和福利上待遇不错，但是公司和员工，基本上还是传统的雇佣关系，公司内部管理层级较多，大部分员工基本上没有多少股票期权。因此，公司的业绩和员工的利益关系不大。英特尔公司则是一家典型的硅谷公司。每个员工的工作强度比摩托罗拉要大很多，但是每个人平均的股票期权也多很多。硅谷几个比较好的学区的房子，不少都被英特尔公司的早期员工买走了，而这些房子靠工资是一辈子也买不起的。几年前，美国历史频道（History Channel）在节目中评论了中日甲午战争。美国的历史学家认为，这是两个不同时代军队之间的战争，虽然双方武器相差不多，战争的结果不会有任何悬念，因为处在专制的农业时代后期的军队很难打赢一支新兴的工业化国家的军队。英特尔和摩托罗拉之间的竞争也是如此。

第二，两家公司的统帅水平相去甚远。英特尔公司上个世纪八九十年代的 CEO 格罗夫虽然是学者出身，但他同时也是微机时代最优秀的领导者和管理者，他几次被评为世界上最好的 CEO。摩托罗拉公司由高尔文（Galvin）兄弟创办，上个世纪 60 年代传到了儿子手里，上个世纪八九十年代传到了孙子手里，是个典型的家族公司。俗话说"富不过三代"，这话果然应验在高尔文家族上，三代人可以说是一代不如一代。孙子辈的克里斯托弗·高尔文虽然是被"选成"CEO 的，但是如果他不姓高尔文，他可能永远都当不了摩托罗拉的 CEO，甚至进不了工业界的高层。

最后，也是非常重要的，英特尔比摩托罗拉更专注。在业务上，半导体只是摩托罗拉的一个部门，而微机处理器又只是其半导体部门的一项业务，可是它对于英特尔来讲却是全部。因此，摩托罗拉即使完全退出微机处理器市场也不过是损失一些地盘，而英特尔一旦失败，则会面临灭顶之灾。一般来讲，华尔街总是希望上市公司有尽可能多的而不是单一的收入来源，摩托罗拉确实是这么做的，它曾经在计算机的处理器、通信的数字信号处理器、对讲机、BP机、手机和电视接收器等很多领域发展。结果每个领域都很难做大。英特尔公司做事情非常专注，直到今天，它一直专注于个人微机的处理器。每一代产品的研发都是集中大量的人力和资金，每一次都是只能成功不能失败。这就像一把散线和一股绳，散线很容易被绳扯断。因此，专注的英特尔最终把计算机处理器的业务做得很大、很好，而业务多元化的摩托罗拉最后除了在微机处理器上败给了英特尔，在手机上碰到了诺基亚，在信号处理器（DSP）上又败给了德州仪器。很多人问我雅虎有没有可能在搜索领域赶上Google，我明确地回答：没有，因为雅虎不可能专注在这一个领域。有时候，一家好的公司不能完全按华尔街的意愿办事。

如果时光可以倒流，让摩托罗拉和英特尔当时换个个儿，即IBM-PC采用摩托罗拉的处理器，而将服务器厂家和苹果交给英特尔。那么20年发展下来，摩托罗拉也很难成为半导体领域的老大，因为它内部的问题没法解决。

3 指令集之争

英特尔在微软的帮助下，在商业上打赢了对摩托罗拉的一仗。在接下来的10年里，它在技术上又和全世界打了一仗。

当今的计算机系统结构可以根据指令集分成复杂指令集（CISC）和精简指令集（RISC）两种。一个计算机程序最终要变成一系列指令才能在处理器上运行。每个处理器的指令集不相同。有些处理器在设计的时候，尽可能地实现各种各样、功能齐全的指令，这包括早期IBM和DEC的全部处理器，今天的英特尔和AMD的处理器等。采用复杂指令集的处理器芯片的好处是可以实现很复杂的指令，但也存在两个主要问题：第一，设计复杂，实现同样的性能需要的集成度高；第二，由于每个指令执行时间不一样长，处理器内部各个部分很难流水作业，处理器会出现不必要的等待。除此之外，还有一个过去不是问题现在却成问题的缺陷，就是复杂指令芯片高集成度带来的高功耗。

针对复杂指令处理器的上述两个不足，上个世纪 80 年代，计算机科学家们提出了基于精简指令集的处理器设计思想，其代表人物是现任斯坦福大学校长，美国科学院、工程学院和文理学院三院院士约翰·亨尼西（John Hennessy）教授和加州大学伯克利分校著名的计算机教授戴维·帕特森（David Patterson）院士。精简指令系统只保留很少的常用指令，并将一条复杂的指令用几条简单的指令代替。精简指令集的设计思想是计算机发展史上的一次革命，它使得计算机处理器的设计得到大幅简化。同时，由于精简指令集的处理器可以保证每条指令的执行时间相同，处理器内各部分可以很好地流水作业，处理器速度比同时期的复杂指令集处理器要来得快。使用精简指令集设计的处理器，过去主要是很多工作站的处理器。现在低端的主要是手机中的处理器，高端的则是最快的索尼 PS/3 游戏机的的微处理器 Cell。

虽然复杂指令和精简指令的处理器各有千秋，但是在学术界几乎一边倒地认为复杂指令集的设计过时了，精简指令集是先进的。尤其是美国所有大学计算机原理和计算机系统结构两门课用的都是亨尼西和帕特森合著的教科书。在很长的时间里，书中以介绍亨尼西自己设计的 MIPS 精简指令芯片为主。同时，IEEE 和 ACM 系统结构的论文也以精简指令为主。英特尔设计 8086 时还没有精简指令的芯片，否则，英特尔很可能会采用这种技术，而不是复杂指令系统。而一旦走上了复杂指令这条不归路，英特尔为了和 8086 完全兼容，在以后的 80286 和 80386 中必须继续使用复杂指令系统。在上世纪 80 年代中后期，不少精简指令的处理器做出来了，包括亨尼西设计的 MIPS，后来用于 SGI 工作站，以及帕特森设计的 RISC，后来用于 IBM 的工作站。精简指令芯片的速度当时比复杂指令芯片的要快得多。

到了上个世纪 80 年代末，英特尔面临一个选择，是继续设计和以前 x86 兼容的芯片还是转到精简指令的道路上去。如果转到精简指令的道路上，英特尔的市场优势会荡然无存；如果坚持走复杂指令的道路，它就必须逆着全世界处理器发展潮流前进。在这个问题上，英特尔处理得很明智。首先，英特尔必须维护它通过 x86 系列芯片在微处理器市场上确立的领先地位。但是，万一复杂指令的处理器发展到头了，而精简指令代表了未来的发展方向，它也不能坐以待毙。于是英特尔在推出过渡型复杂指令集的处理器 80486 的同时，推出了基于精简指令集的 80860。事实证明这个产品不是很成功，显然，市场的倾向说明了用户对兼容性的要求比性能更重要。因此，英特尔在精简指令上推出 80960 后，就停止了这方面的工作，而专心做"技术落后"的复杂指令集系列。在整个 20 世纪 90 年代，只有英特尔一家坚持开发复杂指令集的处理器，对抗着整个处理器工业界。

应该讲英特尔在精简指令处理器的工作没有白做，它在奔腾及以后的处理器设计上吸取了 RISC 的长处，使得处理器内部流水线的效率提高很多。由于英特尔每一种 PC 处理器的销量都超过同时代所有工作站处理器销量的总和，它可以在每款处理器的开发上投入比任何一种精简指令处理器多得多的研发经费和人力，这样，英特尔通过高强度的投入，保证了它的处理器性能提升得比精简指令处理器还要快。而在精简指令阵营，上个世纪 90 年代 5 大工作站制造商太阳、SGI、IBM、DEC 和惠普各自为战，每家都生产自己的精简指令处理器，加上摩托罗拉为苹果生产的 PowerPC，6 家瓜分一个市场，最后谁也做不大、做不好。到了 2000 年前后，各家的处理器都做不下去了，或全部或部分地开始采用英特尔的产品了。而最早的精简指令集处理器 MIPS 现在几乎没有人用了。亨尼西和帕特森作为两位负责任的科学家，将英特尔处理器加入到自己编的教科书中，以免大学生们学习的计算机系统结构时过于偏向 MIPS 的技术，而不能全面了解今天处理器的发展。

英特尔经过 10 年努力，终于打赢了对摩托罗拉的精简指令集处理器之战。需要强调的是，英特尔不是靠技术，而是靠市场打赢此战的。英特尔的表现在很多地方都可圈可点。首先，英特尔坚持自己系列产品的兼容性，即保证以往的软件程序能在新的处理器上运行。这样时间一长，用户便积累了很多在英特尔处理器上运行的软件。每次处理器升级，用户原来的软件都能使用，非常方便。因此大家就不愿意轻易换用其他厂商的处理器，即使那些处理器更快。而其他处理器厂商这点做得都没有英特尔好，它们常常每过几年就重起炉灶，害得用户以前很多软件都不能用了，必须花钱买新的。时间一长，用户就换烦了。第二，英特尔利用规模经济的优势，大力投入研发，让业界普遍看衰的复杂指令集处理器一代代更新。在上个世纪 90 年代初，英特尔的 x86 系列和精简指令集的处理器相比在实数运算上要略逊一筹。但是，英特尔十几年来坚持不懈地努力，后来居上，而其他厂商因为各自市场不够大，每一款单独的处理器芯片的投入远远不如英特尔，因此反倒落在了后面。与其说英特尔战胜其他厂商，不如说它把竞争对手熬死了。第三，英特尔并没有拒绝新技术，它也曾经研制出两款不错的精简指令集处理器，只是看到它们前途不好时，立即停掉了。第四，英特尔运气很好，在精简指令处理器阵营中，群龙无首。这一战，看似英特尔单挑诸多处理器领域的老大。但是，这几家做精简指令处理器的公司因为彼此在工作站方面是竞争对手，自然不会用对手的产品，而且各自为战，互相拆台打价格战。最后，太阳公司[7]和 IBM 倒是把其他几家工作站公司全收拾了，但也无力再和英特尔竞争了，现在这两家自己也用上了英特尔的芯片。本来，摩托罗拉最有可能一统精简指令处理器的天下，和英特尔分庭抗礼，因为它本身不做工作站，而各个工作站厂商原本都使用它的68000 系列处理器，但是摩托罗拉自己不争气。原因我们前面已经分析过了。

摩托罗拉虽然失败了，但是 RISC 体系并没有从此消失，它后来给英特尔带来了巨大的麻烦，这是后话了。

4　英特尔和 AMD 的关系

我们在前面提到摩托罗拉公司时用了"英特尔－摩托罗拉之战"的说法，因为，那对于英特尔来讲确实是一场十分凶险的战争，当时摩托罗拉无

[7]
今天是甲骨文公司的一部分。

论在技术还是财力上都略胜一筹。如果英特尔走错一步，它今天就不会存在了。英特尔和诸多精简指令处理器公司之战，可以说有惊无险，因为英特尔已经是内有实力，外有强援。而今天，英特尔和 AMD 之间争夺市场的竞争在我看来不是一个重量级别的对手之间的比赛，因此算不上是战争。我想，如果不是反垄断法的约束，英特尔很可能已经把 AMD 击垮或收购了。另外，英特尔和 AMD 的关系基本上是既联合又斗争。

AMD 不同于英特尔以往的对手，它从来没有另起炉灶做一种和英特尔不同的芯片，而是不断推出和英特尔兼容的、更便宜的替代品。AMD 的这种做法和它的基因有很大关系。AMD 从血缘来讲应该是英特尔的族弟，因为它也是从仙童半导体公司分出来的，也在硅谷，只比英特尔晚几年，而且也和英特尔一样，从半导体存储器做起。和其他处理器公司不同，AMD 的创始人是搞销售出身的，而一般技术公司创始人都是技术出身。AMD 的这种基因决定了它不是自己会做什么就做什么，而是市场导向的，市场需要什么就做什么。在 AMD 创建不久，它就成功地解剖了英特尔的一款 8 位处理器芯片。上个世纪 80 年代，由于 IBM 采购的原则是必须有两家以上的公司参加竞标，所以在很长的时间里，英特尔主动让 AMD 将它生产的芯片卖给 IBM 等公司。

到了 1986 年，英特尔不想让 AMD 生产刚刚问世的 80386，可能是想独占 80386 的利润吧，于是开始毁约。AMD 拿出过去的合同请求仲裁，仲裁的结果是 AMD 可以生产 80386。这下子英特尔不干了，上诉到加州高等法院，这个官司打了好几年，但是法院基本上维持了仲裁的结果。AMD 于是便名正言顺地克隆起英特尔的处理器芯片了。当时微机生产商，例如康柏，为了向英特尔压价，开始少量采购 AMD 的芯片。几年后，英特尔再次控告 AMD 公司盗用它花几亿美元买来的多媒体处理的 MMX 技术，AMD 做了让步，达成和解。在整个 20 世纪 90 年代，英特尔和 AMD 虽然总是打打闹闹，但是它们在开拓 x86 市场，对抗精简指令集的工作站芯片方面利益是一致的。因此，它们在市场上的依存要多于竞争。

2000 年后美国经济进入低谷，精简指令工作站的市场一落千丈，太阳公司的股票跌掉了百分之九十几。放眼处理器市场，全是英特尔和 AMD 的天下了。AMD 这次主动出击，利用自己提早开发出 64 位处理器的优势，率先在高端市场挑战英特尔，并一举拿下了服务器市场的不少份额。前几年，因为微软迟迟不能推出新的 Windows Vista 操作系统，因此个人用户没有动力去更新微机；而同时，因为互联网的发展，网络服务器市场增长很快，对 64 位高端处理器芯片需求大增。这样在几年里，AMD 的业绩不断上涨，一度占有 40% 左右的处理器市场，并且挑起和英特尔的价格战。AMD 同时在世界各地状告英特尔的垄断行为。到 2007 年初，AMD 不仅在业绩上达到顶峰，而且在对英特尔的反垄断官司上也颇有收获，欧盟各国开始约束英特尔。这样一来，英特尔就不能太小觑 AMD 这个小兄弟了。它决定给 AMD 一些颜色看看。在接下来的一年里，英特尔千呼万唤始出来的酷睿双核处理器终于面世了，性能高于 AMD 同类产品，英特尔重新夺回领先地位。同时，英特尔用几年时间将生产线移到费用比硅谷低得多的俄勒冈州和亚利桑那州，以降低成本，然后，英特尔开始回应价格战。价格战的结果是，英特尔的利润率受到了一些影响，但是 AMD 则从盈利转为大幅亏损。英特尔重新夺回了处理器市场的主动权。2006 年，两家主要产品都采用 65 纳米的半导体技术。但是，英特尔因为在最新的 45 纳米技术上明显领先于 AMD，并且已经开始研发集成度更高的 32 纳米的芯片，因此在以后直到今天的时间里，对 AMD 保持绝对的优势。

我认为，总的来讲，英特尔并不想把 AMD 彻底打死。因为留着 AMD 对它利大于弊。首先，它避免了反垄断的很多麻烦。2012 年 6 月 AMD 的市值只有英特尔的 3% 左右[8]，后者靠手中的现金[9]就足以买下前者。但是，英特尔不能这么做，否则会有反垄断的大麻烦。其次，留着 AMD 这个对手对英特尔自身的技术进步有好处。柳宗元在他的"敌戒"一文中指出，"秦有六国，兢兢以强；六国既除，訑訑乃亡"。这条规律对于英特尔也适用。英特尔从 1979 年至今，将处理器速度（如果以小数运算速度来衡量）提高了 25 万倍。如果没有诸多竞争对手，它是做不到这一点

8
40亿美元 Vs. 1300亿美元。2011 年，本书第一版出版前的 2011 年，AMD 的市值尚有英特尔的 5% 左右。

9
2012 年 6 月，英特尔现金储备的净值为 62 亿美元，超过 AMD 的市值许多。

的。现在它的主要对手只有 AMD 了，从激励自己的角度讲也许要留着它，毕竟，AMD 在技术上不像当年的摩托罗拉和 IBM 那么让英特尔头疼。业界流传着这么一个玩笑，英特尔的人一天遇到了 AMD 的同行，便说，你们新的处理器什么时候才能做出来，等你们做出来了，我们才会有新的活儿要干。

5　举步艰难

Google 研究院院长、美国经典教科书《人工智能》的作者彼得·诺威格 (Peter Norvig) 博士有一句很经典的话在业界广为流传：一家公司的市场份额超过 50% 以后，就不用再想去将市场份额翻番了。[10] 言下之意，这家公司就必须去挖掘新的成长点了。在 2000 年后，英特尔公司就是处于这样一个地位。现在，它已经基本上垄断了计算机通用处理器的市场，今后如何发展是它必须考虑的问题。

10
在后面的章节有详细介绍。

虽然英特尔在整个半导体工业中仍然只占了一小块，但是，很多市场，尤其是低端的市场，比如存储器市场英特尔是进不去的，也没有必要进去，因为它的成长空间并没有想象的那么大。英特尔的优势在于处理器和 PC 相关的芯片制造上，因此它很容易往这两个市场发展。但是，迄今为止，它在微机处理器之外的芯片开发上不是很成功。比如，前几年，它花了好几个亿开发 PC 的外围芯片，最后以失败告终，现在不得不采用 Marvell 公司的芯片组。除了计算机，现在许多电器和机械产品都需要用到处理器，比如，一辆中高档的奔驰轿车里面有上百颗各种有计算功能的芯片，而手机对处理器芯片的需求就更不用说了。英特尔一度进入了高端手机处理器的市场，著名的黑莓手机就曾采用它的芯片。但是，由于英特尔公司开发费用太高，这个部门一直亏损，不得不于 2006 年卖给了 Marvell 公司。至此，英特尔公司在微机处理器以外的努力全部失败。而 Marvell 从此挤进了 3G 手机芯片制造商的前三甲。当年，智能手机一年的出货量不过几百万台，英特尔恐怕没有想到如今智能手机一周的出货量就能达到当年一年的水平，否则，即使再亏损，也不至于卖掉手机处理器的部门。

英特尔公司的商业模式历来是靠大投入、大批量来挣钱的，同一代的芯片，英特尔的销量可能是太阳公司的 10 倍，甚至更多，因此，它可以比其他公司多花几倍的经费来开发一种芯片。但是，当一种芯片市场较小时，英特尔公司很难做到盈利，而不幸的是很多新的市场在开始的时候规模总是很小的。这是英特尔面临的一个根本问题。这个问题不解决，它很难培养起新的成长点。

英特尔公司要做的第二件事就是防止开发精简指令集处理器的公司（如 IBM）死灰复燃。虽然在个人微机的市场上，英特尔 x86 系列的处理器在很长时间内是不可替代的，因为有微软在操作系统中为它保驾。但是在服务器市场却不一定，因为，现在服务器主要的操作系统是开源的 Linux，而 Linux 在什么处理器上都可以运行。因此，只要有一种处理器各方面性能明显优于英特尔，购买服务器的客户就会考虑采用非英特尔的处理器。事实上很多超级计算机，包括中国的天河一号，都是用 RISC 处理器搭建的。在能源紧缺的今天，服务器厂商对处理器最关心的已经不单单是速度，而是单位能耗下的速度。现在，一颗酷睿处理器如果昼夜不停使用，一年的耗电量已经等同于它的价格。因此，今后处理器设计必须考虑功耗。为了防止 RISC 处理器在服务器市场上死灰复燃，英特尔比较早就开始重视这个问题，虽然总的来讲，英特尔复杂指令的芯片不如精简指令的处理器设计简单，相对比较难做到低能耗，但是英特尔在降低处理器能耗上做得还是不错的，直到 2009 年，精简指令集的处理器在服务器市场上挑战英特尔的情况并不严重。

但是，人算不如天算，当英特尔在服务器市场上对 RISC 严阵以待的时候，用户使用的客户端计算机的趋势在悄悄改变，随着苹果 iPhone 和 Google Android 的出现，大家发现很多原来需要在 PC 上做的事情，可以通过较轻的终端计算机，加上强大的服务器端的服务来完成，以苹果 iPad 为首的各种便携式或掌上型平板电脑本渐渐开始风行。虽然目前它们还影响不到 PC 的销售，但是从长远看将会大大压缩 PC 市场的成长。这些平板电脑本用的可不是英特尔的芯片，而是基于 RISC 的芯片，更具体地

11
ARM 是 Advanced
RISC Machines 的
缩写。

讲是用的 ARM[11] 控股公司（ARM Holdings）的产品。ARM 控股公司的商业模式是把它的 CPU 设计提供给各个半导体公司，由后者集成到它们的芯片中。这些芯片都称为基于 ARM 的（ARM Based）。到 2005 年，全球 98% 以上的智能手机的处理器芯片都是基于 ARM 设计的。目前，英特尔和基于 ARM 的 RISC 芯片在市场上还没有太多的直接冲突，但是基于 ARM 的处理器在手机、平板电脑等领域近乎垄断的占有率，实际上大大缩减了英特尔的发展空间。

虽然英特尔公司宣布 2012 年将和摩托罗拉及 Google 一道，力图把它为上网本设计的 Atom 处理器用在手机上，但是业界人士都怀疑它的性能和功耗比能否跟诸多 ARM 处理器竞争。

另外，我个人认为，在个人微机以外，今后另一个重要的市场是游戏机市场。现在的游戏机早已不单单是为玩游戏设计的了，它们成为每个家庭的娱乐中心。IBM 等公司至少目前在这个领域是领先的。IBM 已经垄断了任天堂、索尼和微软三大游戏机的处理器市场。实际上，现在这些采用精简指令处理器的游戏机无论是从计算速度还是图形功能上，都已经超过了基于英特尔处理器的个人电脑。如果下一次技术革命发生在每个家庭的客厅，那么，IBM 无疑已经拔得头筹。

英特尔虽然雄霸个人电脑处理器市场，但随着个人微机市场的饱和，其远景不容乐观。在 2008-2009 年金融危机时，英特尔公司是主要 IT 公司中业绩下滑最大的公司。从某种程度上讲，它是反摩尔定律最大的受害者，因为处理器的价格在不断下降。同时，它在新市场的开拓上举步艰难，很难摆脱"诺威格效应"的阴影。好在英特尔同时也是安迪 - 比尔定律的直接受益者，在可以预见的将来，它的发展很大程度上必须依赖于诸如微软等软件公司软件产品的更新。虽然微软的操作系统和 Office 软件近年来更新缓慢，但是随着云计算的兴起，基于服务器端的软件和服务对处理器的需要弥补了微软开发缓慢的不足，因此安迪 - 比尔定律对英特尔的正面影响还会持续较长的时间。今后，最有可能的情况是，在服务器端，英特尔的处理器依然占统治地位，但是，在终端的平板电脑、低端笔记本和智能手机，则是各种基于 ARM 的处理器的天下。

结束语

在个人微机时代，组装甚至制造微机是一件非常容易的事，连我本人都攒 PC 卖过。因此，二十几年来，出现了无数的微机品牌，小到中关村攒出来的自己贴牌子的兼容机，大到占世界绝大部分市场的所谓品牌机，如戴尔、惠普和联想。虽然这些计算机配置和性能大相径庭，但是它们都使用微软的操作系统和英特尔系列的处理器。从这个角度讲，微机时代的领导者只有两个，软件方面的微软和硬件方面的英特尔。有人甚至把 PC 行业称为英特尔 - 微软体系，即 WinTel。

英特尔对世界最大的贡献在于，它证明了处理器公司可以独立于计算机整机公司而存在。在英特尔以前，所有计算机公司都必须自己设计处理器，这使得计算机成本很高，而且无法普及。英特尔不断地为全世界的各种用户提供廉价的、越来越好的处理器，直接推动了个人电脑的普及。它大投入、大批量的做法成为当今半导体工业的典范。英特尔无疑是过去几十年信息革命大潮中最成功的公司之一，但是今后除非它能找到新的成长点，否则它也会随着 PC 时代的过去而进入自己平和的中老年期。

英特尔大事记

1968　英特尔成立。

1971　开发出英特尔第一个商用处理器 Intel 4004。

1978　英特尔公司开发出 8086 微处理器，后被用作 IBM-PC 的 CPU。

1982　80286 处理器问世。

1985　32 位的 80386 处理器问世。

1986　英特尔公司上市。

1987　安迪·格罗夫担任英特尔 CEO，英特尔开始了快速发展的 10 年，并且成为全球最大的半导体公司。

1989　定点和浮点处理合一的 80486 处理器问世。

1993　奔腾系列处理器问世，在随后的十年里，英特尔推出了很多代的奔腾处理器。

2000　英特尔的手机处理器 XScale 问世。

2001　英特尔的 64 位服务器处理器 Itanium 问世，英特尔在服务器市场彻底超越 RISC 的
　　　代表太阳公司。

2005　基于 ARM 的处理器占到了智能手机处理器市场的 98%，英特尔在这个市场明显落
　　　后于高通公司和德州仪器公司。

2006　双核处理器问世。同年，英特尔的手机处理器部门 XScale 卖给了 Marvell 公司，从
　　　此退出手机处理器市场。

2009　四核处理器问世，英特尔继续在服务器处理器市场上占优势。

2012　英特尔宣布要重回移动终端市场。

第6章 IT 领域的罗马帝国

微软公司

2000 年夏天，我和同事正在横跨欧亚的伊斯坦布尔参加一个大型学术会议，回到旅馆，听到电视里传出的居然是英语而不是当地的土耳其语。仔细一看，微软董事会主席威廉·盖茨三世，也就是我们常说的比尔·盖茨，穿着便装，表情严肃，正在发表演说。原来，旷日持久的美国司法部控告微软一案终于有了初审结果。司法部经过多年调查取证，找到了关于微软垄断和不正当竞争的充足证据，多达 146 页[1]。法庭裁定，微软的垄断行为违反了反垄断法，并对苹果、太阳、网景、莲花（Lotus）、RealNetworks 和那些推广 Linux 的公司构成威胁，作为补救，将强制地把微软拆成两个公司，一个操作系统的公司和一个经营其他软件的公司。当天，微软的股票狂跌一半，市值从 5 000 亿美元缩水至不到 3 000 亿美元，从此便停留在了两三千亿美元的水平。在第二天晚上的千人酒会上，微软以外的所有人对这个结果都很高兴。这说明微软的垄断行为确实犯了众怒。

在整个 IT 领域，微软永远是所有公司最可怕的敌人。微软靠它在操作系统上的垄断地位和无比雄厚的财力，在计算机领域几乎是无往不胜。二十几年来，微软作为计算机领域生态链最上层的一环，一方面刺激着整个计算机领域的发展，另一方面扼杀了无数大大小小有创新的公司。今天，它仍然是世界上最挣钱、现金最多的公司之一，并且是市值最高

1

详见美国政府司法部网站: http://www.us-doj.gov/atr/cases/f3-800/msjudgex.htm。

的科技公司之一。微软里面有无数传奇人物，而它的创始人和董事会主席盖茨自己就是一个传奇。他们的故事早已在各地流传，我就不在这里赘述了。我只想介绍一下盖茨和微软是如何抓住和利用信息革命带来的机遇，建成一个 IT 帝国的。

1 双雄会

1981 年，在硅谷的库帕蒂诺市苹果公司总部，举行了一次微机领域的世纪双雄会。事业正蒸蒸日上的苹果公司创始人史蒂夫·乔布斯邀请了刚刚拿下 IBM-PC 操作系统合同的微软公司创始人比尔·盖茨洽谈合作事宜。乔布斯给盖茨看了新设计的麦金托什个人电脑，以及漂亮的基于图形界面的操作系统。还沉浸于拿下 IBM 大合同的盖茨一下子给惊呆了。这种基于图形界面加上一个小小的鼠标的操作系统比微软的 DOS 不知道要强多少倍，前者使得计算机的操作比以前方便了许多。盖茨马上意识到，眼前这种虽然还不完善的操作系统代表了今后的趋势，而微软当时产品线上所有的东西都显得寒酸而落后。那一年，乔布斯和盖茨都是 26 岁。虽然两个人都是科技工业界的新星，但是没有人意识到未来年产值万亿美元的个人电脑工业，将由这两个人来争天下。正春风得意的乔布斯当时并不了解盖茨这个人，他只是知道微软做事又快又好，请盖茨来的目的是让微软为苹果开发应用软件。如果时光能倒流，乔布斯一定不会举行这次双雄会，因为后来大家知道盖茨和微软都不会甘居人下，一旦瞄上哪个领域，那个领域原有的公司离灾难就不远了。乔布斯在这次会晤中显得很傲慢，因为他有麦金托什这个宝贝在手。而在合作的谈判上，出了名的谈判高手乔布斯又斤斤计较。这两点都让盖茨很不喜欢乔布斯，但他还是促成了交易，答应为苹果开发三种应用软件，因为他对这种图形界面的操作系统本身很感兴趣。

在计算机领域双雄的第一次交手中，乔布斯在合同上得到了一些小便宜，但是，盖茨才是真正的胜利者。26 岁的乔布斯虽然是科技奇才，但是当时毕竟阅历和经验都不足。他太大意了，无论如何不会想到在他面前这个衣着随便、戴着永远擦不干净的厚厚的眼镜的计算机虫，日后几乎要了苹果的命。当时，在乔布斯眼里，微软不过是一个靠卖 BASIC 起家、阴错阳差拿到 IBM 合同的小软件公司（连它的名字都是微软件），无论如何不能和他那个开创了整个微机工业的苹果相比。我们无法得知微软 1981 财政年度的收入，因为它在 1986 年上市时只公布了 1984 年以后的财政情况。但是可以肯定，微软当时的收入是微乎其微的，因为即使是在高速发展了几年后的 1984 年，微软已经为世界上 80% 的微机提供操作系统时，它的营业额也不过区区一亿美元。直到 1990 年微软发布 Windows 3.0 并成为软件霸主时，它的营业额才达到苹果同时期的 1/5。乔布斯不是神仙，很难料到比苹果小得多的微软以后会威胁到自己。

毫无疑问，乔布斯不经意的错误等于告诉了盖茨今后个人微机操作系统的发展方向。我想，如果乔布斯年龄大上个 20 岁，他不会犯这个简单的错误。我在学校的导师弗雷德·贾里尼克（Fred Jelinek）院士在到约翰·霍普金斯大学之前曾经在 IBM 担任要职，因此我们经常去 IBM 作报告，但是每次去以前贾里尼克都要确认我们报告的每一页内容是已经公开发表过的。原因很简单，IBM 有世界上最好的科学家和工程师，他们可以用比你还快的速度将你没有发表的想法实现、申请专利并发表。在这次双雄会上，乔布斯犯下了两个大错误。首先，他自己没有意识到操作系统在今后整个微机工业中的重要性，即微机工业的统治者可能不需要制造计算机而只需要控制操作系统，否则他不会过早地给别人看苹果还没上市的产品；第二，也是更重要的，他低估了盖茨：他给谁看都可以，就是不该给盖茨看。

乔布斯和盖茨都意识到了微机及其相关工业将是一个大产业，事实证明这确实是一个万亿美元的大产业。我们在前面已经分析过，计算机工业比任何行业都容易出现垄断公司。乔布斯和盖茨都想做垄断者，但是他们的方式不同。前者是想做原来 IBM 那样的垄断者，从硬件到软件全部垄断，这后来证明是行不通的。而盖茨的天才之处在于，他在微机工业刚刚开始的时候，就意识到只要垄断了操作系统，就间接垄断了整个行业，因为操作系统和别的软件不同，是在买计算机时预装好了的，一般用户没有选择权，而其他软件的用户则有选择权。所有的应用软件又必须在操作系统下开发。因此，操作系统必然会在自由竞争后，率先出现赢者通吃的垄断局面。20多年前，IBM、微软和苹果3家公司都有垄断微机操作系统的可能性。另外3家公司Novell、太阳和甲骨文也有可能从中分到一杯羹。20多年后的结果是微软一家独大，不仅后3家公司设想的网络操作系统没有成功，IBM和苹果这两个曾经"雇佣"了微软的公司，也都被当年的店小二打得落花流水。虽然说条条道路通罗马，但是成为罗马帝国的路只有一条，就看谁能找对了。

让盖茨和乔布斯生于同一时代是一件很遗憾的事，因为在PC行业里，他们两个人注定要有一人成为失败者。在技术嗅觉上，乔布斯好于盖茨，但是，在商业眼光和经营上，盖茨要强于乔布斯。

2 亡羊补牢

盖茨回到微软后，在公司内部展示了苹果的产品，大家一下子被麦金托什的图形操作系统迷住了，而且接受苹果开发任务的工程师们很高兴地在麦金托什的操作系统下工作。此时，盖茨的心情更加沉重了。一方面，在他面前是随着计算机进入家庭而带来的无限的商机、美好的未来，另一方面，是在这次技术革命中被淘汰的巨大危险。盖茨一向看重连接用户和计算机的操作系统，知道它比其他任何一种应用软件更重要，也更容易形成垄断。但是现在，乔布斯的苹果在新的操作系统方面抢到了先机，而施舍给微软的是三个无足轻重的应用软件。

盖茨采取了亡羊补牢的措施，他知道要在短时间内在操作系统上赶上苹果已经不可能了，微软只能先减小苹果麦金托什对微机市场尤其是操作系统市场的冲击，赢得时间，然后再迎头赶上。盖茨从来是个能置之死地而后生的人，早在哈佛大学读书时，他就是这样。那一年他刚上大二，从一本杂志上看到一篇介绍Altair公司微处理器的文章，于是就给该公司老板写了封信说他们为公司的微处理器写了个 BASIC 语言的解释器，这样用户就可以在 Altair 的处理器上使用 BASIC 编程了。其实，当时这个解释器完全是盖茨杜撰出来的。Altair 公司倒很认真，要来看看盖茨的东西。盖茨和艾伦等人居然在几星期内就赶制出了一个。Altair 公司对盖茨等人的工作很满意，干脆雇了艾伦。几个月后，艾伦说服盖茨退学，全职创办了微软公司。6 年后，盖茨再次被苹果公司逼入了绝境，他不甘心在这次千载难逢的计算机革命中当一个配角，而必须绝地反击去夺取操作系统的控制权。盖茨作了非常正确的战略布局，事实表明，盖茨当时在诸多环节中如果走错一步，微软都难以成为日后的霸主。

首先，他兑现对苹果的承诺，为麦金托什开发应用软件。整个开发工作进展缓慢，盖茨暗暗高兴，这说明在麦金托什上开发应用程序比在 DOS 上难。这些工作对微软了解苹果的技术，并为自己今后开发图形操作系统都很有用。第二，他答应跟 IBM 合作，一起开发新的操作系统 OS/2。显然，IBM 的目的是想从微软手里夺回微机操作系统的控制权，但是微软还是答应了，因为这样一来可以借助 IBM 的力量锻炼队伍，二来可以制约苹果，但是，微软在推广 OS/2 上并不卖力。最关键的是第三步棋，微软暗地里非常低调地学习苹果，悄悄开发 Windows，并抛出了两个玩具版 Windows 1.0 和 2.0，这两个必须依赖 DOS 的版本很不成功。当时，没有人认为微软能做好图形界面加鼠标的操作系统。盖茨暗地里却请了很多高手来助阵，包括施乐公司最早做图形界面的一些人，当时最好的操作系统 VMS 的主持人戴维·尼尔·卡特勒（David Neil Cutler）及著名的操作系统专家吉姆·阿尔钦（Jim Allchin）等。阿尔钦当时根本瞧不上微软的技术，他说，你们微软的东西是世界上最烂的。盖茨倒很大度，回答说，正因为它们很烂，才要请你来把它们做好。最后，盖茨的诚意和微软的股票期权打动了阿尔钦。

完成了在研发上的布局，盖茨要在市场上尽可能用它落后的 DOS 坚持到微软新一代操作系统开发出来。微软的做法概括起来是两句话，薄利多销和来者不拒。1980 年，盖茨把他在哈佛认识的同学史蒂夫·鲍尔默请来负责微软的日常运营，后者于 2000 年接任微软 CEO。如果说盖茨是微软这条巨轮的船长，那么鲍尔默则是开船的大副。鲍尔默到来后，把公司管理得正规起来，他为微软制定了后来证明是非常有效的营销方案。微软将 BASIC 免费提供给 IBM，同时以近乎免费的价格，即每个拷贝 5 美元，将 DOS 预装在 IBM-PC 上，这个价钱便宜得大家连盗版都懒得盗（也正是这些原因，微软早期软件销量大但是不怎么挣钱）。但是，微软用这些条件换回了 DOS 的销售权。我们在"蓝色巨人"一章中讲过，IBM 心思根本不在微机上，也没有意识到这个合同最终使得 IBM 失去了对微机操作系统的控制权。免费的 BASIC 和 5 美元预装的 DOS 其实是微软的一个钓饵，它是为了吸引软件公司和计算机爱好者在上面开发出各种各样的软件，使用户产生对微软的依赖。在众多应用软件公司中，莲花公司的制表软件 Lotus 1-2-3 最为成功，几乎每台 IBM-PC 上都装了一份，这使得在很长的时间里，开发应用软件的莲花公司居然比开发操作系统的微软还大。

但是，DOS 的缺陷是任何搞计算机的人一眼都能看穿的。它是一个非常小、非常简单的操作系统，甚至算不上严格意义上的操作系统，因为它没有操作系统的一些基本功能，比如进程的管理。最早的 IBM-PC 因为硬件速度较慢，内存较少，使用 DOS 尚能应付。但是，随着硬件速度的提高，DOS 的问题马上就显现出来了。首先，它不能直接访问 640KB 以上的内存，因为它当时就只是为支持内存特别小的微处理器设计的。第二，它在任务管理上完全是串行的，像现在一边听歌一边上网这种事在 DOS 上永远做不到。尤其是等到 32 位的处理器 80386 出来，DOS 就大大限制了硬件性能的发挥。技术出身的盖茨很明白这一点，但是他别无选择。在很长一段时间内，微软必须全力推广技术上已经非常落后的 DOS，而且还大张旗鼓地对根本没有前途的 DOS 做了几次非实质性升级，以便争取时间。微软的这种做法其实风险很大，因为它是在用大刀长矛死死抵抗着苹果和后来的 IBM OS/2 等洋枪洋炮。但是这一次，微软居然打赢了。微软是怎样创造奇迹的呢？

3　人民战争

一位日本围棋国手讲过，高手过招取胜之道，就在于抓住对手的失误。乔布斯在双雄会上的失误虽然严重，但还不是致命的，因为微软最终花了 9 年时间才做好一个可用的图形界面加鼠标的操作系统，即 Windows 3.0，[2] 这期间苹果本来还很有机会，但是一步致命的昏招使它断送了原来的好局。乔布斯和盖茨一样，都是卧榻之旁不容他人安睡的垄断者，但是乔布斯及其继任者功利心太重。在微机工业这盘大棋中，苹果是抢实地，而微软是先造势再破实空。结果是，苹果好处捞得快，微软大局布得好。

苹果在开局中抢到了先机，它自己对苹果系列的微机软硬件都能控制，而微软和 IBM 在 PC 上的合作是貌合神离。即使在软件方面，苹果也在操作系统上领先微软整整一代。但是，领先的苹果犯了一个致命的错误——走封闭式道路和纯技术路线。当 IBM 因为反垄断的限制，不得不容忍兼容机厂家克隆自家产品并抢走越来越多的市场时，苹果正在为自己没有遇到同样的麻烦而高兴。在微软以前，软件是不能直接挣钱的，因为都是在卖硬件时送给用户的。这样，软件的价值必须通过硬件销售才能体现出来，也许是出于这种考虑，苹果始终坚持软件硬件一起卖。苹果拒绝开放麦金托什计算机技术的结果，客观上把所有想从微机市场分一杯羹的兼容机厂商推给了 IBM 和微软。从上个世纪 80 年代中期起，世界硬件市场的格局从苹果对 IBM 一下子变成了苹果对 IBM 加上所有的兼容机厂商。开始，苹果的这种劣势还不明显，因为它的系列产品市场占有率还很高。但是由于 IBM-PC 的开放性和信息工业全球化的效应，使得 IBM-PC 兼容机越做越便宜，市场占有率越来越高，DOS 在操作系统占有率上便领先于苹果。如果 20 多年前苹果开放了兼容机市场，那么微软能否在操作系统中胜出就很难说了，因为后者比前者整整落后了近 10 年。

如果说苹果抢到了天时，那么，微软通过开放、兼容和廉价则夺回了地利。一方面，微软将操作系统以近乎免费的价格提供给 PC 制造商（虽然

2

之前的 1.0 和 2.0 版本不可用，没有市场。

盖茨从来对盗版深恶痛绝，并且早在 1976 年就写了"给玩家的公开信"指责那些使用盗版软件的人，但是盖茨在成为操作系统领域霸主之前，对盗版居然睁一只眼闭一只眼）。在另一头，微软在建成它的软件帝国前，对应用软件厂家以支持和合作为主。一种操作系统成功与否，最终要看上面有多少既有用又廉价的应用软件。微软在很长时间里，都是靠第三方开发应用软件。因此，一度出现了做得很大的微机应用软件公司，如莲花公司、做字处理的 WordPerfect 和做编程工具的 Borland 公司等。而苹果则一切要靠自己，虽然莲花公司也试图帮助苹果在麦金托什上开发一款字处理和制表软件 Jazz，但是由于麦金托什兼容性问题，这个软件很难用。莲花公司甚至自嘲地说，第一个月，我们卖出去几百万份 Jazz，但是第二个月，用户却退回来了比卖出去的还多的拷贝，因为它太令人失望，以至于用户把盗版的也退回来了。苹果另外一个不容忽视的失误就是兼容性。苹果的产品和其他微机不兼容就不用说了，就是它自己内部也不兼容。苹果的麦金托什和早期的苹果机在硬件和操作系统上不兼容，当然可以认为早期的苹果机比麦金托什落后很多而后者不必考虑兼容问题。但是不同时期的麦金托什之间（比如采用 PowerPC 处理器的和早年采用摩托罗拉 68030 处理器的）也不互相兼容。这样就不仅使软件开发商无所适从，而且用户也得一遍遍花钱买新的软件（至今苹果电脑的软件都比 IBM-PC 的软件贵得多）。而微软在很长时间里能打的牌就是 DOS 兼容性这一张，但它更能赢得用户的心。这样有了兼容机厂商和应用软件开发商的支持，更重要的是用户的支持，微软就等于在和苹果打人民战争，虽然它在长达 9 年的时间里只有 DOS 这把大刀长矛，却靠广大的用户基础站住了脚。

苹果失去地利的一个更深层的原因是它在某种程度上违反了信息领域的摩尔定律和安迪 – 比尔定律。整个计算机工业的规模上万亿美元，绝不是一家公司能吃得下的。诚然在这个领域生态链的不同环节需要垄断，但是各个环节之间需要互相扶持。尤其是在上个世纪 90 年代以后，整个计算机工业形成这样一种默契，由软件更新带动硬件更新。在更新软件时，软件公司先得到发展，但是，旧的硬件很快会显得性能不够。这时，用户不是抱怨软件做得不好，而是去更新硬件。这才使得诸多硬件公司得以快速发展，众人拾柴火焰才能高。苹果既做硬件又做软件，很难平衡两者的速度。软件做得太快了硬件就跟不上，硬件做得太快了又没有合适的软件可用。在历史上，苹果有几款计算机一推出速度就已经落后了；还有几款，比如早期 PowerPC 推出时速度奇快，但没有什么应用软件可用。另外，要用户每几年更新一次的计算机价格不能太贵，苹果机的价钱大部分时候是 IBM-PC 兼容机的两倍以上，一般个人用户用不起。简而言之，一家公司再强也拗不过客观规律。

微软夺得了地利，抵消了苹果天时的优势，接下来双方就看人和了。我们在前面介绍苹果时提到，20 世纪 80 年代中期在苹果内部，创始人乔布斯和 CEO 斯卡利打得一塌糊涂，各个部门的经理各自为战，搞出成千个大大小小的项目。反观微软，自从盖茨把鲍尔默请来，就将日常事务全权交给后者处理。虽然鲍尔默脾气暴躁，但确实是一位精明的商业奇才，他和盖茨合作得一直很好，使得盖茨有精力考虑战略问题。在上个世纪80 年代末到 2000 年这段日子里，微软基本上是人才净流入，而苹果从上到下都不稳定。虽然大家都知道人才的重要性，但是至少从表面上看，盖茨比较礼贤下士，而苹果比较傲士。

到 1990 年，微软经过 Windows 1.0 和 2.0 的失败，终于迎来了成功的Windows 3.0 和接下来持续使用了很长时间的 Windows 3.1（在中国版本号是 Windows 3.2 中文版），在短短几个月里，它的销量就超过了 IBMOS/2 多年来的累计销量。Windows 3.1 对苹果的打击是致命的。而苹果当时正处在历史上最混乱的时期，竟然组织不起一次有效的反击便一溃千里。微软终于靠 10 年的人民战争夺得了微机操作系统的统治地位。

4　帝国的诞生

Windows 3.0（更确切地说应该是其后生命更长的、更新的版本 Windows3.1）的出现具有划时代的意义。首先，它使得广大 PC 用户在使用计算机时，再也不用记住并且敲入几十条很难记住的命令，而是简单地点击图标就能操作计算机，这对于计算机的普及起了至关重要的作用。
其次，它突破了 DOS 在使用计算机资源上的限制，使得所有的软件开发
商可以最大程度地利用硬件资源，开发出各种各样的软件，同时，大大
刺激了硬件开发商提高硬件性能的动力。最后一点非常重要，它使得整
个计算机工业的生态链从此定型，而这个生态链的上游是微软。苹果的
麦金托什虽然早有了图形界面，但是它的用户群太少，没有形成气候。
至此，微软在软件业的垄断地位便形成了，一个新的帝国从此诞生。到
1997 年，微软公司的市值首度超过 IBM，虽然当时微软一年的营业额还
不到 IBM 一个季度的营业额，但是华尔街很看好微软，认为它代表着未来。

垄断操作系统只是盖茨营建 IT 帝国的第一步。微软在一统操作系统的
天下后，已经没有后顾之忧了，便接连打出三记重拳，干净利落地消灭
了莲花公司、WordPerfect 公司和网络界新星网景（Netscape）公司，
夺得了利润最大的几个应用软件市场。这三记重拳和它给苹果的打击
一样，都是转市场优势为技术优势。微软靠它拥有操作系统的便利条
件，率先推出基于 Windows 的办公软件 Excel 和 Word。而莲花公司和
WordPerfect 公司得等到微软操作系统做得差不多的时候才能起步开发新
品，因此战争还没有开始就注定要失败了。

微软对网景一战则是网络浏览器领域的生死战，在这场没有硝烟的战争
中，盖茨作为微软的统帅，表现出了超人的胆识、魄力和指挥艺术。这
场战争，对以后的互联网格局产生了深远的影响。这是一场经典之战，
因为打这以后所有不可避免要和微软起冲突的公司，都研究了网景公司
的教训。现在，让我们来回顾一下这场战争的过程。

上个世纪 90 年代，互联网开始兴起，急需一个通用的网络浏览器，1994
年马克·安德森（Marc Andreessen）和吉姆·克拉克（Jim Clark）成立
了网景公司，并于同年推出了图形界面的网络浏览器"网景浏览器"软件。
"网景浏览器"一推出就大受欢迎，不到一年便卖出几百万份。盖茨开
始没有注意到它的重要性，把它当成了普通的应用软件。但是，当同事

将网景浏览器展示给盖茨时，盖茨马上意识到它的重要性。微软之所以得以控制整个微机行业，在于它控制了人们使用计算机时无法绕过的接口——操作系统。现在，网景控制了人们通向互联网的接口，这意味着如果微软不能将它夺回来，将来在互联网上就会受制于人。盖茨意识到微软已经在这个领域落后了，他先是想收购网景，但是被网景拒绝。微软于是马上派人去和网景公司谈判合作事宜，而盖茨一直在遥控谈判。微软的条件苛刻，包括注资网景并进入董事会。网景现在进退两难，如果答应微软从此就受制于人，而且以前和微软合作的 IBM 和苹果都没有好结果，反之，不答应微软则可能像莲花公司和 WordPerfect 一样面临灭顶之灾。

最后，网景选择了和微软一拼，因为它觉得至少当时还有技术和市场上的优势。后来证明这种技术上的优势根本不可靠，这也是我将技术排在形成垄断的三个条件之外的原因。1995 年，仅成立了一年的网景公司就挂牌上市了，在华尔街的追捧下，网景的股票当天从 28 美元涨到 75 美元，之后一直上涨。相反，华尔街对微软能否在互联网上占领一席之地表示怀疑。同年 11 月，高盛公司将微软的股票从买入下调到持有，微软的股价应声而下。12 月 7 日，是历史上日本偷袭珍珠港的日子，盖茨在微软宣布向互联网进军。盖茨把微软当时的处境比成被日本打败的美国舰队。盖茨让很多工程师立即停掉手里的工作，不管做到哪个阶段，然后全力投入到微软 IE 浏览器的开发。盖茨的这种魄力我后来只在佩奇和布林身上又看到过一次，而在世界上目前还找不到第三次。很快，微软的 IE 浏览器就问世了，但是功能上远不如网景。盖茨动用了他的"杀招"——和 Windows 捆绑，免费提供给用户。很快，网景就被垄断了操作系统的微软用这种非技术、非正常竞争的手段打败。微软终于取得了用户到网络的控制权，从此，微软帝国形成，再也没有一个公司可以在客户端软件上挑战微软了。盖茨剩下的唯一一件事就是去向美国政府司法部解释清楚其行为的合法性。

虽然对微软的反垄断调查早在 1991 年就开始了，但是这一次美国司法部动了真格。1991年的那一次，联邦贸易委员会发现微软开始通过它在操作系统上的垄断地位进行非正当竞争，但是该委员会最后在对微软是否有滥用垄断的非正当竞争一事表决时，以二比二的投票没得出结论，案子也就不了了之。这一次，微软违反反垄断法的证据确凿，因为根据1994年微软和美国司法部达成的和解协议，微软同意不在Windows上捆绑销售其他的微软软件。现在，微软在Windows中捆绑了IE，网景公司当然不依不饶。但是，盖茨狡辩说IE不是一个单独的软件，而是Windows的一项功能。虽然对于用户来讲，是单独软件还是一项功能在使用上没有区别，但是在法庭上，这就决定了一场世纪官司的胜败。

美国司法部状告微软垄断行为的反垄断诉讼正式拉开序幕。1997年，美国参议员举行了听证会，盖茨和网景公司的CEO吉姆·巴克斯代尔（Jim Barksdale）、太阳公司CEO斯科特·麦克尼利（Scott McNealy）、戴尔公司的创始人戴尔等IT领域的巨头出席作证。会上，当盖茨反复强调微软没有在软件行业形成垄断时，巴克斯代尔说，在座各位没有使用微软产品的请举手。整个会场没人举手。巴克斯代尔再次强调，请按我说的做，结果还是没人举手。巴克斯代尔说，先生们，看见了吧，百分之百，这就是垄断，这足以说明问题了。

很遗憾，网景公司虽然得到了大家普遍的同情，但是，它没有等到法院对微软的裁决结果就支撑不下去了。几乎所有人都认为，网景的失败是不可避免的。

不久之后，微软又故伎重演，以捆绑播放器软件的方法打败了做媒体浏览器RealPlayer的RealNetworks公司。而微软的反垄断官司也在一直打着。2000年，司法部对微软的反垄断官司终于有了初审结果，这就是我们在本章开头介绍的那一幕。后来，微软向最高法院提出上诉。最高法院拒绝听证，将案子转移到联邦上诉法院。2000年底，共和党候选人布什以微弱的优势击败和硅谷关系良好的民主党候选人戈尔（Gore）当选总统，与共和党关系密切的微软得以翻案。当然，以布什为首的共和党政府不会找微软的麻烦。虽然微软在欧盟、韩国和美国十几个州输掉了反垄断官司，但是这些国家和美国地方政府除了对微软予以罚款，无法拆分该公司。至今，没有任何公司可以撼动微软在软件领域的垄断地位。

5　当世拿破仑

拿破仑说过，一头狮子带领的一群羊，能打败一只羊带领的一群狮子。事实上，拿破仑手下名将如云，像拉纳、苏尔特、达武、缪纳和圣吕西尔等人是一群狮子而不是绵羊，而他自己则是一只领头狮。微软人才济济，盖茨则是领头狮，他对内统领群雄，对外无往不利，对微软帝国的建立起了至关重要的作用。世界上对他的褒贬同样地多，那么他是一个什么样的人呢？如果用最简练的语言概括他，就是两个字 —— 平衡。

盖茨首先做到了保守和冒险的平衡。盖茨和苹果争霸操作系统时，采用了最保守的做法，凭借落后的 DOS，靠 10 年的持久战取胜。如果盖茨冒失地、大张旗鼓地开始宣传图形操作系统，那么，不但事倍功半，就连应用软件开发商和用户都会对微软失去信心。我们后面会看到，雅虎前 CEO 塞缪尔是如何大张旗鼓地吹嘘雅虎的新项目 Panama 从而断送雅虎的。另一方面，盖茨在起家时，包括微软成立后的十几年里，一直惯用冒险的空手套白狼的手法抢得先机。1980 年，盖茨到 IBM 推广自己做的 BASIC 解释器，进而了解到 IBM 需要一种微机的操作系统。盖茨给 IBM 推荐了 DR 公司（Digital Research，数位研究公司），但是 DR 公司和 IBM 在价钱上谈不拢。IBM 又回过头来问盖茨是否可以做类似 DR-DOS 的东西，盖茨非常聪明地从西雅图计算机产品公司 SCP 手上买下了 DOS，但并未透露实际上是 IBM 要，所以只用了区区 7.5 万美元（也有说是 5 万美元）。而盖茨再卖给 IBM 时，只收版权费，不卖源代码。这样盖茨就控制了微机的操作系统。盖茨以后干脆多次打擦边球，仿制甚至抄袭别人的东西，这种做法使得微软避免了很多漫无目的的研究和不必要的失败，因为别的公司已经把成功的经验和失败的教训告诉了他。显而易见，微软的 Windows 像苹果麦金托什操作系统，Media Player 和

RealPlayer 相似，Office 和 Lotus 的 1-2-3 及 WordPerfect 的字处理软件也十分相像。在硅谷，微软一直背负抄袭者的骂名，但是这不妨碍微软继续前行。盖茨这种我行我素的做法带来的负面影响也是很大的。微软在业界的声誉很差，很多公司还一次又一次地告微软的侵权行为，微软为此赔了不少钱。表 6.1 列出了微软在知识产权上超过一亿美元的历次赔偿金额[3]。

3
此处详见文后"扩展阅读"。

表 6.1 微软赔偿表格

获赔偿公司	金额（美元）
太阳	19.5 亿
IBM	8.5 亿
美国在线	7.5 亿
苹果	2.5 亿
DR	5 亿
Novell	5.3 亿
Gateway	1.5 亿
Eolas[4]	5.3 亿
InterTrust	4.4 亿
AT&T	未透露

4
Eolas 告微软专利侵权一案，法庭最初判决微软赔偿前者 5.65 亿美元（其中部分是 Microsoft 赔偿给加州大学的，因为 Eolas 从加州大学转让了技术），两家公司的和解最终金额一直保密，但是加州大学获得了 3040 万美元的赔偿。如果从 5.65 亿美元中扣除加州大学所得的部分，则为 5.3 亿美元左右。

除此以外，微软还有很多至今未了结的索赔超过一亿美元的大官司。据不完全统计，微软这些年来为侵权和垄断赔偿了一百亿美元左右。这个对别人来讲是天文数字的金额对微软来说不过是九牛一毛，它一年的纯利就远比这个数目多得多。也许是年龄渐长的原因，盖茨在退居二线的前几年，做事已经平和了许多，空手套白狼的事情早已不做了，对知识产权也重视多了。

盖茨是个既心比天高却又脚踏实地的人。绝大多数人办公司是为了将公司卖掉，很少有人想把公司办成一个百年老店。但是盖茨不同，他志向远大，即使在微软规模还很小时，他就努力将它按百年老店来办。我们已经看到他通过控制操作系统来垄断微机行业的雄心和远见。但是，办起事来，他又非常脚踏实地。在管理上，微软比硅谷的公司严格得多，在人事关系基本上是严格的自顶向下的树状结构，和硅谷公司松散的结构完全不同。在经营上，微软很少花钱做没用的东西。虽然微软的很多产品并不成功，但是，即使这些产品在开发时，其商业前景也是经过严格论证的。微软从不会像苹果早期那样，搞出一大堆有用没用的项目。在这一点上，华尔街很喜欢微软，因为它能保证高利润。另外，盖茨和华尔街合作很默契，每次报业绩时，微软每股的利润总是略高于华尔街预期一两美分，然后让华尔街替它把股价抬上去。因此，它的股票价格从上市到 2000 年几乎年年翻番。

从生意经上讲，盖茨深知赚大钱和赚小钱的关系。盖茨和他的忘年交投资大师巴菲特做法相同，他们都是要从每一个人身上或多或少挣一笔钱，而不是从富人身上狠宰一刀了事。要知道，世界上最挣钱的汽车公司是生产大众型汽车的丰田公司，而不是生产跑车的法拉利和豪车的劳斯莱斯，事实上后者因为亏损已被宝马收购。巴菲特投资的公司，都是像宝洁（P&G）和强生（Johnson & Johnson）这样生产每个人日常要用的东西。盖茨读过巴菲特给伯克希尔－哈撒韦股东写的每一封信，我无法判断盖茨是和巴菲特不谋而合还是在学习后者。总之，盖茨做的每一件事，都是针对全世界所有人的，这样才能达到聚沙成塔的效果。

不简单的是，盖茨能将公益慈善、自身理想和家族利益平衡得很好。盖茨不满足于仅仅当一名 IT 工业的领袖，他的雄心是改变世界，以前他改变世界的工具是他的微软公司。现在，他完全退出了微软的管理，而实现他改变世界的理想工具则是盖茨基金会（全称比尔与美琳达·盖茨基金会，Bill & Melinda Gates Foundation）。有不少人认为盖茨是世界上最大的慈善家，单纯只是为了把多余的钱捐捐出去而已，这其实忽视了盖茨捐钱的目的。如果从每年捐赠的数额讲，盖茨基金会在这几年确实经常排在世界第一。但是，盖茨的做法有他的目的，即通过自己的钱改变世界。事实上，美国绝大多数慈善家，尤其是理念上倾向于共和党、提倡小政府的慈善家，都抱着这个想法，并且通过自己的基金会运作。要说清楚这个非常复杂的问题和原因，我们必须先了解一下美国的遗产法、税法和慈善基金会的相关法律。

美国不鼓励从父辈继承巨额遗产不劳而获的做法，因此美国的遗产税高得吓人。虽然遗产税率时高时低，但大致在 45% 左右，而在华盛顿州，因为没有州一级的收入税，为了保证州政府税收，它额外征收高达 20% 的州遗产税。也就是说，如果盖茨将财富直接传给孩子，交完遗产税后，几乎去掉了 60%。美国对投资收入也征收很高的资产增值税，税率从 15% 到 35% 不等。如果盖茨卖掉自己手里长期持有的微软股票，他将缴纳 15% 的资产增值税[5]，如果他兑现短期的投资所得，则要交高达 35% 的联邦税，而在克林顿时代更是高达 38%。我们不妨算一笔账，如果某个有钱人将自己的股票卖掉转给孩子，那么，每一亿美元的资产只剩下 $1×（1-45%）×（1-20%）×（1-15%）=37%$，即 3 700 万美元。假如我们将这 3 700 万美元拿去投资，按每年 10% 的投资回报率计算（这在美国是一个合理的数），每年投资收入按平均 30% 的税率缴税，那么，到 30 年后这个富人的孩子将获得 2.8 亿美元。

如果想少缴税，而将财产尽可能多地留给孩子，唯一的办法是将财产捐给自己的慈善基金会。这样做可以免除三种税，第一次卖股票的资产增值税、遗产税和每年的投资增值税。在向自己的基金会捐赠财产时，还能再抵消 40% 的工资等所得税。考虑到这个富人的工资奖金收入和捐到他自己的基金会的股票相比是九牛一毛，暂且不考虑他抵税的部分。美国法律同时规定所有的慈善基金会每年必须捐出 5% 的财产，这就是每年盖茨基金会和其他慈善基金会都要捐出一些钱的原因之一：根据法律它们必须捐。现在我们再来看看这个富人把钱捐给了他自己的基金会后，每一亿美元财产能为孩子留多少钱。我们仍然假定，该基金会的投资回报是每年 10%，扣除捐出的 5% 还剩下 5%。现在该基金会自始至终就不用交任何税了，30 年下来，这一个亿美元的本金增值到 4.3 亿美元，同时还向社会捐出了 3.3 亿美元。因此，如果经营得好，这个富人不但多留给孩子 1.5 亿美元，还通过这 3.3 亿美元的捐赠博得慈善家的美名，而且更重要的是，美国大多数富豪都喜欢通过自己、而不是通过政府来改造

5
奥巴马总统和民主党甚至想把它恢复到克林顿时代的 20%。

社会，真可谓名利三收。一百年前有洛克菲勒、福特，现在有盖茨和巴菲特。当然，这里面一定有吃亏者，那就是山姆大叔，因为它没有从这个富豪转到自己的基金会的这笔巨额财富中收到一个铜板的税。在美国税收问题上，通常有两种观点，一种认为很多公益的事业，比如公立学校，必须由政府出面才能办成，因此应该把税收上来交给政府，民主党人大多持这种观点，比如现任总统奥巴马。另一种观点认为，政府办事效率低下，浪费纳税人的钱，甚至会用于不必要的战争，因此应该少缴税，而每个公民各尽所能靠捐助来完成公益事业，共和党人很多持这种观点。这种观点不能说是错误，因为政府在很多地方确实不如私人企业做得有效率。

盖茨在政治上倾向于共和党，而且共和党的布什政府免除了微软的灭顶之灾。虽然我们无法猜测盖茨的初衷，但是他和美国那些富有的前辈在试图改造社会的理念上应该是一脉相承的。根据法律，他可以利用基金会最大限度地发挥他赚得的钱的作用，而不是交给山姆大叔去打仗。同时盖茨家族的后代或遗嘱受益人，也可以世世代代地控制盖茨基金会。汽车大王福特和一个世纪前的世界首富洛克菲勒的财富，都是通过基金会的形式传承给了后代。

根据法律，任何基金会每年必须捐出 5%，很多基金会只是捐出这么一点点。相比之下盖茨基金会要慷慨不少。以 2005 年为例，该基金会资产达270 亿美元，它实际捐出 15.7 亿美元。2004 年和 2003 年，盖茨基金会资产分别为 268 亿和 251 亿美元，捐出去的钱分别为 14.6 亿和 13.6 亿，大约是 6%。[6] 但是，从 2006 年到可追踪到的 2009 年，盖茨基金会每年捐出了 10% 左右，在基金会中捐赠比例是相当高的。表 6.2 列的是盖茨基金会从 2003-2009 年收入和捐助的情况，这里面的收入主要是投资收入。

6
以上数据来自盖茨基金会财务报告，网址是 http://www.gatesfoundation.org/about/Pages/financials.aspx。

表 6.2　2003-2009 年盖茨基金会收入和捐助情况（单位：美元）

年份	2003	2004	2005	2006	2007	2008	2009
年底净资产	251 亿	268 亿	270 亿	296 亿	334 亿	246 亿	290 亿
投资收入和他人捐赠	40.1 亿	33.4 亿	18.6 亿	57.0 亿	80.2 亿	-58.5 亿	74.9 亿
捐出	13.6 亿	14.6 亿	15.7 亿	29.3 亿	30.5 亿	36.4 亿	26.3 亿

公平地讲，盖茨基金会为世界卫生教育事业还是做了不少贡献的，它从公开财务的 2003 年至 2009 年累计捐出了 156 亿美元的现金和实物，而且盖茨家族的人从没有浪费基金会的钱。从这点来讲，盖茨是可敬的，他用自己的钱在改变世界。

如果说乔布斯是锋芒毕露，聪明写在脸上，盖茨则是一个平衡木冠军，看似木讷，其实聪明藏在肚子里。乔布斯用他的产品改变人们的生活，盖茨则是用他的钱改变世界。几十年后，当盖茨也去另一个世界见乔布斯的时候，乔布斯个人和家族的影响力可能荡然无存，而盖茨通过他的基金会，将会薪尽火传。以福特基金会和洛克菲勒基金会为例，它们的影响力至今还在。

6　尾大不掉

打败网景公司后，IE 部门的人在公司里一下子从不起眼的外围兵团上升为公司的功臣。接下来在微软内部展开了一场大的争论，或者说内斗，公司今后的发展到底是应该以视窗为中心进入企业级市场，还是以 IE 浏览器为中心进入互联网市场。这两个产品，一个是把握人们进入计算机的入口，一个是把握人们通过计算机进入互联网的入口，两者似乎并不矛盾，微软应该可以兼顾，但是在当时做到这一点其实是很困难的。微软的人分成了两派，视窗派和浏览器派，或者说企业级市场派和消费者市场派。

这两派的争论公开化之前的几年，面向企业级市场的 Windows NT 和面向消费者市场的 Windows 3.1 实际上属于不同的部门，后者拥有 IE。两派的代表人物分别是主管各自部门的公司副总裁阿尔钦和布莱德・斯沃尔伯格（Brad Silverberg）。当时微软发现其办公软件 Office 在企业级的利润十分丰厚，并且和操作系统的结合对内支撑着微软帝国，对外不断地在操作系统领域扩展地盘。最终 Windows 加 Office 轻易地统治了微机时代。但是，当时视窗的发展并非没有遇到阻力，操作系统派认为需要加大力度研发和推广。

首先苹果的麦金托什市场还很大，计算机专业人员和不少行业的专业人士，包括医生、律师和艺术家等依然认为麦金托什无论在工程上，还是在艺术上都比微软的视窗做得好。大中小学的机房里还大量用的是麦金托什计算机。微软虽然在市场份额上超得过苹果，但是在工程和设计上依然处于追赶的阶段。被微软打败的应用产品，包括字处理和表格处理软件，在 IBM 的庇护下依然不断地反抗着微软。

而在服务器端，各种 Unix 系列的操作系统，包括开源的 Linux、太阳公司的 Solaris、IBM、惠普、AT&T 和 Novell 等推出的各种 Unix 版本依然占据着绝对的统治地位。在企业市场上，微软依然是小弟弟。在这种前提下似乎非常有必要巩固 PC 市场的现有地盘。毕竟一家公司的核心业务如果不稳定，那么它的长期发展一定会有问题。这些是视窗派一直持有的理由。

而浏览器派的理由今天看起来似乎更合理。在 1996 年已经可以看出互联网"可能"代表今后十年，甚至几十年 IT 发展的方向。当计算机由单机使用到上网，浏览器将不再是众多应用软件中的一个，它作为进入互联网的入口，作用将增大，并且浏览器及其插件从某种程度上会淡化操作系统的影响力。今天，微软最大的竞争对手 Google 不仅通过互联网创造了微软一半的利润，而且通过将很多服务搬到网上，大大削弱了用户对微软的依赖。只是这件事当时并没有发生，互联网的潜力还仅仅停留在"可能"这两个不确定的字上。

这场争论最终以视窗派获胜而告终，理由是如果遇到经济危机，或者互联网是一堆泡沫，那么以视窗为核心的战略可以确保微软平稳地度过危机，而以浏览器和互联网为核心的策略可能让微软遭受灭顶之灾。微软的预测在几年后的 2000-2001 年就变成了现实，90% 以上的互联网公司都关门了，微软当年的策略似乎无懈可击。但是在互联网泡沫中生存下来的雅虎和进化出来的 Google 则彻底剥夺了微软在互联网领域的机会。

这次内斗的胜利者阿尔钦则上升为微软的共同总裁（Co-President）。IE 从原来斯沃尔伯格的部门划给了阿尔钦。阿尔钦最终将 Windows NT 和

Windows 3.1（后来是 Windows XP）的代码库合二为一，把 IE 降级成
Windows 的一个应用软件。从此，IE 对微软的重要性从战略层面下降到
战术层面。昔日打败网景公司的功臣，现在成了尾大不掉的累赘。失去
权力的斯沃尔伯格给微软的 CEO 鲍尔默做了两年顾问，然后悄然离开了
微软。在微软内部，获胜者对失败者进行了体面而残酷的清洗，导致浏
览器部门从主管副总裁到下面的核心员工大量离职。IE 从此以后进步缓
慢，终于导致了 10 年后在全球市场上的份额锐减。我们在以后介绍浏览
器时还会单独介绍。

7　条顿堡之战

我时常把苹果公司比作希腊，把微软比作罗马。众所周知，希腊是欧洲
文明的摇篮，孕育着繁荣的文化、科学和艺术。苹果是微机的首创者，
是微机工业文化的发源地。罗马从希腊学到了很多东西，然后打败了老
师，它建设强大的帝国和美丽的城市，但它的创新并不多。微软很像罗马，
它从苹果学会了很多东西，并打败了苹果。罗马帝国的崛起和微软帝国
的形成正好差了 2 000 年。而微软和罗马帝国还有一个惊人相似之处是，
它们的扩张止于它们的缔造者。

让我们沿着时空隧道，回到 2 000 年前。公元 9 年，罗马帝国的缔造者
奥古斯都大帝已经统治罗马 40 多年了。罗马帝国疆土辽阔，国内繁荣富
庶，歌舞升平，万邦来朝。罗马帝国已经占尽了地中海之滨的领土，再
要扩张就要向北夺取日耳曼人的地盘了。而当时的日耳曼人不过是一个
落后的蛮族。这一年，日耳曼人开始发难，罗马帝国派大军出征，但是
在条顿堡森林（Teutoburg）被日耳曼人全歼，至此，罗马帝国的扩张结
束。罗马帝国以后还不断地打胜仗，但是其疆域再没有超过奥古斯都时
代。条顿堡森林之战后，虽然罗马举国上下要求复仇的呼声很高，但是，
年迈的奥古斯都已经没有当年打败安东尼（埃及艳后的情人）的雄心了，
居然忍下了这口气。更要命的是，数年后，奥古斯都在罗马征兵，原先
勇武的罗马人竟无人应征。

现在让我们再回到现实。整个 20 世纪 90 年代可以说是微软的十年，在这十年里，整个硅谷大大小小数不清的公司被微软打倒。盖茨更是驰骋商场，鲜有敌手。但是，为了保证公司持续发展，在垄断了整个微机软件行业后，微软也必须找到新的成长点，否则华尔街不会再追捧它的股票。很明显，全球下一个金矿就是互联网。当微软打败网景时，杨致远和戴维·费罗（David Filo）已经把雅虎建成全球最热门的网站。到上个世纪 90 年代末，盖茨腾出手来，成立了 MSN，大举进军互联网市场。

和强大的微软比，雅虎很像日耳曼这个小小的蛮族。但恰恰是年轻的雅虎成功地阻击了微软，使得后者难以进入互联网领域。雅虎的兴衰我们以后还会专门提到，现在，让我们看看它是如何成功地阻击微软扩张的。

雅虎在微软和网景争斗时，抢到了门户网站的先机，并率先为大家提供免费电子邮件 Email 的服务。微软打败网景和 RealNetworks 等公司的绝招是免费提供和对手竞争的产品。但是这一招对雅虎不灵，因为雅虎的服务本身就是免费的。像网景和 RealNetworks 这种开发微机客户端软件的公司不向用户收费是活不下去的，而雅虎找到了一个新的商业模式，即让内容的提供商出钱（早期要把新闻放到雅虎上是要向雅虎交钱的），并且为大公司做品牌广告。在广告业中，讲究门当户对，即名牌的东西一定要在最好的媒体上做广告。雅虎作为最早的、影响力最大的门户网站，无疑是大公司最愿意投放广告的地方。有了广告收入，雅虎不断推出各种免费服务，除电子邮件外，还有找工作的、看股票的、天气预报、买飞机票的，等等。在雅虎的带领下，依靠风险投资公司的支持和华尔街的追捧，所有的互联网公司都采用雅虎的免费模式。而微软的思路还停留在微机时代，开始还试图从每个家庭收一笔联网费。结果使得 MSN 的用户数目远远落在了雅虎的后面。为了和雅虎竞争，MSN 买下了 Hotmail，试图直接买一些用户，但是，微软犯了个错误，它花了很大精力将 Hotmail 的服务器从原来的 FreeBSD 和 Solaris 改成不适合管理千百万用户的 Windows 2000，后来又不得不将部分服务改为原有系统，这样白白浪费了时间。总的来讲，微软的思维还停留在一份份卖软件的微机时代，在开拓网络服务方面亦步亦趋。这再次印证了微软的基因决定了它不容易适应互联网时代。

从人员来讲，微软的很多员工，尤其是老员工享国之日渐久，动力大不如从前，正好比奥古斯都大帝后期罗马的公民们。在雷德蒙德（Redmond）微软总部，下午6点以后停车场就空空荡荡。而在雅虎，几乎每个人都通宵达旦地工作。华尔街在雅虎和微软之争中帮了雅虎很大的忙。由于雅虎的各种服务是免费的，收入并不高，利润更少得可怜。但是，华尔街认定雅虎代表未来，将雅虎的股票追捧得很高，一度市盈率到达1 000/1，也就是说它的股价是每股盈利的1 000倍。而当时，公司增发期权不计入成本。因此，雅虎不断地增发期权给员工，而仅需付给员工很少的现金工资。员工手中的股票期权，在华尔街的炒作下，以火箭般的速度往上涨。在互联网泡沫破裂前进入雅虎的员工，在2000年时，绝大多数在纸面上都是百万富翁。因此，雅虎士气高涨。可以说没有华尔街的帮助，小小的雅虎根本抵挡不住微软MSN的攻击。

等到互联网泡沫崩溃，雅虎的营业额和股票一落千丈，自然无力阻击微软了，但它已完成了自己的历史使命。而微软因为美国经济不景气也暂时没有扩张。现在回过头看，微软那时恰恰错过了进军互联网最好的时机。那时没有一家公司在财力上可以和微软相比。微软坐拥数百亿美元的现金，而且每个季度还产生数十亿美元的利润，完全有能力打造一个网络帝国。另一方面，很多公司开始整部门整部门地裁员，本来正是收购人才和技术的好机会，但是微软按兵不动。其中原因很多，主要的有四条。第一，微软已经不是当年那个礼贤下士的公司了，变得对人才和技术都很傲慢，微软的人才开始流失。第二，它毕竟因为反垄断官司在身，在公司收购上多少有些限制，以至于在收购搜索公司Inktomi和在线广告公司Overture上被雅虎抢了先。第三，长期以来，鲍尔默和华尔街合作很好，为了迎合华尔街，微软总是把财报搞得漂漂亮亮的，因此，它不愿意大量长线投资新技术项目，这会使得利润和现金流入下降。这一点，巴菲特做得比很多公司老板要高明得多、有远见得多。他从不管华尔街说什么，只要是看准了的事就只争朝夕地做起来。虽然有时他的公司伯克希尔 - 哈撒韦业绩在短时间里会受很大影响，但是长远地看，伯克希尔 - 哈撒韦的业绩是没有公司可比的。第四，互联网泡沫后，谁也吃不准互联网是否能挣钱，微软也不例外。根据接近盖茨的人讲，盖茨甚至到了 Google 上市前，还认为开源的 Linux 是微软的主要对手，而不觉得 Google 能成多大气候。他的下属问他对 Google 的看法，他觉得一两个部门就能搞定 Google。

我非常喜欢黑格尔的一句话：凡是现实的都是合理的，凡是合理的都是现实的（All that is real is rational; and all that is rational is real.）。虽然这句话常常被误解成它在为当今不合理的现实开脱，其实，如果我们动态地看待现实性和合理性，可以把这句话理解成，现在存在的现象，当初产生它的时候必然有产生它的原因和理由。如果这个理由将来不存在了，终究有一天它也会消亡。微软称雄于微机时代，自有它的合理性。但是，到了网络时代，现实改变了，微软再次称雄的合理性也就没有了。2008 年，在线业务一直不好的微软试图收购雅虎公司，但是因雅虎创始人和一些大股东不同意而没有成功，这个以后我们会详细分析。微软后来挖到了雅虎主要的工程负责人陆奇统筹管理整个在线部门，在短期内由于新搜索引擎 Bing 的上线面貌有所改观，但是这很大程度上是通过 Office 和 Windows 的使用帮助连到 Bing 上硬拉来的流量，并非主动搜索的增加。但是总的来讲微软在互联网业务上至今发展得非常缓慢，甚至比整个行业的发展速度要慢。

2011 年初 Google 发现微软的 Bing 实际上在抄它的搜索结果，虽然这种做法是合法的，但是微软已经把自己放在一个失败者的位置上了。同年 3 月，微软做了件耐人寻味的事情——它向欧盟提出对 Google 反垄断的诉求，理由是 Google 占据了欧洲主要市场的 90%。微软在历史上一向被其他公司作为反垄断目标，因为其他公司无法在商业上打败微软，只好向各国政府"抱怨"。如今抱怨者成了微软，看来它通过技术和商业进入在线市场的招数已经出尽了。

8 客厅争夺战

如果说微软至今在互联网上举步迟缓，它在另一个新的领域来势却非常凶猛，那就是游戏机领域。游戏机原本是比个人电脑简单得多，而且功能有限的计算机，和微机工业没有什么交集。上个世纪 90 年代以前，它基本是日本厂家任天堂（低端）和索尼（高端）的天下。本来，微软虽然做一些微机上的游戏，却不涉足游戏机市场。但是，从 1997 年起，微软大举进军小小的游戏机市场。这回微软无法免费提供游戏机，但是它使用了类似的倾销策略，逼得对手打价格战而无利可图。由于任天堂和索尼在游戏数量上有长期积累，微软没有能像它击败软件对手那样只用一个回合就胜出，但是微软的倾销策略还是见到了成效，它在游戏上的营业额从 2002 年开始的 20 亿美元，上升到 2007 年财政年度的 60 亿美元（微软 2007 年财政年度到 6 月结束，而不是 12 月，所以它的年度财报已经提交证监会了）。但是迄今为止，微软在游戏机方面一直在赔钱，2007 年，微软在这方面赔了 18 亿美元。这种商业作派很不符合微软务实的特点。另外，游戏机不同于微机，并不是所有家庭都要有，也不是各个年龄段的人都玩游戏。即使是玩游戏的人，也不可能天天玩，所以微软推广游戏机的目的一定是醉翁之意不在酒。

但是随着游戏机和微软其他研究项目，尤其是 VoIP 的逐步展开，微软原先的战略目的初见端倪。微软打造的游戏机可不是过去简单玩游戏的小玩意，而是一台功能强大的计算机，它是一个工具，微软要把它变成家庭娱乐中心，从而控制每一个家庭的娱乐活动。统计表明，老百姓在休闲娱乐上花时间最多的还是在自家的客厅看电视，而且从几岁的小孩到七八十岁的老人，都会经常看电视。根据巴菲特的投资原则，要想赚大钱，就要在这些方面开拓市场，事实上巴菲特本人就曾经控股过电视网。

以往看电视的模式是电视台放什么，观众看什么，虽然观众可以选择频道，但是不能把明天放的电影挪到今天看。如果错过了一条新闻，也很难再补看一遍。电影院更是如此，电影院几乎从不重播旧的电影。而新的电影如果买不到票，只能等几天再说了。到 2007 年，美国已经出现了一些按每次收看付费的电视服务，但是仍然是电视台播什么观众看什么，因为没有对不同用户（按 IP 区分）传送不同节目，另外，在电视台，无法和用户进行交互（比如观众要暂停去喝杯水）。传统电视网还是采用"推送"的方式给用户送节目，而不是由用户来"拉取"的方式。在电影院更不能要求放电影的暂停一会儿。到 2009 年后，随着电影租赁公司 Netflix 将电影和电视租赁节目搬上互联网，用户可以用"拉取"的方式选择电影和电视节目，并且有了用户交互和电影暂停的功能。但是对于新闻等节目，依然没有做到重播、交互和用户个性化过滤等功能。

但是，随着家庭网络带宽的提高，我们在几年后，可以坐在家中，在任何时候从全世界几万部电影、几百万电视节目中点播自己想看的电影和电视。那时，我们可以想看什么就看什么，想什么时候看就什么时候看，想停就停，想快进就快进，今天看不完明天接着看，十年前的新闻也可以找出来回顾。虽然要做到这一点，还有些技术问题要解决，但是条件基本上成熟了。现在很多电视已经有了互联网的接口，并且随着 YouTube 等视频网站和 Netflix 等网上视频租赁公司的兴起，通过互联网看电影电视已经悄悄开始，唯一的问题是互联网的速度还不够快，还不能实时收看高质量的视频节目。

虽然在 2006 年微软推出 Xbox 360 时，互联网的速度还远远不能满足代替有线电视的程度，但是微软能在当时看到游戏机对每个家庭客厅的重要性可谓已非常有远见了。其实用不了多少年，我们家庭的带宽就能提高 20-50 倍，达到每个家庭 100Mbit/s，这样通过游戏机控制家庭客厅的第一个条件就满足了。第二，在每个居民区，必须有一台像缓冲存储器的设备存储收看频率最高的电影电视，这个设备还必须能做到对看相同节目的用户只送出一份以节省带宽，这是思科的特长，它和微软本身没有利益冲突。最后，每个家庭必须有一个娱乐中心，它既能提供观众与电影、电视服务器的接口和控制功能，又能输出高清晰度、环绕立体声视音频信号。而后者，便是微软要争夺的目标。垄断了这个娱乐中心，将比垄断操作系统带来多得多的利润，因为这种被称为"按需观看"的模式，是按照每个观众每次观看收费的。现在，微软的软件不过是每个人每几年买一份，将来如果微软真的能控制每个家庭的客厅，它将每天从每个观众身上挣一笔钱。现在在美国，每点播一部电影或一个节目，收费从三四美元到十美元不等，即使微软从中分得一美元，我们假设每个家庭一周看两个节目，微软一年从一个家庭身上就能挣得 100 美元，相当于每年卖给一个家庭两份操作系统（微软通过在微机上预装操作系统的收费比零售价低得多，大致在每套 50 美元这个量级）。我们前面提到，盖茨是一个心比天高的人，他的野心常常超出一般人的想象。

我们不妨看一看微软在 VoIP（在互联网上传播语音）上做的工作。如果到 Google 搜索一下"Microsoft VoIP"，可以得到 1.3 亿条结果。我们可以看到，微软已经在做 VoIP 的电话和服务器，以及基于互联网和个人 IP 的娱乐等各种各样的东西，甚至它整个在线部门的工作都可以直接为基于 IP 的所有应用而服务。特别值得一提的是，微软于 2011 年斥资 85 亿美元收购了网络电话服务提供商 Skype，实际上它已经成了全球 VoIP 的服务商。现在我们终于明白了微软争夺小小游戏机市场的动机。如果微软的想法得以实现，它将改变整个电影、电视和其他娱乐业的生态链。而微软将再次坐到这个生态链的龙头位置。

2006 年在微软第二次试图染指家庭娱乐中心时，它遇到了两个强劲的对手，苹果和索尼。苹果的产品从音乐到视频，在用户数量上占了先机，因为上亿的 iPod 使用者都可能使用苹果的 Apple TV 这个娱乐中心，在媒体供应商方面，苹果和全世界主要的传媒公司已经签下分成的协议。索尼一方面是传媒公司，另一方面有最好的游戏机 PS / 3，它不但有 10 倍于一般微机的计算和图形功能，还有最新的蓝光 DVD、1080p 宽银幕电影效果的视频输出和 5.1 环绕立体声音频输出的游戏机，这已经具备了一个娱乐中心的所有必要条件，更重要的是索尼联合了几乎全部的电器厂家助阵，走了以前开放式的道路。微软这一次在技术上明显落后于索尼，而且偏偏选择了走以前苹果封闭式的路，它只有东芝一个同盟军，两年后东芝和微软的联盟最终败在了索尼联盟的手下，微软再次被甩到了追赶者的位置。

微软在东芝彻底放弃 HD-DVD 标准后不得不支持蓝光 DVD 的标准，和索尼处在了同一起跑线上。然而，4 年后的 2010 年，客厅争夺战又跳进来两个重量级选手——在 IT 领域鲜有败绩的 Google 和美国最大的在线电影租赁公司 Netflix。同时苹果公司吸取了第一代 Apple TV 失败的教训也卷土重来。Google 和苹果公司都在 2010 年推出了自己的 TV 终端，而 Google 更是坐拥世界最大视频网站 YouTube，并结盟世界最知名的电器公司索尼和世界上最大的卫星电视网 Dish Network（默多克旗下的公司），比近年来进步缓慢的微软应该更有胜算。Netflix 则在 2010 年底推出了通过互联网观看（不能下载）几乎所有电影的套餐，每月服务费只需 8 美元，远远低于每月 40 美元左右的有线电视节目，因此在美国迅速普及。盖茨时代的微软可能是最早投入到客厅争夺战中的公司，但是今天它在这个战场的前景也不太乐观。

2011 年，微软终于决定从传统的媒体公司为游戏公司寻找一位掌门人，算是正式将游戏机作为家庭娱乐的中心来对待了。但是似乎迟了些。

9　前门拒狼，后门进虎

微软在互联网上起步迟缓，虽然后来在和网景的竞争中胜出，可是在同真正的互联网公司雅虎和 Google 的竞争中一直占不到上风。但是，当它看到 Google 能创造出一个如此之大的搜索市场和在线广告市场时，微软投入全力奋起直追，却因为基因的缺陷而不很成功。2008 年，微软在收购雅虎失败后，直接从雅虎引进了高管陆奇掌管它的在线部门。同时一方面加大研发的投入，另一方面开展"金圆外交"，与业绩摇摆的雅虎达成搜索业务的合作。雅虎终止了自主搜索引擎的研发，转为由微软的 Bing 搜索引擎提供服务。这样微软整合了在中国以外第二、第三名的两个搜索引擎，拿到了近 30% 的搜索流量。在中国市场上，它通过和百度在搜索广告上的合作，试图打开一些局面。

虽然市场是可以买来，但是收入却要靠真本事才能挣到。由于微软搜索

7
根据微软和雅虎的
协议, 雅虎将搜索
流量转给微软后,
微软必须保证雅虎
固定的搜索收入,
即使微软实际上没
有得到这么高的收
入。

的流量自主的成分相对较低, 比如使用 Office 软件的帮助, 也算成一次搜索, 因此商业的价值远没有 Google 搜索, 甚至百度搜索值钱 (即使以绝对的美元价格计算), 因此它微乎其微的广告收入远远无法支持巨大的研发投入、运营成本和付给雅虎的收入保证金[7]。这样, 微软的在线部门以每年亏损 20 亿美元的速度不断烧钱, 从 Bing 搜索引擎 2009 年上线到 2011 年, 它累计亏损 55 亿美元, 烧钱最多时一个季度亏损近 10 亿美元。

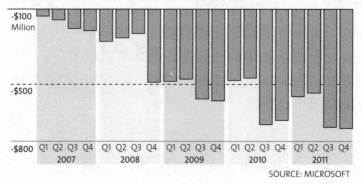

MICROSOFT'S QUARTERLY ONLINE SERVICES LOSSES

SOURCE: MICROSOFT

图 6.1 微软在线部门亏损情况[8]

8
http://money.cnn.
com/2011/09/20/
t e c h n o l o g y /
microsoft_bing/
index.htm。

当然, 这个烧钱速度相对微软公司 200 亿~250 亿美元的年利润还是可以支撑的。但问题在于烧钱是否起了作用? 虽然一些第三方流量监控的公司给出的数据表明微软的市场份额略有上升, 但是这里面 "硬拉来" 的流量比例很高, 不完全能说明问题。关键是, 微软的搜索并不比 Google 的更好, 因此激发不起大家主动使用它的欲望。

如果说微软在它的在线布局上有什么可以改进的地方, 那么首先应该将和 "上网" 有关的各种业务划给在线部门, 尤其是 IE 浏览器的业务。几乎所有的互联网公司都是把浏览器和在线业务紧紧地绑定在一起的。现在 IE 隶属于操作系统部门, 首先得不到足够的重视。最近 10 年的发展非常缓慢, 而它的对手 Mozilla 的 Firefox、苹果的 Safari 和 Google 的 Chrome 都在快速进步。其次, 微软这样的布局使得其他公司很难和它的在线部门展开全面合作, 因为一旦涉及到浏览器的合作, 在线部门就不

能完全做主，必须去找操作系统部门。这说明微软原有的基因如果不改造，
很难适应互联网业务的发展。

微软擅长的是客户端的软件，而非服务端的软件。因此和 Google 的竞争多
少有点以短处对别人长处，总是事倍功半。当微软全力追赶 Google，在互
联网领域采取攻势时，它却没有很好地防御好自己的后院。或许是在搜索
上投入了太多的精力，微软在 2000 年以后，在其他领域节节后退。在互联
网的入口软件浏览器方面，微软 IE 浏览器的市场份额不断滑，到 2012 年年中，
IE 的市场份额首次低于 Google 的 Chrome，降到了全球第二位，见图 6.2。

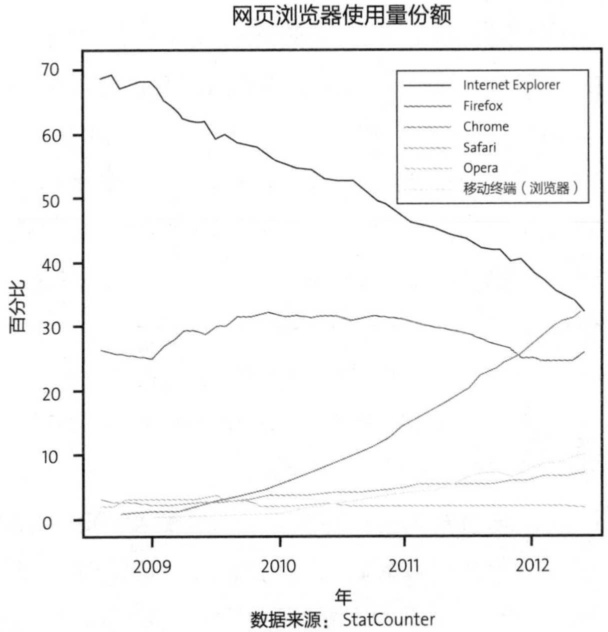

网页浏览器使用量份额

数据来源：StatCounter

图 6.2　浏览器 2008 年以来的市场份额（数据来源：StatCounter）
　　　曲线自上而下代表的浏览器：IE、火狐、Chrome、Safari、Opera 和移动终端

微软和 Google 的竞争如果获胜（也不可能是全胜），固然找到了一个新
的成长点，但是如果失败也不至于动摇它在个人微机软件上的地位。因
此 Google 对微软的威胁其实还是肘腋之痛。但是苹果对微软的威胁可是
心腹大患，因为苹果实际上正在动摇微软在客户端软件的基础，可惜微
软只顾着追赶 Google，完全没有防范苹果。

微软和苹果这对冤家的前几个回合争斗是微软占尽了上风。到乔布斯回到苹果时，这家公司已经只剩下一口气了，甚至等不到打赢和微软的官司那一天。乔布斯几乎是哀求般地给盖茨打了一天的电话，希望和平解决争端，微软能为苹果继续开发软件，同时进行投资。或许是不想继续惹官司的麻烦，比较当年微软官司缠身，或许根本没有觉得已经奄奄一息的苹果会对微软构成什么威胁，盖茨答应了乔布斯的请求，对苹果进行了投资，却没有拿投票权。这个消息传出，苹果当天的股价飙升了33%，把苹果从死亡线上拉了回来。

在接下来的几年里，微软依然没有把苹果当回事。2001 年，苹果推出了 iPod 音乐播放器，并且在当年实现了一亿美元的销售，这和一年几百亿美元收入的微软比实在算不上什么，因此微软也没有在意，只是按照以前别人做什么它也做什么的习惯，搞了个类似的 Zune。但是由于粗制滥造，加上也没有和提供音乐的传媒公司搞好合作，基本上没有什么市场反响。当然，微软当时并没有觉得苹果开发新品的行动对自己的核心业务会有什么影响；它正在忙一件事——裁员和重组（说得不好听点是窝里斗）。毕竟，2001 年由于互联网泡沫破碎带来的经济危机让各家 IT 公司的日子都不太好过，大家考虑的是如何生存而不是如何发展。微软因为在微机操作系统上拥有无人能挑战的统治地位，因此盈利依然不错，虽然没有前两年好。但是，坐拥大量现金的微软不是考虑利用竞争对手艰难的时期布局新的业务，而是将一部分现金派了股息，来赢得投资者的满意。今天来看这是彻头彻尾的昏招，让苹果毫无阻力地壮大了。2001 年苹果的盈利不过是每股区区的 0.1 美元，而 10 年后的 2011 年，它的盈利达到每股 41 美元，涨了 400 多倍。而这些利润全部来自微软以往挣钱的领域：终端消费者。

随着苹果电脑、手机和平板电脑 iPad 使用者越来越多，大家发现其实微软的操作系统变得可有可无了。以前大家大部分时间是单机操作，即使上网也不过是看看新闻，收发邮件，Windows 确实必不可少。但是，当用户大部分上机时间花在互联网上时，Windows 的作用就不是那么大了，因此不可能完全只靠 Windows 来锁定终端用户。事实上，使用微软产品的用户占比在过去的 10 年里处于慢慢下降的趋势。而此时苹果的 i 系列消费电子产品全都受到用户的追捧，市场占有率不断攀升。最终，在 2010 年苹果的市值超过了微软，成为全球市值最高的 IT 公司。虽然今天微软依然可以用"苹果和我们不在同一个市场"来安慰自己，这从近期狭义的市场划分来讲是对的，苹果的产品还替代不了微软 Windows 和 Office 的作用，但是从长远来看，一旦大多数用户都养成了没有 Windows 照样活的习惯，微软的根基就被苹果、Google 和 Facebook 这些公司洞穿了。目前，我们依然看不到微软在平板电脑、智能手机等个人用户今后上网的终端上有任何反败为胜的可能。微软虽然在手机领域与诺基亚紧密合作，但是采用微软 Windows Phone 操作系统的诺基亚智能手机在全球的市场份额小得可怜。

那么为什么以个人用户操作系统和软件起家的微软反而做不好个人用户的产品了呢？在 2000 年以前，虽然微软的产品做得不如苹果的酷，但是从易用性来讲和苹果是各有千秋，有些地方还强于苹果。这才使得微软能后来居上打赢操作系统之战。但是在 2001 年后，微软在和苹果的竞争中不但没有讨到任何便宜，而且时常显得毫无还手之力。这里面固然有乔布斯的修行比复出前高出了一个境界的原因，还有盖茨忙于慈善无心打理公司，鲍尔默又不懂产品的原因。但是，还有更深层的原因。

微软自从通过 Windows 和 Office 进入企业级市场后，大部分收入来自企业而不是个人用户。虽然正版 Office 平均 200～300 美元的价格并不便宜，而在欧美各国基本上也没有盗版，但是从个人用户身上微软收到的毕竟还是小头。微软对企业级的用户收费可比个人用户要狠得多，它对一个企业是按照每个工位每年收取 200～300 美元的费用。而全世界范围里，企业盗版的情况远没有个人严重。因此微软的收入大头来自于企业，而且非常稳定。由于微软在过去的十多年里，几乎不花什么力气就可以每年从企业级用户那儿收到足够的利润，因此十几年后，微软已经失去了开发优秀个人用户产品的能力。这就如同在动物园里养尊处优时间长了的猛虎，回到大自然中，早已失去了捕猎的能力。

在过去的五六年里，微软在前面追赶 Google，却放松了对苹果的警惕，可谓是前门拒狼，后门进虎。

结束语

微软只用了短短的十几年就建成了一个 IT 帝国，而以前的 AT&T 和 IBM 则用了半个世纪才办成同样的事。不仅如此，微软还促成了整个微机工业的生态链，并且作为龙头引导着计算机工业快速发展。同时，它又通过垄断扼杀了无数富有创新的公司。如果不是反垄断法的约束和雅虎及后来的 Google 在互联网领域对微软成功的阻击，我们很难想象有什么力量能阻止它的扩张。它的缔造者盖茨是我们迄今看到的在 IT 领域最有野心、最有执行力的统帅。

进入新的世纪以来，微软的行动明显放慢，它的扩张一再受阻。从 2006 年起，将近知天命年龄的盖茨不再过问微软的日常事务，完全交给了 CEO 鲍尔默。现在鲍尔默最强劲的对手已经不是 PC 时代的那一批英豪了，而是三个年轻人：Google 的创始人布林和佩奇，Facebook 的创始人马克·扎克伯格（Mark Zuckerberg）。至于微软和 Google 的世纪之争，我们放到介绍 Google 的章节中介绍。

微软的兴衰可以用两句话来概括。第一，它兴起于个人微机的浪潮，同时随着这次浪潮已接近尾声，而进入发展的中年期。第二，它过强的桌面软件的基因，使得它无法站到互联网时代的浪潮之巅。因为个人微机的浪潮还没有完全过去，处在这一波浪潮之巅的微软即使不做任何事，也仍然是世界上最赚钱的公司。所以大家依然把微软视为最可怕的竞争对手。但是，这些辉煌已经成为过去。它今后的辉煌，很大程度上取决于它的在线部门和游戏部门能否在下一次技术革命的浪潮中最终胜出。但是照目前微软缓慢的前进步伐，它的希望比较渺茫。

微软公司大事记

1975　微软公司成立。

1980　微软为 IBM-PC 提供 DOS 操作系统。

1981　微软和苹果开始合作。

1990　微软推出基于图形界面的 Windows 3.0 操作系统，微软帝国开始形成。

1993　微软推出视窗版制表软件 Excel，并最终挤垮了这个领域的莲花公司。

1995　Word 95 问世，微软最终挤垮了这个领域的 WordPerfect 公司；同年，浏览器 IE 问世，微软最终以此挤垮了网景公司；但是，微软在进入互联网上行动迟缓，最终落后于雅虎公司。

2000　微软成为全球市值最高的公司，市值超过 5 000 亿美元；同年，美国华盛顿地方法院裁定微软的垄断行为，要求微软拆分成两家独立公司，后来在共和党当政期间微软上诉至高等法院，高等法院推翻了原判；同年，鲍尔默接替盖茨成为微软新 CEO。

2004　微软进入搜索领域，开始了和 Google 的重量级竞争。

2007　微软推出 Windows Vista 操作系统，该操作系统是如此糟糕，以致用户宁愿选择早期的 XP 版本，Vista 成为微软历史上最失败的操作系统。

2008　微软试图收购雅虎，但是失败了，之后微软聘请雅虎的陆奇掌管整个在线部门。

2011　微软和诺基亚达成协议，为后者提供手机操作系统。

扩展阅读：

1. http://en.wikipedia.org/wiki/Microsoft_litigation.

2. http://forum.armkb.com/sell-purchase/19706-ibm-wins-850m-settlement-vs-microsoft.html.

3. http://news.bbc.co.uk/2/hi/business/2949778.stm.

4. http://en.wikipedia.org/wiki/Apple_Computer,_Inc._v._Microsoft_Corporation.

5. http://news.bbc.co.uk/2/hi/business/600488.stm.

6. http://www.novell.com/news/press/archive/2004/11/pr04076.html.

7. http://news.cnet.com/Microsoft,-Gateway-reach-antitrust-settlement/2100-1014_3-5662409.html.

8. https://www.infoworld.com/d/security-central/update-microsoft-settle-intertrust-440m-541.

第7章 纯软件公司的先驱

甲骨文公司

读者见到这个题目可能会觉得有点滑稽。"软件难道不是随着计算机一起出现的吗？为什么软件公司还有先驱的说法？IBM 不早就有软件了吗？"是的，软件的历史和计算机的历史一样长，但是，纯软件公司的历史还不到 40 年。40 年前整个计算机工业的模式都是制造硬件、搭配软件和服务，无论是当时行业的老大、白雪公主 IBM，还是七个小矮人 DEC、惠普等都是如此。在当时，很难想象一个计算机公司不生产硬件，而只开发软件，然后靠软件的使用费（License Fee）过活。树立起这个商业模式的是两个公司，在个人计算机领域是我们前面讲到的微软公司（1975 年），而在企业级市场就是本章将要介绍的甲骨文公司（1977 年）。

1 硅谷老兵新传 —— 埃里森其人

到目前为止，我们在书中介绍的 IT 创业的例子，比如微软和苹果，以及后面讲到的更多创业的例子，从思科、Google 到 Facebook，都是 20 多岁年轻人的传奇故事，而且是一次成功。如果屡败屡战，创业创到 30 多岁还没有成功，那么今后成功的可能性就不大了。不过凡事都有例外，这个例外就出现在拉里·埃里森（Larry Ellison）的身上。甲骨文的成功很大程度上是靠埃里森这个人，因此要了解甲骨文，就必须深入了解埃里森的个性。

拉里·埃里森和史蒂夫·乔布斯一样，是硅谷最有个性的两个人，而且这两个人一生的敌人比朋友多很多。但是，这两个相差十几岁、天性孤傲的人都将对方看成自己最好的朋友。在乔布斯处于事业最低谷的时候，埃里森就在硅谷到处为他呼吁和活动，希望他能重掌苹果。两人友谊的基础，大概源自他们身上惊人的相似性和巨大的差异性。

从基因上看，有着犹太血统的埃里森和有着阿拉伯血统的乔布斯都属于中东闪米特人的后代。和乔布斯一样，埃里森也是非婚生子，并由养父母而非亲生父母养大。1944 年，埃里森出生在纽约一个并不富裕的市区，他的母亲当年只有 19 岁，而他的生父是一位飞行员。或许是继承了生父的体魄和运动基因，埃里森后来成为"美洲杯"帆船赛的参赛者。埃里森出生不久，他的母亲意识到无法独自养活这个孩子，就把他送给了自己在芝加哥的姨夫和姨妈抚养。而埃里森直到 48 岁才见到自己的生父。和乔布斯一样，埃里森从养父母那里得到了很好的关爱。中学时的埃里森是个聪明但表现并不突出的孩子，这一点也和乔布斯类似。高中毕业后他先后在伊利诺伊大学（University of Illinois, Urbana Champaign）和芝加哥大学读书，和乔布斯一样，他也没有完成学业，读了两年多大学后 20 岁就到了硅谷工作。在掌管甲骨文后，埃里森也和掌管苹果的乔布斯一样，不断（通过董事会）给自己大量地发股票。另外，他们对竞争对手都非常"狠"。

埃里森离开大学后并没像乔布斯那样自己创业，因为当时信息革命还没有开始，因此，他选择了进入 Amdahl 公司工作，Amdahl 公司由世界著名的计算机专家、IBM360 的设计师基尼·艾曼达尔（Gene Amdahl）创立，它制造和 IBM 几乎一样的大型机。之后埃里森转到一家不大的军工企业 Ampex，参与为美国中央情报局开发数据库的项目，从此他和数据库结下了不解之缘。当时这个数据库项目的名称叫 Oracle，意思是预言家，但是后来 Oracle 公司起中文名字时，为了贴近中国文化的渊源，采用了中国古代预言的记录文字——甲骨文。

如果没有信息革命，埃里森可能再换一两家公司，然后就这样退休了。但是到了上个世纪 70 年代，信息革命改变了埃里森的命运，同时也让埃里森改变了世界。1970 年发生的一件并不太引人注意的小事对埃里森后来触动很大。IBM 一个名叫埃德加·科德（Edgar F. Codd）的美籍英裔计算机科学家提出了关系型数据库的理论。这是数据库历史上的一次重大革命。为美国中央情报局开发数据库的埃里森深深地被这套理论所鼓舞，他觉得机会来了！ 1977 年，已经 33 岁的埃里森与两个同事爱德华·欧特斯（Edward Oates）和鲍勃·迈纳尔（Bob Miner）一起创办了一家数据库公司。此时埃里森已经在硅谷打拼了 13 年，可以算是一位硅谷的老兵了。他们给公司取名为"软件开发实验室"（Software Development Laboratories，简称 SDL），继续做他们的 Oracle 数据库项目。第二年，即 1978 年，埃里森的公司在 DEC 的小型机 PDP-11 上开发出一个基于关系型数据库的系统，项目代号是 Oracle 1，但是这个软件从来没有面市，原因不明。有人讲是因为漏洞很多，但是现已无法考证。埃里森并不甘于失败，一年后，即 1979 年，又推出了 Oracle 2，这是计算机软件史上第一个由纯软件公司开发的商用关系型数据库管理系统。很快埃里森利用他过去为军方开发项目的关系，将这个数据库软件卖给了美国空军。埃里森为了强调它的数据库系统是最先进的关系型数据库，干脆把公司改名为"关系软件公司"（Relational Software Inc，简称 RSI）。

但是，直到 1981 年，RSI 多少还是带有当年接政府和军方项目，为别人开发软件的咨询公司或者软件承包商的性质，埃里森对公司的发展方向还没有把握准。如果一直这么发展下去，可能就没有今天的甲骨文公司了。这一年，IBM 的古普塔（Umang Gupta）加入 RSI 公司，拥有 MBA 学位的他为 RSI 写了第一份商业计划书，开始明确公司的发展方向，即开发通用的关系型数据库管理系统（RDBMS）和开发工具。1982 年，鉴于 RSI 的数据库软件 Oracle 的名气已经比公司还大了，公司干脆改名为 Oracle 公司，在进入中国后，选择了"甲骨文"作为公司的中文名称。这一年，硅谷的老兵埃里森已经 38 岁了，而盖茨和乔布斯比他正好小一轮左右。但就是从这一年开始，埃里森这个老兵开始谱写他的新传。

两年后，即 1984 年，甲骨文从著名的风险投资公司红杉资本拿到投资。又过了两年（1986 年），甲骨文上市，当时它的营业额是每年 5500 万美元，不到如今一天的营业额。

在甲骨文成立以后的 30 多年里，信息革命的浪潮一波接着一波，甲骨文公司的发展虽然也是起伏跌宕，但是埃里森在这一波一波的浪潮中，将甲骨文这个当年只有几十个人的小数据库公司，发展成当今全球第二大软件公司。2011 年，甲骨文的营业额高达 356 亿美元。而在 20 世纪 90 年代，埃里森也成为仅次于盖茨，在 IT 领域具有巨大影响力的领袖，同时也是紧随盖茨之后、第二富有的人。在这些商业巨子的较量中，埃里森也是少数没有让盖茨占到便宜的人之一。（而苹果的乔布斯和 Google 的施密特一度都被盖茨在商业上搞得很惨。）

和盖茨的低调不同，埃里森是个非常高调的人。他的出行永远都要有规模宏大的"仪仗"，永远要住最豪华的酒店，他永远要享用最好的东西。埃里森和乔布斯一样，对日本文化有特别的喜爱。因此，他在美国地价最贵的阿瑟顿市（Atherton）买下一块地，盖了一幢面积巨大、不用一根铁钉的日式房屋（见图 7.1）。后来，埃里森看了邻居的海景房后，向邻居提出购买意向，邻居居奇，坚决不肯，最后埃里森用五倍的价格（从 800 万涨到 4 000 万美元）买了下来。此外，埃里森对美色的喜爱也是出了名的，他至今结婚 4 次，这在 IT 领域非常少见。在甲骨文公司他的办公楼里，他有一个专用电梯，据说原因是以前有过一些女性在他可能乘坐的电梯里等着试图勾引他。总之，这是一个非常张扬、极具个性的人。

另一件事情可以说明埃里森是一个为了获得成功不计成本，不达目的誓不罢休的人，那就是 2010 年的"美洲杯"帆船赛（America's Cup）。这项赛事有一百多年的历史，在 1987 年以前，这项赛事的冠军全由美国人获得。1987 年澳大利亚人首次获得这项赛事的冠军，从此世界的格局就混乱起来，竞争也激烈起来。在接下来的几年里，世界上许多亿万富翁开始进来赞助各自的船队，将这项赛事从开帆船本身的竞争，变成了法庭上辩论水平和支票本厚度的竞争。在法庭上，各个俱乐部为比赛的规则而争吵，等规则定下来后，就比哪个船队有最多的钱造出一条科技含量最高的帆船。从 1995 年到 2007 年的 12 年间，美国的帆船俱乐部不仅没有获得过冠军，而且连决赛也没有进入。这时，不服输的埃里森出场了，他加入并且投资赞助硅谷附近的"金门俱乐部"（Golden Gate Yacht Club）。该俱乐部先是通过打官司，打掉了原本的挑战者西班牙俱乐部的挑战资格，自己成为了挑战者。然后通过大投入得到的一项关键技术，确立了该俱乐部的"美国 17 号"（USA-17）帆船在技术上的绝对优势。同时，挖角得到了世界帆船赛最好的船长、美国人昔日的对手，新西兰人罗素·寇茨（Russell Coutts）[1] 出任船长。因此，金门俱乐部的"美国 17 号"在 2010 年毫无悬念地一举为美国夺回美洲杯。埃里森自己作为船员参加了比赛。

正是因为埃里森有这种为了办成事情不计成本，志在必得的决心，加上他与盖茨和乔布斯一样，商业眼光敏锐，执行力非常强，达成了很多在他人看来根本做不到的奇迹。跟盖茨和乔布斯一样，埃里森对竞争对手毫不留情。如果埃里森处在盖茨的位置，他对整个微机行业的垄断会更强。事实上，在过去的 30 多年里，埃里森领导的甲骨文扫荡了几乎所有独立的数据库系统公司和应用服务公司，除了 IBM 和微软。而埃里森的手段也非常简单直接：恶性竞争和强行收购。可以肯定地讲，如果没有埃里森，今天的甲骨文最多是一个规模不大的二流软件公司。接下来，就让我们看看埃里森是如何创造奇迹的。

1
他是奥运会冠军，在美洲杯帆船赛中的战绩是 20 胜 0 负。

图 7.1　（左）埃里森日本木屋的客厅，（右）埃里森家的日本花园。（房地产商提供）

2　钻了 IBM 的空子

甲骨文从起家到后来的初步成功，在很大程度上是埃里森等人钻了 IBM
的两个空子。第一个空子是 IBM 自己忽视了关系型数据库的革命性作用。
埃里森自认为他最初的灵感[2] 来自 IBM 计算机科学家科德的论文"大规
模共享数据库的数据关系模型"（A Relational Model of Data for Large
Shared Data Banks）。这篇论文发表于 1970 年，而在此之前在数据库领
域占统治地位的是层次模型（Hierarchical model）和网络模型（Network
model）。这两种早期的模型，更强调数据库实现的效率（访问时间），
但缺点是逻辑实现和物理实现混淆，因此不方便直接访问数据库中的内
容，也不方便实现复杂的查询逻辑，这样的数据库也不可能做得很大。
早期数据库系统还有一个致命的弱点，就是它的开发十分复杂，开发和
维护人员需要经过长时间的专业训练。与层次模型及网络模型相比，关
系型数据库将数据库的物理层和逻辑层完全分离。这么做的好处很多，
首先能够实现非常复杂的查询逻辑，能够实现很大、很复杂的数据库。
其次，关系型数据库的逻辑层因为和物理层无关，很容易理解，因此开
发的难度相对较低，可以在短期内培养大量的开发人员。而较为复杂的
物理层，则可以由少数专业人员来实现。这样很容易培育一个产业。

但令人遗憾的是，IBM 自己并不是很重视这项革命性的发明。虽然科德
自己在 IBM 内不断说服公司开发关系型数据库产品，但是 IBM 还是只把
它放到了当时 IBM 的主打数据库"系统 R"（System R）下面的一个小
项目里，而系统 R 的查询语言 SEQUEL 并不完全是关系型的。由于 IBM
的工程力量很强，因此，虽然系统 R 的查询语言不是完全关系型的，但
是性能却很好，这让 IBM 更加不理会科德的工作。因为这个缘故，科德
和 IBM 的关系搞得很僵，他先是在 IBM 内部自己建立了一个团队开发"真
正的关系型数据库系统"，后来干脆离开 IBM 单干，自己创办了一家公司。

但是埃里森对这项技术的态度完全不同。当甲骨文公司的另一位创始人
欧特斯将这项技术介绍给埃里森后，埃里森决定离开 Ampex，专心开发

2
http://www.jewish-
hvirtuallibrary.org/
jsource/biography/
Larry_Ellison.html

关系型数据库的管理系统。鉴于 IBM 的系统 R 数据库在当时居统治地位，埃里森等人决定让自己的产品和 IBM 的系统 R 兼容。如果当时 IBM 让埃里森等人兼容它的系统 R，甲骨文今天可能很大程度上要兼容 IBM 的产品。但是 IBM 却不愿意，他们不肯开放代码，这就逼着埃里森等人只好自己单干，两年后终于成功开发出第一款商用的关系型数据库管理系统 Oracle 2，并且获得了第一个订单——来自俄亥俄州的怀特-帕特森空军基地（Wright-Patterson Air Force Base）。而同年 1979 年，科德实在受不了系统 R 部门对他的冷落，自己在 IBM 内部拉出一个团队开发关系型数据库的管理系统，也就是做埃里森等人已经完成的工作。

当然，光靠提早这一点点时间还远不足以和 IBM 竞争，上个世纪七八十年代，IBM 公司在全球数据库市场占统治地位，系统 R 的用户非常多，只要它稍微往关系型数据库方面转一转，甲骨文就没有存在的必要了，更不用说竞争。甲骨文赢是赢在商业模式上。

在甲骨文出现以前，整个计算机行业企业级市场的商业模式是这样的。首先，当时的个人计算机市场几乎是零，苹果还很小，IBM-PC 还没有出来，因此计算机市场几乎完全是企业级的市场。而所有计算机公司，从大的 IBM 到中小的 DEC 和惠普，商业模式都是"合同制"。比如，IBM 卖一台大型机系统给花旗银行，它不是简单地把硬件（大型机主机，终端，打印机等）和软件（数据库）卖出去就算完事了，而是必须连同服务一起销售，IBM 会把技术人员（通常是合同工）派到花旗银行全时为银行服务。当然，IBM 每年的服务费要占到软硬件售价的 10% 甚至更多。而在 IBM 公司内部，从处理器研制，到硬件制造，到软件开发，都需要它自己做，因此每个系统的成本都非常高。（这也给了微机起飞的机会。）不仅是 IBM，连规模小得多的 DEC 和 CDC[3] 等都需要开发自己的处理器、硬盘、操作系统、应用软件等。可以讲，整个计算机行业没有明确的分工。在这种模式下，软件的价值必须通过硬件的销售和服务的提供来体现。没有一家计算机公司把软件部分单独拿出来卖，因此买了 DEC 的硬件的用户无法用 IBM 的软件。在上个世纪 70 年代以前，没有独立的软件公司。

3
Control Data，美国上个世纪 70-90 年代的小型计算机公司。

而在那个年代起家的苹果公司，在商业模式上依然带有软硬件捆绑在一起的痕迹。

甲骨文的商业模式很简单，它只卖软件，而不是靠收服务费生存。企业用户一旦买了它的软件，就不需要额外付给甲骨文服务费了，除非用户不会使用需要向它咨询而付给它一些咨询费。这么简单的商业模式，显然可以给用户带来很大的好处，但是 IBM 不喜欢，因为这样一来它就很难一劳永逸地收服务费了。甲骨文没有自己的硬件，这种商业模式要成立得有一些先决条件，那就是有硬件厂家愿意捆绑它的软件，而放弃开发自己的数据库软件。甲骨文最早的数据库系统就是为 IBM 当时的竞争对手 DEC 开发的。而 DEC 这些在行业里位居第二档[4]的公司也乐意接受这样的分工，因为如果有一家软件公司同时为四五家硬件厂商开发软件，那么每家实际摊到的开发成本只有原来的五分之一到四分之一。

4
第一档的只有 IBM
一家。

甲骨文的这种商业模式讲起来非常简单，但是很有效。加上上个世纪 80 年代以后，关系型数据库被认为是今后数据库的发展方向。渐渐地，甲骨文的数据库系统被一些中小企业接受。由于甲骨文只卖软件，不强行搭售服务，因此为了方便用户在它的数据库管理系统上二次开发应用数据库，它为用户开发了一套开发工具——交互式应用工具（Interactive Application Facility，简称 IAF）。这样就又在社会上培养了一大批基于甲骨文数据库系统进行二次开发的程序员，逐渐培育起一个行业，并且形成了一个以甲骨文为核心的利益群体。到了上个世纪 90 年代，甲骨文的营业额从上市前的每年 5 500 万美元，5 年增长了 15 倍，1990 年达到 9 亿美元。虽然，它在数据库上的收入依然比不上 IBM，但是为甲骨文进行二次开发的程序员人数却远远超过了 IBM。

和甲骨文同期崛起的软件公司还有微软公司，二者的商业模式类似，都是只卖软件，一个在企业级市场，一个在个人用户端。继这两家公司之后，独立的软件公司如雨后春笋般大量涌现出来。到上个世纪 80 年代中期，计算机产业终于出现了软硬件分离的格局。甲骨文在这次计算机工业分工的发展浪潮中，功不可没。

甲骨文靠在关系型数据库方面抢了 IBM 的先机，通过运用与 IBM 不同的商业模式，获得了长期快速的发展。在它上市后的 10 年里，它的年复合增长率高达 50% 左右。到 1995 年，它的营业额高达 30 亿美元，大约是微软同期（59 亿美元）的一半，成为世界上第二大独立软件公司。甲骨文的数据库产品也从早期为小型机开发扩展到服务于大型机和各种服务器，可以全方位地与 IBM 竞争，并且不断获得更多的市场份额。

3 天堂下的帝国

关系型数据库到了上个世纪 80 年代初，在学术界和工业界都成为数据库的主流。此时，"卖软件"这种模式越来越被计算机行业认可，这在客观上造就了甲骨文的成功。但是同时，也造就出许多大大小小的数据库公司，其中规模较大，和甲骨文直接竞争的是 Informix 和 Sybase 公司。1980 年之前出生的读者可能对这两个名字还有印象。

Informix 公司成立于 1980 年，最早的名称叫关系型数据库系统（Relational Database System）。它的起步和早期发展几乎和甲骨文完全相同，立足于关系型数据库管理系统，并且制定自己的查询语句（SQL）。和甲骨文不同的是，Informix 走的是比甲骨文更低端的路线，它从微机入手，并且在小型机软件市场占有一定份额。这或许是为了刻意避开 IBM 和甲骨文，但更直接的原因是 Informix 从一开始就没有试图成为数据库市场的统治者，而是小富即安。但幸运的是，随着数据库革命的浪潮，Informix 顺顺当当地发展起来，并且与甲骨文在同一年（1986 年）上市。

Sybase 公司诞生得最晚，它成立的 1984 年，关系型数据库已经大红大紫。从技术上来讲，Sybase 相比甲骨文也毫无优势可言，虽然在一些具体的功能方面和甲骨文还各有千秋。Sybase 作为这个市场中几乎是最后一个挤进来的公司，本来不会有什么希望可言，但是它走了两步好棋，所以还是在数据库市场抢得一席之地。第一步好棋就是看准了即将快速发展的局域网市场。以往的数据库公司，包括 IBM 和甲骨文大多是为使用大型机或者小型机（其实也不小）的用户，比如银行和大公司，提供软件和服务。到了上个世纪 80 年代中期，局域网快速兴起，3Com 和 Novell 先后推出了网络操作系统，这样用相对较便宜的网络服务器将一些微机通过局域网连接，就能取代原来相对较贵的小型机系统，甚至一些中型机系统。但是局域网上的数据库市场是个空白，Sybase 就是看准这个机会打入数据库市场的。

Sybase 的第二步好棋——至少当时看上去是步好棋，就是和当时逐渐垄断操作系统的微软结成联盟。早期 Sybase 甚至和微软共享代码，Sybase 的数据库和微软的 SQL Server 数据库完全兼容，这一定程度上帮助 Sybase 在使用微软操作系统的企业用户中打开了市场。这种代码的共享，直到两家公司因为利益发生争执才停止。借助微软在操作系统上的快速发展，Sybase 也实现了甲骨文早期的成长速度，到 7 年后的 1991 年 8 月上市时，它一年的营业额达到了 5600 万美元，比甲骨文成立 9 年上市前的年营业额 5500 万美元略多些。但是这一步好棋之后看起来也有些问题，因为它最终帮助微软为自己的数据库管理系统 SQL Server 在市场上抢到了很大的份额。Sybase 本身却生存不下去了。

Informix 和 Sybase 这两家公司在技术上和甲骨文基本处于同一水平，商业模式也一样。在上个世纪 90 年代，全球数据库市场还远远没有饱和，这两家公司上市后的发展速度依旧很快。其中 Sybase 依靠相对较低的价格和与微软的关系，一度还抢占了甲骨文一些市场份额。但是这并不说明这两家公司有什么过人之处，只能说明它们有幸顺应浪潮，顺顺当当地发展了十几年。但是，在甲骨文和 IBM 的不断打压和限制下，它们一直没机会进入高端数据库市场。在 2000 年以前，由于互联网泡沫造成了企业级软件公司市值的虚高，Informix 和 Sybase 看上去发展还较快，却掩盖了它们在战略和管理上的问题。比如，1997 年，Sybase 虚报利润；同年，Informix 高管跳槽到甲骨文，等等。等到 2000 年互联网泡沫破碎，这两家公司又苦苦支撑了几年，便到了破产边缘。最后 Informix 在 2001 年被 IBM 收购，Sybase 在 2010 年被德国的 SAP 公司收购。

应该讲这两家独立的数据库公司并没有给甲骨文带来太多的麻烦。因为这两家公司的创始人和后来的 CEO 既没有埃里森要与 IBM 争高下的志向，也没有他面对竞争对手的狠劲。这样的公司是走不远的。甲骨文过去几十年里真正可怕的对手，是郭士纳领导的"大象"IBM（郭士纳 1993–2002 年任 CEO）和盖茨领导的微软（1975-2000 年任 CEO）。郭士纳和盖茨，前面我们已经介绍过，他们是整个 IT 时代最伟大的统帅，在他们自己主攻的领域，几乎没有败绩。埃里森在和这两个 IT 行业奇才长达十多年的较量中，居然不仅没有落下风，而且愈战愈勇，并且熬到了这两位巨人的退休，最终主导了全球数据库市场，可以说是一个奇迹。这段历史虽然已经过去，现在回想起来也没有悬念，但是当时的竞争却是惊心动魄。

在关系型数据库上起步略晚的 IBM，于 1983 年将系统 R 等数据库产品整合，变成今天 IBM 的旗舰数据库产品 DB2。虽然一开始 DB2 只能在 IBM 的大型机上运行，但是到了上个世纪 90 年代，DB2 成为也可以运行在各种计算机和操作系统上的数据库系统，它的应用接口（API）支持几乎所有程序语言。至此，DB2 完全和甲骨文处在同一水平。在郭士纳领导的黄金十年里，DB2 的市场份额稳步增长，到 2002 年，随着 IBM 完成对 Informix 的收购，它在全球数据库的市场份额一度达到 34.6%（按照 2002 年公布的 2001 年的数据），超越甲骨文（32%）成为世界第一。但是这一年也是郭士纳领导 IBM 的最后一年。同年，微软因为在企业级操作系统 Windows NT 上的巨大成功，它的数据库系统 SQL Server 的销量比前一年猛增 20%，一度占到全球 18% 的市场份额 [5]。要知道，微软的商业模式和甲骨文一样，都是卖软件，何况微软自己还控制操作系统，从 Windows 3.0 上市以来，微软逐渐拉大了和甲骨文在营业额上的差距。2001–2002 年恰巧又赶上互联网泡沫的崩溃，甲骨文公司诸事不利，它的股票从 2000 年的最高点（每股 45 美元左

5

Gartner: IBM, Microsoft Gain Against Oracle in Database Market, By Barbara Darrow, CRN, May 07, 2002

右）跌掉了六分之五，到 2002 年低点时只有每股 7.45 美元。2002 年
甲骨文的营业额从前一年的 110 亿美元跌至 97 亿美元，2003 年继续
跌到了 95 亿美元。这段时间里，甲骨文到了它历史上最危险的时刻，
很多人都预计甲骨文最终会在 IBM 和微软的双重打击下成为一个二流
公司。

应该说，埃里森的确没有从郭士纳和盖茨身上占到便宜。这两个人在 20
世纪的最后一个十年里，光芒是如此的闪亮，以至于璀璨的群星都黯然
失色。但是，埃里森领导的甲骨文最终还是赢了，因为他熬到了这两个
人离开 CEO 的岗位。这就如同中国晋代的司马懿和日本战国时代的德川
家康，当其他巨人（三国时的曹操、刘备和孙权；日本战国时代的丰臣
秀吉和武田信玄）都从历史舞台上消失的时候，他们便开始唱主角了。
郭士纳的继任者彭明盛（Samuel J. Palmisano）和微软现在的 CEO 鲍尔
默在境界上显然都比埃里森低一个档次。此刻，便到了甲骨文开始追赶
IBM 和微软的时候了。2005 年，甲骨文获得了 46.8% 的数据库系统市场
份额，超过 IBM 和微软的总和（分别是 22.1% 和 15.6%）。2006 年，
甲骨文的市场份额继续增加到 47.1%，而它的老对手 IBM 继续下滑到
21.1%[6]。2007 年，甲骨文继续将市场份额扩大到 48.6%。2010 年，它
的市场份额超过 50%。甲骨文最终的胜出，有多种因素，尤其是埃里森
个人的能力不容忽视，这一点是其他公司学不来的，但是还有其他很多
经验值得借鉴。

6
Gartner: www.
gartner.com/it/page.
jsp?id=507466

首先，甲骨文胜在定位和产品的推广上。对外一向高调的埃里森不断强
调甲骨文是数据库公司，而 IBM 是一个系统服务公司。也许埃里森说的
没有错，IBM 可能因为 DB2 太依赖于自己的主机和服务器，而渐渐丧失
了数据库的市场份额。我们在这本书中已经看到，而且还会经常看到，
一个产品线较长的公司，在某个产品上常常竞争不过专门从事这项产品
的专一公司。比如摩托罗拉在处理器上竞争不过英特尔、在手机上竞争
不过诺基亚，苹果和太阳在操作系统上竞争不过微软，微软在在线业务
上竞争不过雅虎，雅虎在搜索上竞争不过 Google，百度和腾讯在电子商

务上竞争不过阿里巴巴。这里面不仅仅是产品线较长的公司容易"分心"，更重要的是市场和用户对专一的公司更容易认可。大部分专一的公司未必会专门强调竞争对手是个"综合"而非专一的公司。比如，微软从来没有攻击苹果不是专门的"操作系统"公司，Google 也没有攻击雅虎和微软不是搜索公司。但是，埃里森却永远把这一点挂在嘴边。在产品推广上，埃里森经常用自己的苹果去和竞争对手的橘子作对比，宣传自己产品的长处，贬低竞争对手的产品。大部分公司在广告中一般只宣传自己的产品好，而不会专门找一个主要竞争对手来贬低，但是甲骨文从来如此。据一位甲骨文的老员工讲，甲骨文在进行和竞争对手性能对比的测试中，常常是在不平等的条件下进行的，并不具有太强的指导意义，但是这种做法却会给用户很好的印象。如图 7.2 所示，是甲骨文比较他们和 IBM 产品的广告。2010 年初，埃里森和 IBM 一位战略主管伯尼·斯庞（Bernie Spang）在 ComputerWorld 的主持下进行了一次对话，埃里森一上来就攻击 IBM——说 IBM 比甲骨文落后十年，不能管理大数据，没有云功能，不能在集群服务器上运行，等等[7]。IBM 这位看来不是很聪明的主管面对埃里森咄咄逼人的不实攻击，不断被动地解释和防守，完全落了下风。

2010 年以前，甲骨文最大的硬件合作伙伴是惠普公司，后者为甲骨文提供数据库的服务器。但是，在收购太阳公司，有了自己的服务器（SPARC）后，甲骨文便通过广告打击惠普公司，除了宣传惠普的服务器性能差外，还打出这样一套非常有攻击性的广告"把你的惠普服务器扔到垃圾堆，我们给你 SPARC 服务器打对折！"微软的 CEO 鲍尔默虽然不喜欢苹果的产品，但是也只能在微软公司内部鼓励员工将苹果的 iPod 换成微软的 Zune，而不敢到外面赤裸裸地做这样的广告。但是埃里森却敢。虽然业界对这种言行颇有微词，但是对甲骨文来说效果居然不错。

7
http://www.computerworld.com/s/article/9149883/Database_wars_IBM_Oracle_s_Ellison_trade_zingers

图 7.2　甲骨文和 IBM 对比的广告

其次，甲骨文历来重视利润，很少做吃力不讨好的花样文章。商人挣钱本是天经地义，但是近 20 年来，经常可以看到一个怪现象，就是谁烧钱越多，本事越大。2006 年，Google 为了推广它不成功的支付系统 Checkout，给使用 Checkout 一次消费满 50 美元的用户补贴 20 美元，这已经很荒唐了。2011 年，中国还有一家公司为了做电子商务，给一次消费满 200 元人民币的顾客 300 元的返券，这就让大家不知所云了。事实证明这些钱都是白烧了。埃里森从来不做这种傻事，他给销售人员定的指标历来是以利润为先，而不仅仅是销售额，因为不赚钱的事埃里森从来不做。据甲骨文的员工讲，埃里森非常抠门，平时给员工的工资、奖金和福利就远远不如 IBM 的，如果遇到宏观经济不好的年代，裁员自不必说，各种福利还要削减。硅谷很多公司先后被评为全美最佳雇主，但这个荣誉永远与甲骨文公司无缘。但是正因为注意成本控制，即使在 2001 年和 2008 年两次经济危机中，甲骨文都不仅还能盈利，而且利润率几乎没怎么下降，见表 7.1。虽然笔者并不很赞同埃里森这些"抠门"的做法，但是他不重花架子、重视利润的做法值得而今不负责任烧投资人的钱的公司学习。毕竟，公司长期稳定发展是靠自身的利润支持，不是靠政府的政策和投资人的输血。另外，甲骨文长期稳定的盈利事实上保证了广大员工的饭碗。2008-2009年金融危机时，以前那些对员工非常友善的公司，例如太阳、思科和雅虎等，因为冗员太多导致利润大幅下滑，就不免大规模裁员，但是甲骨文公司因为利润有保障，员工的饭碗就稳得多。

表 7.1　甲骨文公司在 2001-2002 年，2008-2009 年两次经济危机时的利润和利润率

财政年度	纯利润 （百万美元）	纯利润率
2001	2561	23.3%
2002	2224	23.0%
2008	5521	24.6%
2009	5593	24.1%

第三，甲骨文的成功依靠的是很多次成功的并购，同时它具有很好的消化和整合新公司的能力。世界数据库市场从产业链的角度讲，可以分成上游的数据库管理系统，就是甲骨文、微软和 IBM 的产品，以及在此基础上为特定用户二次开发的应用系统两部分。在甲骨文以前，IBM 等公司同时从事两部分系统的开发。甲骨文和微软发明了卖软件的模式后，数据库公司只关注第一部分（即数据库管理系统），第二部分（即应用系统）基本上由第三方小公司，或者用户自己开发。和所有行业一样，这些针对企业用户做二次开发的公司经过若干年的竞争，逐渐形成了一些比较大的龙头公司，它们控制着部分企业级市场。甲骨文就是通过收购这些公司不断获得数据库市场的份额。这里面最著名的是 2005 年对企业级应用软件巨头仁科股份有限公司（Peoplesoft）的并购。

仁科由大卫·杜菲尔德（David Duffield）于 1987 年创立。杜菲尔德长期和 IBM 合作，有着丰富的企业级软件的研发和市场经验。仁科从公司成立起，经过十几年时间成为全球第二大（独立的）企业级应用软件公司[8]，并且主导着企业人力资源管理软件的市场。杜菲尔德和埃里森个人是老对头，他对甲骨文的产品也不感冒。因此，两家公司的合作看上去是完

8
第一大为德国的 SAP
公司。

全不可能的。为了抢占这块市场，埃里森决定强行收购这家公司。从2003 年起甲骨文多次提出要收购仁科。杜菲尔德本人根本不想卖公司，他的公司经营得很好，没有必要和甲骨文合并，但是他不能完全控制董事会。2004 年因为价格的分歧，仁科的董事会拒绝了埃里森的并购提议。同时，美国和欧盟司法部以可能造成垄断为由，也驳回了甲骨文的请求。但是，正如我们前面所讲，埃里森是一个认准了的事一定要办成的人，他一方面提高了收购价格，这回仁科大部分董事同意了，杜菲尔德已经阻拦不了大家了。同时，他承诺保留仁科 90% 以上的员工，美国和欧盟也不必为失业担心了。经过长达两年的努力，这桩价值 103 亿美元的并购终于达成。甲骨文从此垄断了人力资源管理软件市场。

接下来的每一年，甲骨文都有一次大的并购。2006 年，它花了 58.5 亿美元收购了 Siebel 公司；2007 年，用 33 亿美元收购了 Hyperion 公司；2008 年，以 85 亿美元收购 BEA 公司。这些公司都是在企业级市场上占有较大份额的软件和服务公司。在收购这些公司后，甲骨文将它们原来的用户转换成自己数据库的用户。至此它获得了全球超过一半的数据库系统市场份额，一个企业级软件帝国就此形成了。埃里森虽然给员工的待遇一般，对自己的待遇却从来不差。他的办公室在甲骨文红木滩（Redwood Shores）总部几栋数据库形状（圆柱形）大楼中最高的一栋的最高几层 —— 这是甲骨文公司离"天堂"最近的办公室。甲骨文公司的员工说，公司的层级比较分明，而埃里森在天堂级。他每天从"天堂"上俯视自己的帝国。

如果满足于做世界上最大的企业级软件公司，那么埃里森就不是埃里森了。长久以来，埃里森一直梦想能全面挑战 IBM，成为全球企业级公司的龙头。但是，这件事在过去非常困难，因为甲骨文自己没有服务器和操作系统，很难将硬件系统和数据库同步优化。2009 年，埃里森的机会来了，因为金融危机，过去服务器行业的龙头太阳公司（Sun Microsystems）快要支撑不住了，四处寻求并购的伙伴。IBM 因为业务和太阳公司有较多重叠，很难通过反垄断的审核，失去了收购太阳公司的机会，甲骨文成了唯一可能的收购者。虽然美国政府和欧盟对这桩收购案都有所保留，并且不断阻止这次并购，欧盟还为此和甲骨文打官司，以至于太阳公司的不少人都怀疑并购最终是否能被通过。但是，了解埃里森的人都知道埃里森从来不怕打官司。果然，埃里森再次发扬了他不达目的决不罢休的劲头，和欧盟死磕。而太阳公司的员工已经做好了被出售的准备，在这期间完全没有了工作的动力，导致该公司业绩不断下滑，进而导致它不得不在欧盟国家不断裁员。最终，迫于失业的压力，欧盟不得不向甲骨文低头了。2010 年，这桩价值 74 亿美元的收购得以达成。

花钱收购公司非常容易，几乎每一个有现金的公司都能做到，但是能将收购来的公司整合好却是一多半的公司无法做到的。微软从 2000 年以后，也收购了不少公司，但是我们看不到这些公司对微软的业务有什么帮助。IBM 收购了很多被微软打败的公司，比如莲花公司和 Informix 公司等，但是没有看到它们对 IBM 的长期业绩有太多的帮助。而埃里森对收购来的公司的负责人，通常是毫不留情地要求他们走人，然后再送上一番冷嘲热讽。对下面的员工，则要求迅速融入甲骨文的文化。在这么多的并购中，我们可以通过甲骨文对太阳公司的整合看出埃里森和他的公司在这方面的艺术。

太阳公司在并购前产品线颇长，从处理器 SPARC 到服务器、工作站，再到操作系统 Solaris（Unix 的变种），免费的 Java 语言和工具。后来因为硬件利润率低，Solaris 的市场份额下滑，太阳公司在最后几年里又收购了一家做存储的公司，试图进入云计算领域。另外还收购了开源的数据库 MySQL，想进入 IT 服务业与 IBM、惠普和甲骨文竞争。简而言之，太阳公司产品多但竞争力差，业务方向不明确，因此它常年亏损。在和甲骨文合并前，还有三万多员工，但是人员相对老化。外界对甲骨文能否整合好太阳公司深表怀疑，如果整合不好，甲骨文也会被拖垮。但是埃里森却信心十足，他认为自己捡到了个大便宜。他提出了以前太阳公司董事会想都不敢想的目标，一年让太阳公司盈利 10 亿美元。

整合主要集中在产品和人员两方面。在产品方面，太阳公司有如下很长的产品线，而几乎每个产品都存在着难以解决的问题。

1. SPARC 处理器。这曾经是比英特尔 x86 系列处理器更快的中央处理器，但是现在速度比英特尔的慢，价格却更高。后来正是因为如此，太阳公司自己都没有信心继续做下去，而是开始同时制造英特尔 x86 的服务器。

2. SPARC 的工作站和服务器，价格比同性能的 Linux 服务器贵一倍，但是它的优点是可靠性好。世界上各个公司的硬件子公司或者部门基本上是不挣钱的，尤其是 2000 年后，基于英特尔 x86 处理器和 Linux 操作系统的廉价服务器将这个行业的利润率压得极低。

3. 操作系统 Solaris，比 Linux 安全可靠，但是 Linux 借着开源和免费，抢占了 Solaris 的大量市场份额。最后逼得太阳公司自己也搞开放 Solaris。

4. Java，在业界使用广泛，但它是免费的，耗掉了大量人力，太阳公司却从来没有找到挣钱的办法。

5. 买来的开源数据库 MySQL，虽然对太阳公司有用，但对甲骨文是鸡肋。

6. 买来的存储设备公司，太阳公司没有整合好，也成了鸡肋。

外界猜测埃里森的融入计划应该是：剥离 SPARC 处理器和服务器等硬件业务，将它们卖给富士通公司（Fujitsu），因为后者一直在为太阳公司做 OEM 的产品。Solaris 和 Java 要保留，但是大家猜测埃里森如何收费。至于 MySQL，简直就是一个废物。

2010 年的一天，并购完成后，太阳公司的高管们按照埃里森的要求做好了产品策略报告，第一次去向埃里森汇报。那天不知什么原因，埃里森到得稍微晚些，太阳公司的高管们在会议室里等待。过了一会儿，一个秘书来通知"埃里森已经离开了办公室往这边过来，请大家做好准备"。

几分钟后，秘书又来通知"埃里森已经接近电梯，请大家做好准备"。又过了几分钟，秘书再次来通知"埃里森已经出了电梯，正朝办公室走来，请大家做好准备"。这时，埃里森已经到了会议室。太阳公司的高管们开始按照他们精心准备的投影胶片介绍自己的想法，但是，还没有讲几分钟，埃里森就打断了他们的汇报，然后直接到白板上连比划带讲，说我们要这么这么做，然后会议结束。至于埃里森讲的是怎么做，我没有参加会议自然编不出来，但是从埃里森后来的做法能看出他的思路。

首先，埃里森要突出太阳公司 SPARC 服务器和廉价的 Linux 服务器的差别，就如同奔驰车和丰田车虽然作为代步工具差别不大，但是毕竟不是一个档次的车，要在不同市场出售。埃里森将 SPARC 服务器和甲骨文的数据库捆绑，去和 IBM 的设备竞争（较贵）。甲骨文和太阳公司将数据库和硬件系统结合再优化，整体性能比 IBM 同类产品提高了几倍（至少广告上是这么宣传的），然后甲骨文抛弃了原先的硬件合作商惠普公司，和惠普全面开战，争夺服务器市场的份额。仗着全面优化的性能，甲骨文在 2010、2011 两年继续蚕食 IBM 数据库的市场，并且最终把后者变成了远远落后的行业第二名。于是，原本看似鸡肋的产品，到了埃里森手上就玩活了。

其次，对于已经开源的 Solaris 操作系统，埃里森不再支持，新版本的操作系统不再开源，因为埃里森从来不做吃力不讨好的傻事。对于大家认为毫无用处的 MySQL，埃里森倒是找到了一个死马当作活马卖的办法，用它来和 Google 打官司，因为 Google 不仅是 MySQL 最大的免费使用者，而且它旗下 Android 的应用平台（Application Framework）用的是Java，却没有付过钱。甲骨文和 Google 的官司涉及很多知识产权（包括版权、技术和专利等）的侵权问题，将是一场旷日持久的官司，虽然目前法官认定是 Google 侵犯了甲骨文的版权，但是由于甲骨文的专利中很多是公众知识（Public Domain Knowledge）而非特有的技术，因此Google 的赔偿金额将少得可怜（且远远低于甲骨文的律师费），估计最后这场官司基本上是不了了之。但是，不管结果如何，甲骨文至少赢得了一个面子。这件事充分反映了埃里森的做事风格。

接下来是人员的整合，甲骨文首先一次性地裁掉了一批人，但也是最后一次裁员，留下的人都安心了。太阳公司里有很多工作了几十年的老兵，职级都不低，但是在太阳公司已经懒散惯了，到了甲骨文后，他们都被逼着按时定量地完成工作，虽然心里不痛快，时间长了居然也就习惯了。如果用一个字来形容埃里森，就是一个"狠"字。就这样，甲骨文成功地消化了太阳公司的业务和近三万名员工。

甲骨文这种务实而严格的管理方式也有它的弊端，就是很难造就有创新的人才。在富于创新的硅谷，从甲骨文出来成功创业的人并不多，这多少说明一些问题。再有，甲骨文这样的管理风格在 IT 领域能够执行下去，多少靠埃里森个人的能力，一旦埃里森退休，这种管理风格是否可行，也令人怀疑。

甲骨文公司的发展可以用平淡无奇来形容，它更多是靠着很好的管理和经验一步步做起来的。它的成功经验的第四条就是很少犯错误。我们在这本书中不断总结各个公司所犯的错误，甚至微软和苹果也不例外地要犯很多错误，但是，我们很难找到甲骨文明显的错误。正如巴菲特在讲解投资的秘诀时强调，成功的关键不在于做对了多少件事，而在于少犯多少错误。埃里森从上个世纪 70 年代开始创办甲骨文公司，几十年间几乎没有犯什么大的错误，这在 IT 领域非常少见。

2011 年，甲骨文公司的营业额创纪录地达到 356 亿美元，税后利润也达到创纪录的 85 亿美元，不仅是全球企业级市场上遥遥领先的第一名，而且以比微软更快的速度在成长。2007-2011 年，甲骨文的营业额增长了98%，而微软只增长了 36%。在纯利润方面，前者正好翻了一番，而后者只提高了 64%（虽然也很好了）。照此趋势下去，甲骨文在 IT 领域的影响力最终会超过微软。

结束语

甲骨文的兴起，很大程度上靠的是它最早看到了关系型数据库在数据库市场的前景，并且在商业模式上优于 IBM。它的发展过程没有什么波澜壮阔的传奇，而是靠相对平稳但可持续的发展，因此它的故事可能也是这本书中最枯燥的。甲骨文公司幸运地处在了计算机行业软硬件分工的年代，并且它能够把握潮流，真正促成软硬件产业的分工。相比为我们提供了全球使用率最高的数据库管理系统，甲骨文更大的贡献在于它证明了软件公司不仅可以靠卖软件的使用权而独立于硬件公司存在，并且可以比硬件公司活得更好。甲骨文的成功，也再次说明了创始人和领袖的重要性，可以说没有埃里森，就没有甲骨文今天的辉煌。

甲骨文公司大事记

1977　埃里森等人创立了甲骨文公司的前身软件开发实验室。

1978　基于关系型数据库的系统 Oracle 1 诞生。

1979　Oracle 2 诞生，公司改名为关系软件公司。

1981　古普塔加盟该公司，并且为公司写了第一份商业计划书，明确了公司今后开发通用的关系型数据库管理系统和开发工具的发展方向。

1982　关系软件公司正式改名为甲骨文公司。

1984　红杉资本注资甲骨文公司。

1986　甲骨文公司上市，当时的年收入为 5500 万美元。

1989　甲骨文公司将总部搬到加州硅谷地区的红木滩市。

1994　甲骨文收购 DEC 公司的数据库部门 RDB，并且开始了它长期大规模并购的历史。

1995–1996 埃里森提出网络 PC 的概念，甲骨文发布它的浏览器，虽然这些产品不很成功，但是被认为是今天云计算概念的前身。

2000　甲骨文和 IBM，微软在数据库市场上基本上三足鼎立。但此后，甲骨文发展速度远高于对手。

2004　甲骨文以 103 亿美元的高价强行收购了仁科股份有限公司。

2005　甲骨文在数据库市场的份额首次超过 IBM 和微软的总和。同年，甲骨文以 58 亿美元的高价收购 Siebel 系统公司。

2008　甲骨文以 72 亿美元的高价收购 BEA 系统公司。

2010　甲骨文在数据库系统市场的份额首次超过 50%，同年完成对太阳公司的并购，并以太阳公司的专利开始状告 Google 专利侵权，诉求高达 61 亿美元的损失补偿。但是此案最后被判不成立，甲骨文公司除了律师费外，还付了一百多万美元的法庭费。

2011　甲骨文开始大量收购基于云计算的企业级软件和服务公司，并高调进入云计算时代。

第8章 互联网的金门大桥

思科公司

1994年初，我的同事清华大学的李星教授告诉我，当时的教育部副部长韦钰提出要由教育科研机构建立互联网，这便是中国互联网的发轫。很快中国派了一个包括吴建平、李星等中国最早研究互联网的学者在内的代表团到美国考察互联网，并且考察生产互联网设备，主要是路由器（Router）的公司。当时很快就定下了美国思科公司的设备，并且很快到了货。在很短的时间里，中国自己最早的互联网就在大学里诞生了（虽然中科院高能所更早连到了互联网上，但其实那只是美国斯坦福大学线性加速器实验室的一个子网）。当时，几乎没有人知道这个思科公司，即使今天由于思科公司的产品不直接面向用户，它的知名度远不如麦当劳高，尽管在过去的十几年里，思科的产值规模比麦当劳大得多[1]。但是，如果告诉大家，没有思科和同类公司生产的路由器就没有今天的互联网，那么大家就知道思科在我们生活中的作用了。

思科是一个标准的网络时代弄潮儿，随着互联网的出现而兴起，随着其泡沫的破碎而一度衰落。2000年，思科曾经在一瞬间超过微软，成为世界上市值最高的公司（5400亿美元），那时思科股票一天的交易额超过当时整个中国股市的交易额。9·11以后，思科的市值一度缩水85%。那年，思科的CEO约翰·钱伯斯（John Chambers）宣布了思科历史上第一次大裁员，同时他将自己的年薪降到一美元，成为世界上工资最低的

1
2011年麦当劳不含加盟店的销售额为180亿美元，包括加盟店为330亿美元，而思科同期为430亿美元。

CEO。这种做法一度被传为佳话，并被那些愿意和公司同甘共苦的老板纷纷效仿。几年后，思科终于走出低谷，并且成为世界最大的通信设备制造公司。

1 好风凭借力

和惠普、太阳、雅虎、Google 等公司一样，思科是一个标准的斯坦福公司。斯坦福各个系都有自己联网的计算中心，网络之间通过一种叫路由器的设备连接。上个世纪 80 年代初，斯坦福两个不同系的计算中心主管莱昂纳多·波萨卡（Leonard Bosack）和桑迪·勒纳（Sandy Lerner）好上了。上面是事实，下面则是坊间流传的八卦。两个人要在计算机上写情书，由于各自管理的网络不同，设备又是乱七八糟，什么厂家的、什么协议的都有，互不兼容，情书传递起来很不方便，于是两人干脆发明了一种能支持各种网络服务器、各种网络协议的路由器。于是思科公司赖以生存的"多协议路由器"便诞生了。

听到这个传闻的人绝大多数都信以为真，因为它不仅夹杂着很多事实，而且合情合理。虽然网络早有了，美国很多大学、公司和政府部门从上个世纪 70 年代起就开始使用局域网了，连接网络的路由器也早就有了。但是，由于不同网络设备厂家采用的网络协议不同，每家公司都要推广自己采用的协议，没有哪个公司愿意为其他公司做路由器。在互联网还没有普及时，这个问题不明显，因为一个单位内部的网络基本上会采用相同的协议。1984 年，互联网还没有兴起，因此，各大计算机和网络设备公司如 IBM 并没有注意到这种多协议路由器的重要性。

波萨卡和勒纳后来结为了夫妇。两人非常聪明和勤奋，而且非常幸运。在他们创办思科公司的前一年，即 1983 年，美国自然科学基金会（National Science Foundation，简称 NSF）刚刚投资建设了连接各个大学和美国几个超级计算机中心的广域网 NSFNet，即今天互联网的雏形。当时建设 NSFNet 的目的是想让科研人员无需出差到超级计算机中心就能通过远程登录使用那些超级计算机。而思科创建一年后，即 1985 年，NSFNet 就开始和商业网络对接。由于各大学、各公司的网络采用的协议不同，使用的设备也不同，因此对多协议路由器的需求一下子产生了。正在这时，1986 年思科推出第一款产品，连市场都不用开拓，就用在了刚刚起步的互联网上。Cisco 是旧金山英文名字 San Francisco 的最后 5 个字母，思科公司的标志正是旧金山的金门大桥，创始人的意思是要架起连接不同网络的桥梁。这对夫妇恐怕开始也没有想到日后思科会变成世界上最大的通信设备制造商。倒是硅谷著名的风险投资公司红杉资本（Sequoia Capital）看中了这个市场的潜力，给这对年轻夫妇投了资。红杉资本喜欢投给年轻的穷人，因为越是穷人越有成功的欲望和拼搏精神。红杉果然没有看错，到 1990 年，思科就成功地上市了。

图 8.1　思科的标志源于金门大桥

和我们前面介绍过的从 AT&T 到微软的各公司相比，思科的发展是最一帆风顺的。它早期成功的关键在于它的两个创始人在最合适的时机创办了一个世界上最需要的公司。假如思科早创立两年，它可能在市场还没有起来时就烧光投资而关门了，反过来也一样，如果它迟了两年，就可能被别的公司占了先机。在思科还是一个小公司时，各大计算机公司各有自己很大的市场，它们首先想的是在网络市场上打败对手而不是研制兼容其他公司网络产品的路由器，因此，没有公司和思科争夺多协议路由器的市场。而等到互联网兴起时，思科已经占据了路由器市场的领先地位。

思科的幸运正好和以朗讯为代表的传统电信公司的不幸互补，互联网

的兴起，使得全球数据传输量急剧增加，而语音通话量下降。图 8.2 是
1996-2002 年全球数据通信量和语音通信量的对比，单位是 Gbit/s。
自 2002 年后，数据传输量依然呈指数上升的态势，而语音通话量基本上
没有什么变化，如果把二者画在一张图上，语音通话量将小得看不见。

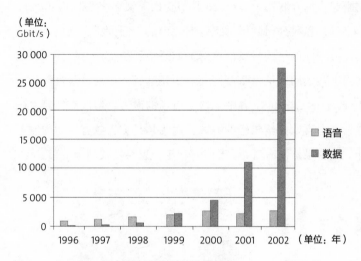

图 8.2　1996-2002 年全球数据与语音通信量对比

在中国，固定电话市话的通话量从 2005 年起甚至出现了下降。据原中国
信息产业部（现在的工业和信息化部）发布的统计数据，2005 年 1-11 月，
固定电话本地通话时长比 2004 年同期增长 0.1%。信息产业部同时表示，
在固定电话本地通话量的增长中，小灵通通话量比上年同期增长 22.0%，
所占比例从上年同期的 20.5% 上升到 25.0%。这意味着传统的固定电话本
地通话量实际上为负增长。而 2006 年对比 2005 年，市话的通话量进一
步下降。这一方面当然是因为手机的快速普及，另一方面数据传输抢了
语音传输的市场。自 2006 年以后，全球固定电话的市场愈发显示出江河
日下的态势。到今天，中国的固话规模已经无法和互联网市场相比了。

本书第 1 章"帝国的余晖"在 Google 黑板报发表后，有一些朗讯的朋友
和我争辩，认为他们公司还在发展，并不只有余晖。我说，你们是在发展，
而且从语音通信量上看，不到 10 年增加了一倍多也不算慢，但是语音通

信在整个世界通信量中的比重从占统治地位降到一个附属地位。全世界能花在通信设备上的金额几乎是一个常数（每年有几个百分点的增长），而越来越多的钱花在了数据通信设备，例如思科的设备，而不是传统的程控交换机上（更何况思科也在抢交换机的市场）。虽然朗讯也可以做类似思科用于互联网的产品，但在技术上已经没有了优势，在资金上严重短缺。思科扣除债务外拥有近 300 亿美元的现金，而其他电信设备制造商如阿尔卡特 - 朗讯、北电等，扣除债务后是零现金，或者是负数。因此，思科自从诞生起，就处在了一个想不挣钱都难的行业，而朗讯则进入一个神仙也难以为继的处境。

思科幸运地站到了互联网革命的浪潮之巅，在互联网革命大潮的推动下，思科上市后仍然能保持强劲的增长势头。当然，思科能稳坐网络设备供应商的头把交椅，很大程度上得益于它非常特殊的文化。

2　持续发展的绝招

思科上市后，两个创始人马上成了亿万富翁。思科今天的股价，是上市时的 400-500 倍[2]。思科的早期员工，只要在理财上不是太冒险，比如在互联网泡沫时代没买很多网络垃圾股（当时叫网络概念股），就也成了千万或百万富翁。这些人在成为富翁之后很多会选择离开公司去创业，或者干脆退休。事实上，思科的两个创始人就选择了这条路，离开了公司。

一家成功企业的早期员工是非常宝贵的财富。他们一般是一些非常爱冒险的人，否则就不会选择加入新开办的，甚至是还没有投资的小公司，他们的技术和能力非常强，常常可以独当一面，因为早期的公司要求员工什么都得能干。同时，他们对新技术非常敏感，否则就不可能在众多新兴公司里挑中那些日后成功的。但是，他们也有弱点。他们虽然善于开创，但不善于或不愿意守成，而守成对于大公司的发展至关重要。他们做事快，但是不够精细，因为在公司很小时，抢时间比什么都重要。一般在公司发展到一定阶段时，他们会和新的管理层发生冲突——新的主

2

过去的两年，思科的股价变化幅度较大，在本书第一版定稿时，思科的股价是上市时的 500 倍左右，中间一度跌到 400 倍左右，而 2012 年 8 月这一版定稿时是 440 倍。

管会觉得他们不好管。这就如同打江山的人未必能治理江山,这些员工很可能自己出去开公司。而即使留在公司的这些早期员工都已腰缠万贯,原先的动力也要大打折扣。因此,如何留住早期员工,并且调动他们的积极性,便成了每一个上市科技公司的难题。

另外,一家公司大到一定程度后,每个人的贡献就不容易体现出来,大锅饭现象几乎是全世界的通病。一些员工虽然有很好的想法,也懒得费工夫去推动它,因为自己多花几倍的时间和精力最多能多得百分之几的奖金。偶尔出来一两个人试图推动一下,又会发现在大公司里阻力很大。因此,有些员工一旦有了好的想法,宁可自己出去创业,也不愿贡献给所在的公司。这两个问题在硅谷普遍存在,而思科是这些问题解决得最好的公司。

思科的办法很像在大航海时代西班牙和葡萄牙国王对待探险者的做法。那时,包括哥伦布和麦哲伦在内的很多航海家都得到了王室的资助。这些冒险者很多是亡命之徒,其航海的目的并不是为了名垂青史,而是为了实实在在的利益。他们和王室达成协议,一旦发现新的岛屿和陆地,则以西班牙或葡萄牙王室的名义宣布这些土地归国王所有,同时国王封这些发现者为那个岛屿或土地的总督,并授予他们征税的权力。这样一来,西班牙和葡萄牙王国的疆土就得以扩大。思科的做法是,如果公司里有人愿意自己创业,公司又觉得他们做的东西是好东西,就让他们留在公司内部创业而不要到外面去折腾,而思科会作为投资者而不再是管理者来对待这些创业的人。一旦这些小公司成功了,思科有权优先收购,思科的地盘就得到扩大。而这些独立的小公司的创办者和员工,又可以得到很高的回报。这样本来想离开思科出去创业的人也就不用麻烦了,接着上自己的班,只是名义上换了一家公司。当然,如果这些小公司没办好关门了,那么思科除了赔上一些风险投资,也没有额外的负担。这种做法不仅调动了各种员工,尤其是早期员工的积极性,也避免这些员工将来成为自己的对手,或者加入对手的阵营。

思科自己公布的从 1993 年起的收购超过百起，这还没有包括很多小的收购。以 1999 年思科以 70 亿美元的天价收购 Cerent 公司为例，后者本身就是由思科前副总裁巴德尔（Ajaib Bhadare）创办的，从事互联网数据传输设备制造，并且在早期得到思科 1 300 万美元的投资。Cerent 的技术和产品显然是思科所要的。事实上，从思科分出来的这些小公司比其他的创业公司更容易被思科收购。因为，一方面这些创始人最清楚思科要什么技术和产品，也最了解思科本身的产品，以便为思科量身定做。另一方面，他们容易得到风险投资的支持，因为风投公司能看得到它们投的公司将来出路在哪里——卖回给思科。所以，在硅谷一些想通过新兴公司上市或出售发财的人，当看不准哪个公司有发财相时，简单的办法就是加入那些思科人，尤其是思科高管和技术骨干开的小公司。这一招在千禧年的前几年颇为灵验，当然这些弄潮儿也得让人家看得上。

在思科，人们经常会遇见自己"二进宫"甚或"三进宫"的同事。一个员工因为转到思科支持的小公司，从名义上讲暂时不算思科员工了，但是随着思科收购那家小公司，这位员工再次"加入"思科。他出去转了几年，回到原来的位置，却已腰缠万贯。

思科通过这种做法，基本上垄断了互联网路由器和其他重要设备的技术。因为一旦有更新更好的技术出现，思科总是能有钱买回来。如果说微软是赤裸裸地直接垄断市场，那么思科则是通过技术间接垄断了互联网设备的市场。在一般人印象中，硬件制造商的利润不会太高，但是思科的毛利却高达 65%，不仅在整个 IT 领域大公司里排第二位，仅次于微软的80%，而且远远高于一般人想象的高利润的石油工业（35%）。这种高利润只有处于垄断地位的公司才能获得。

大家也许会问，既然思科这种办法证明有效，为什么别的公司学不来。当然这一方面是因为并非所有公司的领袖都有思科 CEO 约翰·钱伯斯的胸怀和远见卓识，更重要的是思科的基因使然。思科自己的创建就是用到了两个创始人的职务发明。斯坦福大学当时虽然很想独占"多协议路由器"

的发明，但是最终很开明地和两个发明人共享了这项技术。当然思科上市后，波萨卡和勒纳向斯坦福捐了很多钱，除此之外，斯坦福还拥有很多思科的股票，因此斯坦福与波萨卡和勒纳通过思科实现了双赢。正是如此，思科能做到宽容员工用自己的职务发明开办公司。另外，思科员工的发明，一般很难单独成为一种产品，而必须应用到现有网络通信系统或设备中，因此它们最好的出路就是卖给思科。所以，思科倒是不怕这些小公司将来翻了天。

托尔斯泰讲，幸福的家庭都是相似的，不幸的家庭各有各的不幸。在信息产业中，这句话要反过来讲，成功的公司各有各的绝招，失败的公司倒是有不少共同之处。思科这种成功的做法，一般的公司是抄不来的。

3　竞争者

如果说微软善于变市场优势为技术优势，思科则是反过来，它通过自己的研发和收购，变技术优势为市场优势。虽然华尔街也曾经把阿尔卡特 - 朗讯和加拿大的北电[3]算做思科的竞争者，但其实这两个以程控交换机见长的公司和思科并不完全处在同一个领域，基本上威胁不到思科。而且思科一家的市值超过其他传统通信设备公司的总和。

思科真正的竞争对手只有一假一真两个。让我们先来看看假的——Juniper Networks。这家公司基本上是思科的影子公司，相当于 AMD 对英特尔的地位。Juniper 的产品定位在高端，而不像思科小到 IP 电话机，大到高端路由器都做。虽然 Juniper 是在产品上和思科最相似的公司，但是它的营业额只有思科的 8%，2010 年两家分别为 40 亿和 460 亿美元。这还是在 Juniper 并购了和它规模同样大的防火墙厂商 NetScreen 公司以后，而它的市值仅为思科的 1/5，两家分别为 200 亿美元和 1 000 亿美元。何况思科账上有 400 亿美元的现金，无需交换股票，用现金就足以买下 Juniper。思科留着这个竞争对手主要是出于反垄断的考虑。因为有了 Juniper，思科省了很多反垄断法带来的麻烦。而且，美国很多政府部

3
2009 年 1 月 14 日，北电网络以及旗下子公司同时在美国和加拿大申请破产保护。北电 2008年第三季营收锐减14%，亏损达 34 亿美元，2009 年 1 月13 日纽约证券交易所（NYSE）收盘价已跌至 0.32 美元。

门和大公司在采购时要求必须从两个以上的厂家中挑选，因此，思科为了做生意也必须允许 Juniper 的存在。否则，以思科手上的现金，就可以把 Juniper 买两次。虽然 Juniper 宣称自己存在的理由是技术好，但是，它这些年的增长并不比思科更快，更深层的原因是思科必须放它一马。

思科真正的对手是中国的小弟弟华为公司。作为中国民族工业的代表，华为在中国几乎家喻户晓，虽然大部分人并不关心它做的路由器产品。因此，在这里也就不用赘述华为的故事和成功经验了。作为一家民营企业，华为虽然得到了政府的一些帮助，但是，它能够发展起来在于它创办之初就定了一个高起点，并得益于私营企业的高效率和员工的勤劳。华为公司比思科成立晚 4 年，比 Juniper 早 8 年。华为创办时起点就很高，当时原邮电部下面的一些研究所还在和 AT&T 等跨国公司谈二流技术的转让和合作，任正非直接就定位当时国际上最先进的技术，并且短短几年就开发出了当时具有国际先进水平的 08 程控交换机。2006 年，华为的销售额已经达到 650 亿人民币，合大约 90 亿美元，是 Juniper 的两倍。2011 年它的销售额猛增到 317 亿美元，和年收入 324 亿美元的爱立信公司几乎相当，成为全球第三大电信和网络设备公司，并且已经和思科站在一个数量级上。值得一提的是华为销售额的 2 / 3 来自海外，这和中国国内房地产销售因泡沫经济而虚高有很大的不同，因为前者是实实在在的业绩。因此，华为已经成为思科在世界上主要的竞争对手。

虽然目前华为的市场占有率按营业额计算只有思科的三分之二，但是前途不可限量。这不仅因为华为在以比思科更快的速度发展，更重要的是华为将思科拖入了"中国制造"效应的阴影中，这是后者极不愿意的。我们在以后会专门讨论"中国制造"的效应。它基本的影响是，一个原本只能在北美和欧洲生产的产品，经过一段时间则可以过渡到日本和韩国，进而落脚于中国。欧美公司能赚钱的时间只有从美国到中国这段时间，以前这段时间可以长达数十年，现在只有几年。一旦一种产品可以由中国制造，那么它的利润空间就会薄到让欧美公司退出市场。现在，思科和华为的竞争就是在这种阴影笼罩下。因为华为已经可以生产和思科匹敌但是价格便宜许多的低端网络设备，因此，思科相应产品的利润已经被华为封顶。思科内部存在一个和IBM类似的问题，一些部门虽然毛利率相比整个行业并不低，但是扣除研发、市场和管理等费用，就成为亏损部门。在华尔街的压力下，它不得不放弃这些低利润的产品。当然，思科在高端产品和新产品上的优势是华为短期内无法相比的，但是，如果一家公司只剩下高端产品，那么它就再也不能成为全行业的垄断者。

令思科烦恼的是，华为这个曾经的"小公司"追赶自己的速度快得惊人，这主要是因为华为比思科灵活得多。在思科，一个产品从立项、设计、开发到测试，然后上市，每一个过程都严格而复杂，而华为相对简单得多。这种现象不仅存在于思科和华为的竞争中，也反映在很多跨国公司和中国本土公司的竞争中，包括互联网行业。跨国公司采用相对保守的策略是合理的，它们只要做到比其他跨国公司发展得更快就可以了，但是千万不能出错，这样，华尔街最满意。但是，当它们遇到不按常规出牌的公司，以前是日本的，现在是中国的公司时，就显得跟不上节奏了。按照华为和思科现在的速度发展下去，五年内华为的营业额可望超过思科，成为全球最大的电信和网络设备公司。

华为可能是中国目前在IT行业唯一可以和世界上的行业老大竞争的公司，这很大程度上是因为华为从公司结构和经营上已经和美欧上市公司没有什么差别，同时华为有一位了不起的统帅任正非。任正非，作为一个创造者和巨人（Builder and Titan）2005年被《时代周刊》评为世界上100个最有影响力的人物。他不仅是中国唯一作为创造者和巨人上榜的人，也是全世界除美国人以外绝无仅有的几个人之一。华为唯一要注意的是应避免亚洲家族企业从兴到衰的宿命。

当然，华为近期还不可能动摇思科的根本。这一两年得益于互联网公司的兴起，思科已经走出了2001年的谷底，销售直线上升。这里，我们再一次看到安迪－比尔定律的作用。在互联网行业，服务型公司Google和雅虎等会先起步，然后带动网络设备公司的业绩。从股票表现看，从

2003 年到 2010 年 Google 的股票率先增长，思科和 Juniper 公司有些滞后，从 2006 年起开始恢复。我们从图 8.3 中可以看到，思科（深色 CSCO）的股票走势和 Google（浅色 GOOG）的非常相符。

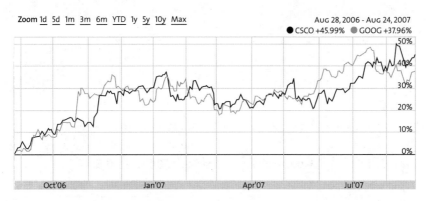

图 8.3　思科与 Google 公司的股票走势（数据来源：Google Finance）

相反，思科和传统电信业则不太符合。图 8.4 是思科和电信业巨头 Verizon 的股票走势对比。

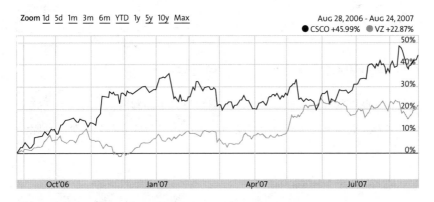

图 8.4　思科和 Verizon 公司的股票走势（数据来源：Google Finance）

即使在更长的时间段里，这种趋势依然很明显。如果从 2010 年往前倒推 5 年，思科（深色 CSCO）和电信移动服务商 Verizon（浅色 VZ）的股票走势依然不符合，见图 8.5。

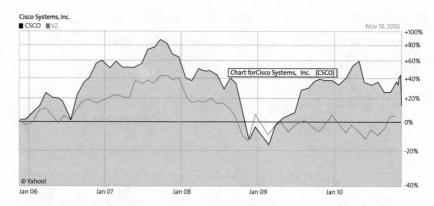

图 8.5　思科和 Verizon 公司 2006–2010 年股票走势（数据来源：Google Finance）

而同时期，思科和 Google 的股价走势却比较吻合，见图 8.6。

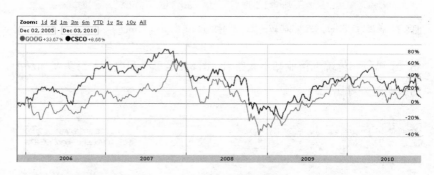

图 8.6　思科和 Google 公司 2006–2010 年股票走势（数据来源：Google Finance）

目前，互联网的发展依然方兴未艾，只要思科不做蠢事，今后几年它完全可以乘着互联网第二次革命的浪潮顺利地发展。但是，再往后会怎么样呢？

4　诺威格定律的宿命

Google 研究院院长彼得·诺威格博士说，当一家公司的市场占有率超过 50% 以后，就不要再指望在市场占有率上翻番了。这句话在信息产业界广为流传。这是一个很朴素的道理，但是常常被一些公司领导者忽视。在互联网泡沫时代，太阳公司占有了绝大部分工作站市场，市值一度超过一千亿美元。但是，它还在盲目扩大，试图在工作站和服务器上进一步开拓市场，结果，一旦经济进入低谷，工作站和服务器市场迅速收缩，即使它占到 100% 的市场份额也无济于事。事实上，太阳公司的市值在互联网泡沫破碎后，一下就蒸发了 90% 多。

思科公司现在面临同样的问题。即使它占据了全部的路由器市场，也很难使公司再成长一倍。而且，由于反摩尔定律的作用，它的营业额并不能因为多卖了一些设备而成比例地提升。因此，除非它能开拓出新的市场，否则会成为下一个朗讯。要摆脱诺威格定律的宿命，就必须找到和原有市场等规模，甚至是更大的新市场。

思科的舵手钱伯斯很早就未雨绸缪了。思科是最早大强度投入 VoIP（Voice over IP），即用互联网打电话业务的公司。它收购了这个领域颇有名气的 Linksys 公司，并且通过 VoIP 电话进入了固定电话设备市场。思科还为这种基于 IP 的电话注册了 Iphone 商标，并且是在苹果之前。因此苹果出了 iPhone 后，在名称上和思科的产生了冲突和法律纠纷。最终苹果从思科手里买下了 iPhone 的名称，当然这是题外话了。今天，包括腾讯在内的无数公司，用的都是思科的 VoIP 电话。同时，思科进军存储设备和服务业务，并且也收购了一些相应的公司，为它的 VoIP 战略做策应。以前，在电话时代，世界上的信息通信主要依靠电话线，每个人或家庭在那个时代的标志就是电话号码。当然这些电话线不是乱七八糟搅在一起，而是通过交换机连接的。到了互联网时代，更多的信息是通过互联网传播的，正如在前面语音通信和数据通信量对比图中所反映的那样。这时，每个人和家庭的标志是 IP 地址[4]，当然，网络路由器代替了原来程控交换机的地位，思科也代替了朗讯的地位，事实上，由于现在互联网的带宽远远超过了过去电话网络的带宽，因此，通过互联网传递语音是轻而易举的事。这样从理论上讲，世界上就不需要传统的电话网了，一切可以通过互联网进行。思科公司的 IP 电话已经在很多公司使用多年，但是在全世界普及还需要时间。首先，有一些技术问题要解决，比如 IP 电话机的成本要远远高于普通电话，而且它要求使用者拥有高速互联网服务。其次，它也受到提供互联网电话服务的 Skype 公司，以及提供类似服务的公司（比如 Google 的 GTalk）的挑战。第三，从商业上讲，

4
虽然目前全球 43 亿个 IP 地址已经分配殆尽，但是新一代 IPv6 的新互联网协议和解决方案却能解决这个问题，届时全球 3.4×10 的 38 次方个 IP 地址完全可以满足全球所有人的需求。

VoIP 电话的数据传输效率并不比现有的固定电话更高。以 Skype 为例，为了保证一个电话语音数据包能及时地传递到对方，它会将该包复制多份通过互联网上的多条线路进行传送，这种霸道的做法比传统电话的传输低效得多。Skype 电话看似便宜，一方面是 Skype 滥用了互联网免费这一点，实际上是让铺设互联网的电信公司变相为自己买单；另一方面是传统的电话公司（国际长途）不肯减价，使得它看上去便宜。因此，思科要让 VoIP 电话做到真正比传统电话更经济，让全世界都采用 VoIP 电话，还有很长的路要走。

既然电话能在互联网上传，有线电视当然也可以通过互联网传播。实际上很多家庭，尤其是中国的家庭，是先使用了有线电视，然后才安装了电话和上网服务的。其实，有线电视的线路只需稍加改进就可以用来打电话和上网。其中技术的难度并不大，如果说有障碍，那主要是来自于商业，因为这些联入家庭的电缆控制在有线电视公司手里，而不是电话或电信公司手里。但是不管怎样，从技术上讲一条高速电缆线完全可以处理看电视、打电话和上网这三件事，这一切可以通过类似于 VoIP 的技术来实现。我们不妨来看一看思科为大家设计的远景。这是一个典型的四口之家，晚上上高中的儿子要看橄榄球赛，他回家时球赛已经开赛半小时，不过还是想从头看起。上小学的女儿要看今天同学介绍的最近电视台不会播放的卡通片，父母要看完昨天看了一半的斯皮尔伯格导演的电影。这些要求以前是做不到的。现在好了，儿子在电视机前设置了一下比赛的进度，电视台按晚半小时的进度专门为他传来橄榄球比赛视频。女儿在电视机前搜索到那部卡通片，在遥控器上选择了播放按钮，电视机就开始播放她想看的卡通片了。中间有几个令人害怕的场面，她采用快进功能跳了过去，以前她必须捂着眼睛略过这些画面。父母看电影时从昨天看了一半的地方开始，中间接了朋友的一个电话，他们就让电影暂停 5 分钟，5 分钟后，电视机从他们中断的地方开始继续播放。家里已经很久没有买 DVD 了，因为他们想看的东西在互联网上都有，而且观影效果与电影院的相当。在家接电话时，没有用现在的那种固定电话，而是用一个蓝牙耳机通过家里的网络路由器实现的。看完电影后，女儿要把自己度假时拍的 100 张千万像素的照片传到网上去和同学们共享，她只等了两分钟就完成了。我 2007 年在谷歌黑板报上写这一章时曾经这样预测：

> 这些，以前想都不要想，现在由于宽带互联网的飞速发展和 VoIP 及类似技术的出现，在 10 年以内应该就能成为现实。

现在看来这个预测不仅能实现，而且比我想象的要来得快的多。时隔五年，2012 年 7 月 Google 宣布将在美国一些城市开始提供美国家庭 1G 网速的宽带服务，将有线电视、电话和互联网统一起来。即使最终考虑成本因素将这个速率降 10 倍，每个家庭上网的速度也将达到现在 DSL 的几十倍，即每秒钟 100 兆比特（100Mbit/s），就可以同时收看三部高清晰度电影，每部需要 25Mbit/s 的带宽，剩下的 25Mbit/s 可用于电话、浏览互联网、玩游戏、上传下载照片等。由于每家每户都有自己的 IP，因此传媒公司可以根据 IP 为每个家庭提供不同的节目。由于互联网的交互性，用户可以自己控制影视节目的播放，一部电影今天看不完可以明天接着看，漏掉一段新闻可以重播，一场球赛因为时间不合适可以另找时间补看。这些节目无须录下来存在自己家里，而是放在网络存储服务器上。

在这样一个宽频的互联网世界里，一切通信都通过 X over IP 来实现。那么思科又将在其中扮演一个什么角色呢？首先，它现有产品的需求量会继续增长，而且，思科的一些现有市场还不大的产品比如网络存储服务器，需求量将大大增加。因为要通过互联网技术来提供家庭的娱乐服务，就必须将影视的内容存储在本地的一些存储服务器上。

在 VoIP 和网络上影视传输设备领域，思科最有可能成为这个市场的领头羊，这样它就可以在互联网浪潮之后，再次赶上宽带通信革命的浪潮。往更长远看，整个互联网的发展方兴未艾，各种商机还非常多。例如，超级数据中心和云计算的出现，要求超高速的交换机；而 IPv6[5] 的启动和推广为思科提供了至少 10 年的新的发展机会。思科如果能走 IBM 的道路，即不断淘汰利润不高的低端产品，将市场主动让给华为等"中国制造"的公

5

现在的互联网 IP 地址是 4 个字节，共 32 位，称为 IPv4。由于它只能支持 43 亿个 IP 地址，现在基本上用完了。今后的 IPv6 的互联网地址是 16 个字节共 128 位，它可以支持 3.4 ×10 的 38 次方个 IP 地址。

司，保守地开拓新领域的成长点，就有可能做到长盛不衰。否则，如果它一意固守现有的市场，则很难摆脱诺威格定律的宿命，不幸成为下一个朗讯。不过从思科近几年的表现来看，它领导宽带和云计算革命的可能性并不大。

结束语

思科无疑是互联网高速发展的见证者。它对于互联网的重要性相当于AT&T 对于电话的重要性：因为它为互联网提供了最重要的设备——路由器。所不同的是，AT&T 经过 100 年才达到顶点，而思科走完类似的历程只经历了 20 年。从这里我们可以看出，在二战后，科技的发展呈加速态势。然而发展得太快的副作用是，思科也因此过早地进入了平稳而缓慢的发展期。

为了防止自身患上不思进取的大公司病，思科采用了内部创业的独特方法，并且屡获成功。但是，这依然无法让思科摆脱中国制造的阴影。中国的华为不仅在低端产品上获得了成功，也渐渐进入中高端市场。今天，华为正在成为思科在全球的主要对手，并且还有可能成为中国第一家全球性 IT 公司。

思科大事记

1984   思科公司成立。

1986   思科推出第一款多协议路由器产品。

1990   思科公司上市。

1995   钱伯斯担任思科 CEO（至今），开创了思科王国。

2000   思科发展达到高潮，垄断了多协议路由器的世界市场；当年思科市值一度超过微软成为全球价值最高的公司，思科股票一天的交易额一度超过整个上海股市。

2001   随着互联网泡沫的破裂，思科业绩急速下滑，股价下跌 80% 以上，公司有史以来第一次裁员。

2003   思科在 VoIP 等领域快速发展，公司重回上升轨迹。

2011   由于思科业绩长期停滞，外界要求钱伯斯辞职的声音越来越高。同年，思科开始大规模裁员。

第9章 英名不朽

杨致远、费罗和雅虎公司

一百年后，如果人们只记得两个对互联网贡献最大的人，那么这两个人很可能是杨致远（Jerry Yang）和戴维·费罗（David Filo）。他们对世界的贡献远不止是创建了世界上最大的互联网门户网站雅虎公司，更重要的是制定下了互联网这个行业全世界至今遵守的游戏规则——开放、免费和营利。正是因为他们的贡献，我们得以从互联网上免费得到各种信息，并通过互联网传递信息，分享信息，我们的生活因此得以改变。也许一百年后雅虎公司会不复存在，但是人们会把他们俩和爱迪生、贝尔及福特相提并论。

1 当世福特

是谁发明了现代内燃机汽车，这个问题的答案至今有争议。因为，德国的戴姆勒和奔驰率先发明了使用内燃机的汽车，不过是三个轮子的。二十九年后，美国的福特发明了 T 型车，即今天汽车的雏形，因此有些人认为福特是汽车的始祖。在这个问题上，美国人和德国人都倾向于维护自己的祖先。公平地讲，奔驰发明汽车早于福特，但是福特是真正开创世界汽车产业并让汽车进入千家万户的人。奔驰和戴姆勒，以及德国另一个汽车业先驱迈巴赫（Maybach）是为富人制造汽车的。现在已属于戴姆勒－奔驰公司的迈巴赫更是比劳斯莱斯还贵的汽车。英国的汽车业先驱罗尔斯和罗伊斯（Rolls and Royce，即劳斯莱斯的两个创始人）更是把汽车做成奢侈品。即使到了 20 世纪 30 年代，500 美元一辆的福特汽车已经进入千家万户，德国著名汽车设计师保时捷博士仍然立志于打造最完美的而不是大众化的汽车。如果不是福特做到了让汽车成为老百姓买得起的商品，汽车产业的发展可能会滞后很多年。因此，把福特当作汽车产业的第一人一点也不过分。

一个产业早期领导者选定的商业模式对这个产业的作用几乎是决定性的。雅虎不是第一家从事互联网服务的门户网站，美国在线的网络业务在雅虎开始以前就有了，和雅虎类似的 Excite 比它稍早一些，Lycos 和 Infoseek 与它同时。但是，雅虎是确定互联网行业商业模式的公司，并且是主流免费门户网站的真正代表。如果不是雅虎，互联网很可能像汽车一样在相当长时间里只是有钱人的奢侈品。

互联网早在雅虎出现以前就存在了 10 年，它最初是由美国自然科学基金会出钱，为美国大学的教授和在校学生提供的特权。互联网上免费的内容少得可怜而且杂乱无章，而访问一些联网的数据库费用则高得惊人，而且要按每次搜索计费。在中国，教授和研究生们在查询国外论文以前，要专门学习如何选择关键词、作者名、领域名称，以便用最短的联网时间、最少的搜索次数找到自己想要的东西。随着通信事业的发展，互联网向公众开放成为不可阻挡的潮流。虽然以前在校的学生和教授上网是免费的，但是美国自然科学基金会和各国政府不可能替所有的使用者买单。而且一项事业要飞速发展不可能光靠政府投资，得靠全社会的力量。因此，当互联网开始面向公众时，用什么商业模式维持互联网运营的费用就决定了互联网的发展方向。

当雅虎还在斯坦福大学的实验室里时，美国在线已经开始发展它的付费拨号用户了，它像收电话费一样，每月 20 美元外加一些莫名其妙的费用，比如不打招呼就从你的信用卡上划走 50 美元，然后给你寄一本没用的书。即使如此，美国在线在互联网初期阶段发展得很快，它至今还有几千万用户。在中国，我的同学龚海峰等人办起了一个中国版的美国在线——东方网景。按这种模式发展下去，互联网很难得到迅速普及。有线电视比互联网早发展几十年，但至今（2010 年）全世界只有 4 亿有线电视用户，不到互联网用户的 1/4（到 2010 年底全球互联网用户数为 19 亿，参见 *http://www.internetworldstats.com/stats.htm*）。即使经过很多年，互联网采用美国在线的商业模式发展起来，它至多不过是家庭的第二种电话，很难带来以后的商业革命。美国在线这种商业模式不是孤立的，至今，AT&T 和 Verizon 还企图像控制电话网一样控制互联网。很幸运的是，有了后来的雅虎，美国在线那种像发展有线电视那样发展互联网的做法就没有了市场。雅虎及其追随者们，不仅把互联网办成了开放、免费和营利的，而且刺激了电子商务的诞生。

为什么雅虎能够把互联网办成开放和免费的呢？因为它的创始人杨致远和费罗一开始搞互联网就不是为了营利，而美国在线进军互联网时明确地要挣钱。作为斯坦福大学电机工程系博士生的杨致远和费罗本来不是学习网络的，但他们和另一个同学搞起雅虎完全是出于对互联网非比寻常的兴趣。1994 年，3 个人趁教授去学术休假一年的机会，悄悄放下手上的研究工作，开始为互联网做一个分类整理和查询网站的软件，这就是后来雅虎的技术基础。这个工具放在斯坦福大学校园网上免费使用，互联网用户发现通过雅虎可以找到自己要去的网站或有用的信息。这样，大家在上网时，先访问雅虎，再从雅虎进入别的网站。门户网站的概念从此就诞生了，雅虎的流量像火箭一样上窜。网景公司发现这个现象以后，便来找雅虎合作，网景公司在自己的浏览器上加了一个连到雅虎的图标，这样，雅虎的流量增长得就更快了。很快，斯坦福大学的服务器和网络就处理不了日益增长的流量了，只好请杨致远和费罗等人把雅虎搬走，这时，网景公司送了雅虎一台服务器，雅虎公司就正式成立了，这是 1995 年的事。另外说句题外话，当时和杨致远、费罗一起做雅虎的第三人，这时拿不定主意，也许是他觉得他们三个人趁老板不在私自搞起雅虎已经有点不太合适，再退学去办公司就更不合适了，于是选择了留在学校。如果将世界上最郁闷的人排个队，他一定名列前茅。正如我们在前言中所说，一个人一辈子赶上一次大潮就足以告慰平生了，但是他却在机会面前失之交臂。

有了独立的公司，经费就是一个问题。杨致远找到了红杉资本，就是投资思科的那家风险投资公司，并成功地融资 200 万美元。几年后，红杉资本又成功地投资 Google。和美国在线不同，雅虎所有的服务都是免费的，它在网络泡沫破碎以前，甚至在美国主要的都市提供免费的拨号上网服务。雅虎为全球用户提供免费的电子邮件业务，虽然它后来的 CEO 塞缪尔试图对邮箱收费。雅虎的搜索引擎（采用 Inktomi 的技术）和网站目录向全世界开放，无条件地为全世界的网页建立索引。而此时，美国在线却采用了电话公司注册索引词的方式来查找公司。（有些读者也许并不熟悉美国的电话号码注册方法，即一个公司为了方便消费者记住自己的电话，常常用公司的名称做电话号码，比如 AT&T 的服务电话是 1-800-CALL-ATT，用户可以通过电话键盘上的字母对应出数字，即 1-800-2255-288。一个公司要取得这个和自己公司名字相同的号码，必须向电话公司购买。）过去使用美国在线的用户不仅必须记住公司的网址，还得记住它们在美国在线的注册词，直到美国在线 2002 年采用 Google 的搜索引擎为止。如果我们将互联网产业和微机产业做一个对比，那么美国在线相当于封闭的苹果，而雅虎相当于微软，电话公司则相当于微机硬件厂商。美国在线同时扮演微机制造商和操作系统制造商两个角色，因为在它看来，门户网站要挣钱就必须收取上网费，如同软件必须通过硬件挣钱一样。而雅虎只是把互联网的门户做好，上网费交给电话和宽带公司去挣。在 Google 成为主流搜索引擎以前很长的时间里，大量的用户通过雅虎这个门户访问互联网，因此门户网站在某种程度上起到了操作系统的作用。事实证明雅虎是对的，由于反摩尔定律的作用和竞争的影响，上网费这笔钱是越挣越少，就如同微机厂商的利润越来越薄一样，而门户网站（后来过渡到搜索引擎）的钱却越挣越多。

雅虎这种开放和免费的商业模式，使得雅虎的流量呈几何级数增长，两百万美元很快就花完了。雅虎再次从日本最大的风投日本软银（SoftBank）融资，软银开始只占了雅虎股份的 5%，但是后来它在雅虎快上市时，发现这家公司前途无量，强行将股份占到了近30%[1]，并且在雅虎上市后，它没有抛售而是增持雅虎的股票，一度占了雅虎近40%的股份，成为雅虎第一大股东。顺便提一句，软银也是中国阿里巴巴公司的投资人和第二大股东。1996年，成立仅一年的雅虎在纳斯达克挂牌上市，当天股价从13美元暴涨到33美元。各大媒体争先报道了雅虎上市的盛况，雅虎一下成了互联网的第一品牌。而杨致远和费罗也双双进入亿万富翁的行列。

雅虎的做法为全世界互联网公司树立了榜样。Excite、Lycos和Infoseek等公司纷纷效仿雅虎的做法，一年中，各种门户网站相继出现，两年后，中国的三大门户网站搜狐、新浪和网易也成立了。而同时，采用美国在线商业模式的东方网景开始亏损并被出售。1994-2000年，可以说是互联网的大航海时代。各类网站相继出现，从政府部门、学校、公司到个人都在建立自己的网页，原来通过各种报纸传递的信息，通过网页以更快的速度传播开来。互联网上的内容呈几何级数增加，人类真正进入了信息爆炸的时代。作为大航海时代首先发现新大陆的雅虎，在这次革命中功不可没。首先它订下了互联网这个行业的游戏规则——开放、免费和营利（这一点我们下面要专门讲），制止了美国在线和同类公司试图把互联网办成另一个电话网的企图，这种模式刺激了电子商务的出现。其次，如我们在前面介绍微软时所提到的，雅虎成功地阻击了微软垄断互联网的企图，使得互联网大大小小的公司可以不依靠其他IT公司而独立生存和发展。

2　流量、流量、流量

在2000年，如果要问"什么对互联网公司最为重要"，百分之百（而不是百分之九十九）的人都会回答"流量"（traffic）。如果再问什么第二重要，得到的回答是一样的，还是"流量"。直到今天很多人对这个问题的答案依然如此。2000年，所有的网站都在关心每天吸引多少人来上网，上网时在这个网站上总共花了多少时间，而不是每天挣了多少钱。现在我

[1]
雅虎的上市报告
S1, www.sec.gov。

们知道，这显然是对流量的误解。追求流量应该是互联网公司营利的手段，而不是目的。但是，当时全世界对互联网的理解都是如此。为什么当时互联网公司只注重流量呢？这得从雅虎的商业模式和它早期的成功说起。

虽然杨致远和费罗在斯坦福创办雅虎时没有过多考虑如何挣钱，而是把精力放在了怎么把雅虎办好上，但是当雅虎成为一个独立的公司时，杨致远就不能不考虑这个问题了。这不仅仅关系到雅虎是否能发展下去，更关系到整个互联网免费的午餐是否行得通，因为最终必须有人为互联网的运营和发展买单。我们已经提到了，这笔钱不外乎有三种来源，第一是靠政府，其实就是靠税收。这样做看上去是可以免费，但是实际上不管是否上网，每个纳税人都要掏腰包，而且可能要掏的钱不少；况且政府机构办事一般都要比私营公司成本高、效率低。第二是靠每一个上网的人，按时间计费，这实际上就是美国在线的做法，它把互联网变成了另一个电话网。第三个办法就是把互联网自身从最初的非营利性质变成为营利的，刺激电子商务的发展，从电子商务和广告中挣钱来维护和运营互联网，从而做到用户上网免费，这就是互联网泡沫破碎前人们所说的"互联网的免费午餐"。现在证明了，第三条道是能走通的，虽然在 2000 年后互联网遇到一些短期困难时，全世界都在怀疑它能否真的做到免费。

杨致远是一位技术和商业兼修的人才，他很快想到了通过为大公司做广告挣钱的好办法。在美国，整个广告市场规模大约是一年 1 800 亿美元，也就是说花在每个美国人身上的广告费高达 600 美元之多。Google 前 CEO 施密特甚至在 2011 年 2 月说到 2020 年互联网展现广告（Display Ads）的市场本身就有 2 000 亿美元[2]，雅虎的主要收入恰恰来自展现广告。在美国，一个商家吸引一个新客户的成本高达 10 美元左右。传统的广告业是按每一千次显示收钱的。比如在报纸上做一版广告，每一千次收费 500 美元，报纸的发行量为 100 万份，那么广告公司就得付给报纸 50 万美元。在电视、杂志上做广告也是如此。在美国，报纸的订费只占报社收入的小头，广告费是大头，有些报纸甚至是免费的。杨致远完完全全照搬了报纸等传统媒体广告的商业模式，即免费服务，然后用广告费养活自己

2
参见: http://www.
adweek.com/aw/
content_display/
news/digital/e3i22
cff3c9b4b3662c1d
8de229d38788fc#
或者 www.twitter.
com/googledisplay。

并发展。在报业，发行量最重要，换到互联网行业，就变成了网站的流量。在互联网发展的初期，网站的流量严重不足，即使今天，雅虎首页的广告版块也供不应求。因此，把流量做上去成了雅虎的首要目的。要想让网站的流量提高，关键是要有好的内容，能吸引用户。雅虎在很长时间里就是这样做的，它一心一意地把自己办成互联网上最好的媒体，外界也一直以一个媒体公司看待雅虎，这显然是一条正确的道路。随着流量的增长，雅虎的营业额也以前所未有的速度增长。从 1996 年到 2006 年，雅虎的营业额增长了 260 倍，从 2 000 多万美元增长到 60 多亿美元，如图 9.1 所示。而同期，IBM 和微软的营业额分别增长了 20% 和 10 倍。这也就是为什么直到 2006 年，华尔街一直追捧雅虎的原因。

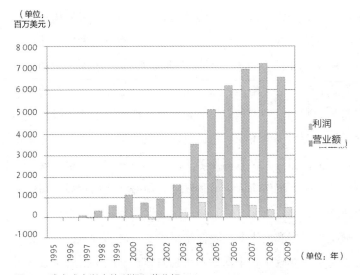

图 9.1　雅虎成立以来的利润和营业额

当然要想超过华尔街的预期，就必须以更快的速度提高流量，这已经是雅虎不可能依靠自身发展做得到的了，因此它开始收购流量大的公司，比如1999 年，雅虎收购 GeoCities 是 36 亿美元股票交换（后来雅虎股票跌了点，实际交割时少了一点点。），另外 10 亿美元的期权最后是打了水漂。

所有互联网公司都看到了流量的重要性，并且很快都复制了雅虎的商业模式。但是，这些二三流互联网公司却没有一个能像雅虎那样盈利。当时大家还没有意识到"不是所有的流量都是平等的"。2000 年以前，电子商务实际上销售额并不高，能拿出的广告费少得可怜。因此，互联网的广告费只能来自世界 500 强大公司的"品牌"广告费。在广告业，做品牌广告有个不成文的约定，非常讲究门当户对，即拥有一流品牌的公司必须在第一流的媒体上做广告，即使一个二流媒体有着同样的受众群，一流公司也不会在上面做广告，因为那会影响自己的品牌。所以，那些一流品牌永远不会在二三流网站上做广告。这种结果导致了 2000 年以前除了雅虎外，几乎没有什么公司挣到了品牌广告的钱。至今，像宝洁公司虽然每年花 70 多亿美元做品牌广告，但是从未在二流网站上花过一分钱。

本来，办公司是为了盈利。松下幸之助说过，一个产品如果不能盈利，就是对人类的犯罪，因为它浪费了人力和物力，它们原本可以用在更有意义的事情上。在上一次互联网泡沫的疯狂年代，松下这种睿智而朴素的观点被看成是过时的了。无数风险投资的钱投到新兴的互联网公司中，不管这些公司是否有前途。绝大多数公司根本不可能盈利，它们的创始人甚至没有打算让它们盈利，他们第一考虑的是如何获取风投投资，第二是如何卖给一个冤大头的下家。稍微负责一点的创始人还考虑怎么也要创造出一点产值，但是大多数创业者连产值都不考虑，觉得只要有了流量就有了一切，今天仍然有人持这种观点。网络泡沫破碎后，葛优主演了一部电影《大腕》，里面反映了当时这种误解和狂热。影片中一位搞网站的人疯了以后还和别人吹只要流量上去了，网站就值个几百万。对流量的片面追求，导致了各个网站不重视内容，互联网上的垃圾网页迅速泛滥。在整个互联网广告的总收入没有大幅提高的情况下，流量的增加只能导致每一千次浏览能挣的钱越来越少。各个网站在亏损后，不是去提高内容的质量，而是更加疯狂地插入广告，并且发明了弹出式广告，试图从不大的在线广告市场中分到相对大的一份，这样就陷入了一种恶性循环。个别冷静的投资大师包括巴菲特发现这种趋势越来越背离了经济学的原理，但是他们的声音在互联网泡沫的喧嚣声中轻微得听不到。一些所谓的经济学家和投机者鼓吹所谓的网络时代新经济，为这种反常现象寻找理论基础。雅虎开始的发展还很理性，但是到了 2000 年前后，也加入到疯狂者的行列。我们没有看到 2000 年以前雅虎在技术上有什么投入，有什么创新，倒是看到很多疯狂的收购。1999 年，雅虎以 50 亿美元的高价买下了现达拉斯小牛队老板马克·库班（Mark Cuban）的 Broadcast.com 公司。该公司以后每年只为雅虎创造出 2 000 万美元的产值，更不用说是利润了。即使其利润率为 100%，雅虎也要等 200 年后才能收回成本。这些现在看来是再荒唐不过的事，当时大家都觉得很正常。最过分的是一个找工作的网站叫 College Hire，即大学招聘的意思，只要你将你的简历登到它的数据库中，就可以得到 100 美元的亚马逊礼品卡。雅虎对网络泡沫的形成起到了推波助澜的作用。虽然它自己没有直接烧投资者的钱，但是无数小网络公司都是靠烧钱在维持的，这如同抱薪救火，薪不尽火不灭。到 2000 年美国大选后，终于没有新的投入进来了，互联网泡沫应声而灭。雅虎公司虽然和这些烧钱的公司不同，但是也受到巨大的冲击，它的营业额有史以来第一次下降，市值蒸发了 90%。

雅虎一开始就很重视互联网公司的营利问题，它通过增加流量提高营业额的做法也是对的。但是，人们对整个互联网的狂热不是雅虎能控制得了的。大量片面追求流量的公司的出现，使得流量变得很不值钱，而且差点毁了整个互联网开放和免费的模式。好在雅虎的基础很好，它度过了艰难的 2001 年，第二年就开始复苏了。

3 成也萧何，败也萧何

在雅虎的复苏过程中，两个人起了关键的作用，新任 CEO 特里·塞缪尔（Terry Semel）和首席财务官苏珊·德克尔（Sue Decker）。德克尔女士虽然年纪不大，在华尔街却已颇有名气，她可以称得上是一位控制预算的专家。2001 年，雅虎出现了亏损。这一年，百分之九十几的互联网公司都维持不下去了。雅虎如果不能很快扭亏为盈，前景也很渺茫。德克尔用一种简单而有效的方法使雅虎度过了难关。她对公司所有项目按照投入产出比排一个序，责令那些亏损的项目按期扭亏为赢。在这期间，公司对那些项目不再投入，这实际上就是让那些项目死掉。期限一到，德克尔就毫不犹豫地裁撤掉那些项目。雅虎的在线支付、竞拍、购物等项目就是那时裁撤掉的。德克尔的这种休克疗法马上控制住公司的预算，完成了节流。接下来开源的任务就交给了新任 CEO 塞缪尔。

塞缪尔原来是时代华纳公司下属的华纳兄弟电影公司两个共同 CEO 之一，从资历上看，他对技术并不擅长，可能不足以胜任互联网领袖雅虎公司 CEO 的职务，后来的事实证明了这一点。但是，雅虎的董事会看上了他在传统媒体公司的经验，高价聘请他来主持雅虎的工作。在很长时间里，雅虎一直视自己为传媒公司，而不是简单的互联网公司（在美国称为 DotCom 公司）。总的来讲，塞缪尔的思维基本上停留在传统传媒行业。他刚到雅虎时，对互联网公司如何增加收入没有明确的方向，只是按照传统传媒公司所有服务都收费的做法，开始对雅虎的各项服务设计收费方法，比如 100MB 的收费电子邮箱。即使在雅虎已经盈利不错的 2003 年，他还试图向被雅虎索引的网站收费。幸好他这种破坏杨致远和费罗让网络开放和免费的初衷的想法最终没有实施。这时，塞缪尔抓住了一个偶然的机会，为雅虎开辟了新财源。

当时维持不下去的 GoTo 公司变身成了 Overture，想出了一种在搜索结果中竞价排名的方法。Overture 自己不提供搜索服务，就找到了雅虎。塞缪尔正不知道怎么从搜索的流量中挣钱，就抱着试一试的心理答应了 Overture。很快，搜索竞价排名给雅虎带来了巨大的财富，精明的塞缪尔已经暗暗决定买下 Overture。但是，雅虎当时只有 80 亿美元的市值，而 Overture 的股价高达 30 亿美元，两家公司合并后，后者要占到近 1/3 的股权，塞缪尔觉得太贵了。两家公司断断续续谈了很久没有结果。但是，塞缪尔已经决定进军搜索市场，他当机立断抢在微软明白过来以前，以极低的价钱买下了被 Google 打得奄奄一息、但是仍然有完整的搜索引擎并为 MSN 服务的 Inktomi 公司。微软的傲慢使得自己丧失了进军互联网的良机。雅虎购买 Inktomi 时还有一个小插曲。据雅虎的员工讲，2002 年的一天，雅虎的员工突然听到窗外一阵喧嚣，大家挤到窗口一看，来了一辆立了一个大牌子的巨大卡车，上面印着 Google 几个大字。当时雅虎和 Google 还是合作伙伴，雅虎的员工都莫名其妙 Google 来捣什么乱，仔细再一看在 Google 底下有 Inktomi 几个很小的字，还有一句大意是"让我们回来"的话。原来是 Inktomi 的人来向雅虎传递一个在 Google 高压下希望投到雅虎怀抱的信息。不久，雅虎收购了 Inktomi。此时，Overture 买下了老牌搜索引擎 AltaVista，自己雄心勃勃地做起了搜索，但是，在 Google 几次重击下，Overture 的市场份额迅速缩减，股价一落千丈。塞缪尔这时出手，以很低的价格顺利买下了 Overture，从此完成了雅虎独立于 Google 进军搜索市场的布局。2002-2003 年，是互联网产业大洗牌的年代，雅虎用十几亿美元收购了除 Google 和 Ask Jeeves 以外所有的搜索引擎和拥有数十万广告商的 Overture。应该讲，塞缪尔的商业收购是非常成功的。塞缪尔在扩展雅虎新的市场，使雅虎扭亏为盈方面功不可没。依靠搜索广告的收入，到 2005 年，雅虎的业绩达到顶峰，而塞缪尔也成为当时美国收入最高的 CEO。

水满则溢，月盈则亏。一家公司的发展有波峰和谷底，本来是一件很正常的事。但是，雅虎在 2004-2005 年的波峰上呆了不到两个季度就跌入了谷底，作为 CEO 的塞缪尔当对此负主要责任。雅虎的收入主要靠传统的品牌广告和在线搜索广告。前者是媒体品牌的竞争，不仅是 Google，任何网站都无法在这方面和雅虎竞争；后者是技术的竞争，是 Google 的强项。塞缪尔看到搜索广告的前景后，决定在搜索技术上和新起的 Google 一拼，想夺回搜索之王的地位。这种错误的扩张将刚刚复苏的雅虎推到了不必要的危机中。塞缪尔和所有人一样，知道雅虎的搜索和收购的 Overture 广告系统都比不上 Google 的同类产品，因此迅速扩充工程部门追赶 Google，他甚至建立起以研究为主的雅虎研究院，并请来很多专家。虽然工程师们夜以继日地工作，可新的广告系统始终出不来。塞缪尔先后换了三个工程副总裁，最终只搞出来一个让所有人都大失所望的 Panama 广告系统。而在雅虎有优势的品牌广告方面，塞缪尔没有做任何重要的事情。他的盲目扩张，挤压了雅虎的利润空间，并把雅虎变成了一个既不是技术公司，又不是媒体公司的"四不像"怪物。

本来，如果塞缪尔这时候能知其雄守其雌，也不至于让雅虎的业绩持续下滑。他在遇到阻力后，不但没有能够停止无谓的扩张，而是文过饰非，忽悠投资者，犯下了致命的错误，最终断送了自己的职业生涯，也使得华尔街抛弃了雅虎。早在 2004 年，雅虎的盈利增长已经达不到华尔街的预期。它靠大量抛售 Google 股票创造了虚高的盈利，这虽然骗不了华尔街的职业投资者，但是骗得了广大的散户。这样，2005 年雅虎基本上维持了股价。从 2006 年初开始，雅虎抛完了 Google 的股票，业绩下滑，已经达不到华尔街的预期了，如果此时塞缪尔承认雅虎的困难和问题，并且将精力花在雅虎在行的品牌广告上，虽然暂时会有些困难，但是可以保证雅虎长期稳定的发展。可是，塞缪尔每个季度在没有达到华尔街预期的财报出来后，总厚着脸皮讲"我们这个季度又很成功"，然后吹嘘他精心打造的 Panama 广告系统，仿佛这个系统一旦推出，雅虎就能从 Google 手里夺回搜索广告市场，投资者只好一次次相信他。雅虎的股票连着几个季度总是先跌后涨。跌是因为它没达到华尔街预期，涨是因为塞缪尔用虚无缥缈的 Panama 给投资者打气。表 9.1 显示了雅虎 2005–2007 年近 6 个季度财报公布后，股票的走向。

表 9.1 雅虎股票 2005–2007 年近 6 个季度走向

	10 天内下滑幅度	10 天后回涨幅度
07Q1	-15%	13%
06Q4	-7%	11%
06Q3	-7%	19%
06Q2	-22%	18%
06Q1	0%	7%
05Q4	-20%	0%

等到 Panama 延期两个季度终于推出后，雅虎的广告收益根本没有质的提高，塞缪尔又表示该系统需要有一些时间才能见效，一个季度后，雅虎再次未达到华尔街预期，塞缪尔再次表示要半年以上的运行时间才能

看出效果，这时，傻子也能看出其中的问题了。被塞缪尔忽悠了两年的投资者终于忍无可忍，把他轰下台了。颇具讽刺意味的是，在 2003- 2006 年期间，塞缪尔个人从雅虎股票上赚了 4.5 亿美元[3]。2007 年他离职时，还从雅虎拿到了大约价值 3.5 亿美元的股票期权作为奖金。而让 Google 业绩增长上百倍的前 CEO 施密特，在 Google 长期只拿一美元工资，即使在他离职时，也不过拿了一亿美元的股票。

塞缪尔走了，留下一个千疮百孔的雅虎。他的继任者、原首席财务官苏珊·德克尔虽然是一位财务高手，但是她对互联网行业的认识实在难以恭维。她留给所有投资者的一个笑柄是创下了出售 Google 股票的最低价。作为 Google 的投资者，雅虎拥有相当多的 Google 原始股，包括 Google 上市前又给了雅虎 270 万股[4]。德克尔居然以低于 Google 上市价（85 美元）的价钱 82.62 美元在 Google 上市前私下卖给了投资公司。这个低价始终没有人能接近过。这件事本身不仅说明德克尔对互联网市场一点感觉没有，而且作为公司第一把手，她的大局观也很差。出身华尔街的德克尔应该深知投资公司为了降低风险常用的对冲手段。在具体到 Google 的股票上，雅虎的做法应当是持有，因为如果 Google 失败，股票跌到零，雅虎在整个互联网就没有了对手，损失掉 Google 的股票无非是小的局部损失，但赢得的是整个互联网。反过来，如果 Google 股价倍增，说明相对来讲雅虎业绩在下降，这时再卖掉 Google 的股票可以成倍地得到现金，再回来和 Google 竞争（如果雅虎把 Google 的股票持有到 2006 年底，它的价值超过 40 亿美元，这笔钱比雅虎从成立到那时的运营利润总和还多 50%）。雅虎交到德克尔手里，自然是前景堪忧。我们前面提到的 IT 行业浪尖上的公司，除了后来分崩离析的 AT&T，每家都有最优秀的领导人，比如 IBM 的郭士纳，微软的盖茨和鲍尔默，英特尔的格罗夫和思科的钱伯斯。但是，雅虎接替塞缪尔的新掌门人却是这样一位领袖。果然，德克尔的位子还没有坐热就被失去耐心的董事会赶下台，这中间还惹出一桩轰轰烈烈的微软收购案。我们会在后面讲到。

3
参见：http://en.wikipedia.org/wiki/Terry_Semel。

4
Google 的上市报告 S1，参见 www.sec.gov。

4 既生瑜，何生亮

如果没有 Google，几乎可以肯定雅虎今天依然雄霸互联网，即使在搜索
领域，它可能也是王者。很遗憾的是，雅虎有点生不逢时，正当它走出
互联网泡沫崩溃带来的阴影开始回升时，却遇到了当今 IT 界最强悍的对
手 Google。曾几何时，雅虎已经称霸互联网并成功地抗击了微软的进攻，
Google 还只是一家几个人的小公司。但是，公司的大小不能完全保证今
后竞争的结果，而公司的基因起的作用更多。

雅虎和我们前面介绍的从 AT&T 到思科等所有公司都不同，那些公司
无一不是业界技术上的领袖，而雅虎从来不是。我们至今不知道雅虎有
哪一项重要的发明。雅虎自诞生起就一直提供网页搜索服务，但是直
到 2003 年收购了 Inktomi，雅虎自己不曾做过搜索，虽然它的搜索服
务很多人在使用。在雅虎搜索的背后先是 Inktomi 的搜索引擎，2000-
2004 年改成了 Google 的。雅虎崇尚传统媒体的那种手工编辑工作而不
是用计算机自动处理信息。早在 1999 年，我就和雅虎的人探讨过用计算
机对文本自动分类来建立雅虎的目录系统，但是得到的答复是雅虎试过
一些自动的方法，发现总有一些网页分错，于是坚持手工将成千上万的
网站分类。这和技术公司的思路完全不同，一家技术公司，无论是过去
的 AT&T，还是现在的 Google 都会尽可能地采用技术而不是人工来解决
问题，当然所有的技术都有自己的局限性和不足，一家崇尚技术的公司
的态度是解决这些问题而不是倒退到手工操作。至今，雅虎仍然会手工
地调整搜索结果，和 Google 完全用计算机排名不同。

塞缪尔看到了雅虎在技术上的缺陷，试图把它重塑成一个技术公司，
但是这又谈何容易。让它和当今最有活力的技术公司 Google 拼技术更是
勉为其难。Google 对技术的重视是全世界有目共睹的。作为美国工程院
院士的拉里·佩奇和埃里克·施密特，以及 Google 另一个创始人布林本
身就是技术专家。在 Google，工程师的地位非常高，写程序的最高级别
工程师可以享受全球副总裁的待遇，这一点不仅在雅虎办不到，可能世
界上也没有几个公司能做到。世界上没有一家公司不强调对技术的重视，

但是，有的公司是挂在嘴边，只有少数的公司落在实处，Google 显然是后者。一个技术人员是否愿意为自己的公司尽全力，很大程度上取决于他是否得到了重视。重视一方面体现在收入上，另一方面体现在他在公司有多少发言权。当然一家公司总的发言权是个常数，技术部门的发言权大了，有的部门就必然没有什么发言权了。在很多传统的公司，包括雅虎，相对来讲市场部门、产品部门的发言权较大，而工程部门的发言权较小，但是 Google 却相反。为了提高工程师们的工作效率，Google 在很多小事上想得很周到，比如 Google 的每个工程师可以得到两个崭新的 24 英寸的液晶显示器和一台高性能的主机，外加一台最新的笔记本电脑。而我的一个朋友 2006 年加入雅虎时，领到的却是一个屏幕闪动不停的老式显示器，工作效率一下就低了很多。我们在前面介绍微软和英特尔时，看到了转商业优势为技术优势的例子，而 Google 战胜雅虎则是转技术优势为商业优势的范例。

本来，雅虎有自己的强项，它拥有世界上最大的用户群，它的内容做得很好，可以说是互联网传媒方面的《纽约时报》和《华尔街日报》。由于有了这两点，很多世界 500 强的大公司愿意在雅虎网页上投放品牌广告。这点优势是包括 Google 在内的任何网站无法相比的。我们在前面提到，广告业有个不成文的规矩，一流的品牌一定要在对应的媒体上做广告。比如可口可乐永远要找最好的媒体做广告，以表明它是饮料业第一品牌。而 Google 的长处是在搜索结果中做广告，这是针对中小商家的，和雅虎最初的市场没有冲突。本来，雅虎的市场比 Google 大得多，因为品牌广告在广告业中占主导地位，像宝洁和强生这样的公司，一年要花近百亿美元打造自己各种产品的品牌。比如宝洁创出了上百个名牌，包括我们熟知的海飞丝、潘婷、汰渍、吉列、玉兰油、佳洁士牙膏和 Oral-B 牙刷，等等，还包括我们以为是独立品牌但是属于宝洁的产品，比如鳄鱼（LACOSTE）、Hugo Boss 和 ESCADA 等。宝洁等公司创出这些牌子固然不易，维护这些名牌则靠的是不断在一流媒体上花钱做广告。因此，品牌广告这份蛋糕本来就足够雅虎吃的了，它完全可以避开 Google，甚至和 Google 结盟共同开拓互联网市场。但是塞缪尔没有选择把蛋糕做大，而是挑起了不必要的、毫无获胜希望的竞争，使雅虎现在想回到基本盘都不很容易。

两个公司在技术上的竞争，除了人的竞争，就是执行力的竞争。Google
宽松的工作环境很对技术人员的胃口，在人才的争夺战上拥有其他公司
无法企及的优势，而且它的效率比同类公司要高。大公司提高效率不仅
仅是提供一些免费午餐这么简单，首先要能打破山头，打破部门界限，
协调合作。Google 一方面是全世界单位面积博士最集中的地方，相对
雅虎，人才优势非常明显，另一方面在将研究结果转化成产品上，也
被认为是全世界效率最高的，因为它的科研和开发部门本身就是合一
的。雅虎花很大力气打造了研究部门，但是采用了过去贝尔实验室那种
科研和开发分家的做法。科研人员有时甚至无法从产品部门拿到真实的
数据做实验。

雅虎的领军人物杨致远无疑是一位互联网领域的奇才，从某种程度上讲，
他开创了整个互联网产业。但是佩奇和布林无论是在商业上还是在技术上
都堪称天才，在短短几年内让 Google 后来居上成为互联网之王。图 9.2 是
从 2000 年起两家公司的业绩比较。Google 的营业额和利润原来只是雅虎
的零头，但是它以前所未有的速度增长，到 2006 年已经把雅虎远远甩在
了后面。IT 领域是一个赢者通吃的世界，2007 年两个公司的差距继续拉大。

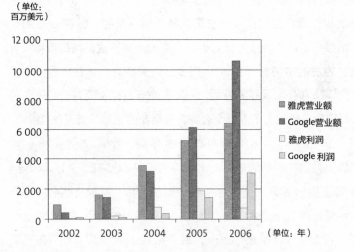

（单位：
百万美元）

图 9.2 雅虎与 Google 公司 2000～2006 年营业额与利润比较

5 红巨星

下面的文字是我在 2006 年为 Google 黑板报写博客时的草稿，由于时过境迁，很多预言的事情已经发生，很多意想不到的结果也已经发生，如果我今天写，读者是无法了解当时人们对雅虎的看法的，所以我完整地保留了当时的草稿。这不是为了表明当初我的估计多么准确，而是要说明如果一种规律预示的事情要发生，它是不以人的意志为转移、一定会发生的。

雅虎的前景如何呢？我常常把现在的雅虎比喻成红巨星。

天文物理中描述了一种称为红巨星的天体，它是暮年的恒星。它有两个特点，第一，体积大，比原来的体积大几万亿倍，当太阳变成红巨星时，它的直径将延伸到地球和火星之间。当然，由于恒星的质量没有增加，它的密度非常低。第二，它的温度比以前低了很多，呈暗红色，因此称作红巨星。因为红巨星密度太低，它的引力场已经不能吸引自己全部的物质，因此每时每刻它都有很多物质抛撒到宇宙中。

红巨星不只存在于宇宙中，在工业中也有。在硅谷流传着这样一个笑话，一个跨国公司的 CEO 在年终总结成绩时讲，近几年来我们公司总的才智（Talent）翻了一番，员工人数增加了十几倍。毫无疑问，这个公司可以称为红巨星了。年底，雅虎高管布莱德·加林霍斯（Brad Garlinghouse）发表了关于雅虎的所谓"花生酱宣言"。他指出 ——

雅虎摊子铺得太大。每个人都想做一切事情并扮演所有角色。每个项目蜻蜓点水，资源薄薄地摊了一大片，就像抹花生酱。公司里各自为政，很少为一个清晰明了的战略进行合作，而是为所有权、策略和战术争论不休。

整个组织内存在大量的资源浪费。我们现在处在一个极其官僚的组织架构内，虽然它在创立时是出于好意。对于许许多多员工而言，都可以找到一个在职责上高度雷同或重叠的同事。

缺少决策能力，因为没有清晰的权力划分，决策要么无法制定，要么错失良机。因为没有明晰而专注的眼光，没有将权力划分清楚，我们没有制定决策的宏观视角。

这个"花生酱宣言"其实已经向大家表明雅虎现在已经进入红巨星阶段，即一个光和热已经消耗得差不多的暮年阶段。整个媒体对"花生酱宣言"的态度几乎是一边倒地叫好。塞缪尔领导下的雅虎的发言人往自己脸上贴金，说这代表了公司开放的文化，而回避了问题所在。

仔细看看雅虎的产品线就会发现，它除了不太挣钱的雅虎电子邮件在用户数量上是世界第一位外，其他的服务全部是老二和老三：搜索第二，IM 第三，找工作第二，旅游订票第三，等等。每一个项目都要花掉很多的人力和资源。它让我们想起上个世纪 80 年代业务分散的摩托罗拉。而它的命运也很可能和摩托罗拉相同。雅虎的高层实际上拒绝了加林霍斯关于缩短战线、大幅裁员的建议。CEO 塞缪尔直到被赶下台的一个月前，还在用毫无希望的 Panama 误导投资者，但终究没有逃脱辞职的命运。

雅虎接替塞缪尔的名义上是创始人杨致远，实际工作应该是由首席财务官德克尔主持的。我们前面提到，德克尔能裁减开支，在短期内提高雅虎的利润，但是她对互联网技术其实一窍不通，很难想象她能领导雅虎迎接新的互联网革命。何况现在随着互联网 2.0 的兴起，雅虎要对付的对手已经远不止 Google 一家。几家新兴的互联网 2.0 公司如 Facebook 和 MySpace 也在侵蚀雅虎的地盘。雅虎现在就像一个进入了暮年的红巨星，它的光和热越来越弱，而且还在不断失去物质。

现在雅虎剩下的机会并不多了，它的创始人杨致远和费罗只控制着公司不到 10% 的股份，而它最大的两家股东是投资公司美盛（Legg Mason）价值信托基金和资本研究与管理公司（Capital Research and Management Company），各占 8.7% 和 7.6% 左右，剩下来的也大部分控制在华尔街手里，如果雅虎业绩进一步下滑，华尔街很可能要求出售雅虎以收回它们的投资。对华尔街来讲，并不在乎谁是互联网的主宰，利润对它们来讲是第一位的。事实上，微软已经和雅虎洽谈过收购问题了。

但是，如果雅虎换一种思维方式，回到它传统的传媒领域，在技术上和 Google 合作，则很可以作为一个强势的媒体公司屹立在互联网界。事实上，如果雅虎裁撤掉整个搜索引擎和搜索广告部门（可能占雅虎人数的 1/4 和设备的一半），回到 4 年前，由 Google 提供这两项服务，雅虎从广告分成中得到的收入远比自己做获得的收入还多（今年二季度，Google 从自己网站上得到的搜索广告收入为 25 亿美元，雅虎的搜索量按 ACNielsen 和 comScore 的估计大约是 Google 的 1/3 到一半，但是其搜索广告收入不到 Google 的 1/5）。这样，雅虎不仅可以大幅增加收入，还可以削减近一半的开销，从此转危为安。今天，互联网广告只占整个广告业收入的不到 10%，增长的空间很大，并且正在以很快的速度发展，这个市场完全可以容纳雅虎和 Google 两家公司。但是，如果雅虎一直和 Google 斗下去，并且不断被华尔街左右着，那么也许 5 年后，雅虎作为一个独立的公司会不复存在。虽然这听起来有点危言耸听，但的确很可能发生。更可能的是，雅虎作为一个互联网媒体公司而不是技术公司回到它原来的核心领域。

我 5 年前的上述预言不幸成为了现实。首先，很多人 5 年前看到的它所有问题都没有得到解决，而且更加严重。第二，微软不仅仅是试图收购它，而是付诸了行动，虽然这次收购行动因为 Google 的搅局而失败，但是雅虎从此真正失去了独立性。第三，更不幸的是，雅虎现在退回到互联网媒体公司的可能都没有了。那么为什么这个当年最大的互联网公司没有倒在互联网泡沫崩溃的 2000 年，反而在全球互联网快速发展的今天迅速地衰败了呢？让我们看看它最近 5 年走过的艰难历程。

6　自废武功

2006 年，虽然雅虎在和 Google 的互联网争霸中已经露出了败相，但是百足之虫，死而不僵，至少表面上雅虎依然很光鲜。从公司规模上看，它当时还是世界上人数最多的独立的互联网公司——它还在招人，一方面是为了补充早已看出问题而离职的工程师，另一方面是交给副总裁陆奇，世界著名的 IT 猛将，在工程上缩小和 Google 的差距。从商业上看，它还有一些可圈可点之处。雅虎通过入股阿里巴巴成功地踏上了中国发展的快车。2006 年，雅虎以 10 亿美元现金加上已经毫无意义的雅虎中国，从阿里巴巴最大的股东，也是雅虎的投资人软银集团手中换到了阿里巴巴 40% 的股份和 35% 的投票权。从所有权上讲，雅虎成为了中国这家快速发展的电子商务公司的最大股东。我想，精明过人的阿里巴巴 CEO 马云先生今天一定很后悔，因为阿里巴巴集团 2012 年试图从雅虎手里赎回这些股份时，双方谈判商定的价格是 140 亿美元。阿里巴巴以 70 亿美元的价格赎回了雅虎所占股份的一半，另一半雅虎继续持有。我在第一版中讲，雅虎这笔投资五年至少有十倍的回报，现在事实证明确实如此。

但是，和 Google 的竞争不是靠一两次成功的投资，或者一两个有执行力的领导就能获胜的。Google 毕竟有更多更好的执行官和主管，而且更重要的是，Google 有着非常健康向上的工程师文化，使得它从来不缺乏创造力。无论是创始人杨致远还是董事会主席德克尔，甚至是它的竞争对手微软都非常清楚这一点。杨致远和德克尔上台时承诺了一个百日维新计划，但是当一百天很快过去后，雅虎没有再提这件事，实际上公司内外都知道，它的症结根本不可能在百日内有个解决办法。

就像 AT&T 那样，一个公司从巅峰下滑，速度常常快得惊人。雅虎的业绩很难再维系华尔街的预期，核心员工开始离职，微软看到了这一点，2008 年初正式抛给了雅虎一个并购的报价，比当时雅虎的市值高出了 30%。这使杨致远陷入了两难，卖吧，实在不甘心，自己一辈子的心血就付之东流了，而且是卖给一个自己长期的手下败将；不卖吧，他和费罗对公司已经没有太多的控制权，而且也实在没有扭转颓势的好方法。而雅虎里面大多数的员工，包括相当多的执行官和高管私下里都巴望着这笔交易能做成，他们已经对雅虎不死不活还经常裁人感到厌倦了，希望能傍上微软这棵大树，从此过几年安稳的日子。

华尔街普遍不看好这次并购，除了一些投机的私募基金。微软宣布这个消息的当天，自己的股票暴跌，虽然雅虎的股票上涨了不少，但是两家的市值总和还是缩减了上百亿美元。这里面从投资角度的细节分析我们留到以后的章节再讲。华尔街是有道理的，因为世界上两个较弱的公司合并后，常常离第一名差距更大了，因为较弱的公司通常是问题有点多，合并后各自有一大堆毛病的公司很难整合到一起。后来在股东大会投票决定是否支持杨致远时，雅虎 2006 年最大的股东莱格 – 梅森基金公司坚决地站在了卖的一边，而那个基金的经理比尔·米勒（Bill Miller）[5] 是华尔街最富盛名、业绩最好的基金经理。他的看法，代表了华尔街的主流看法。

杨致远和费罗是非常不愿意卖掉雅虎的，因为微软内部争斗激烈的文化和崇尚自由的硅谷文化格格不入。但是这两位创始人需要得到多数投资人的支持才能保持雅虎的独立性，而做到这一点很简单，只要在提高收入同时减少人员即可。正如我们在前一节介绍的那样，只要它用 Google 的广告系统替代掉自己的就能提高收入，而且不需要太多工程师了。精明的 Google

5
比尔·米勒是美国近二十年来最富传奇色彩的投资人之一，他是美盛价值信托基金 Capital Management Value Trust 基金的经理。这只基金是唯一一支十几年来每年回报都高于标准普尔 500 指数的基金，也是世界上总体回报最高、规模最大的基金之一。很多基金公司按照比尔·米勒的配比购买自己基金的成份股。

果然向雅虎抛出这个设想，没有其他选择的雅虎董事会接受了这个方案。现在，不论雅虎和微软并购是否成功，Google 都是唯一的赢家了。

有了 Google 做后盾，雅虎向微软提出了一个巨额的加价，微软的 CEO 鲍尔默断然回绝了雅虎，毕竟吃下上万人的雅虎他自己也没有把握是否能消化好。现在雅虎必须回到 Google 的怀抱统一广告平台了。但是，由于美国反垄断法的严格限制，使得这次合作很难获得批准，Google 最终知难而退，雅虎两头落空。

这次微软强行收购把本来还能维持几年三方博弈的美国互联网格局迅速变成了 Google 和微软的单挑，而作为老二的雅虎实际上已经出局了。毫无疑问雅虎是这次事件最大的输家。在这以后，包括陆奇在内的雅虎第二批聪明的员工也逐渐离开了雅虎。

而另外还有一大批输家，就是以卡尔·伊坎（Carl Icahn）为首的一些私募基金和对冲基金。当时他们大量购进雅虎的股票，具有强烈的赌博色彩[6]，他们赌这次并购一定能成功。可惜他们不了解杨致远对雅虎的感情，也不了解它的对手 Google 和微软的底，最终闹出了炒股炒成股东的笑话。愤怒的伊坎等人要求在股东大会上罢免杨致远和雅虎的董事会主要成员，但是由于有华尔街著名投资人比尔·米勒等人的公开支持，杨致远等人平安过关。但是作为交换条件，伊坎等人也顺带进入了雅虎的董事会。

雅虎的董事会就这样成了一个大杂烩。大家关心的主要问题已经不是如何发展，而是如何把投资挣回来，或者少损失一点。可以肯定一些投机者的投资肯定是拿不回来了，能少损失一点是一点。在这样一种思想的指导下，雅虎的董事会选定了一个资历比德克尔更浅，对互联网更不了解的女 CEO 卡罗尔·巴茨（Carol Bartz）。卡罗尔上台后做的事其实就是想办法把雅虎拆了卖，尽可能让投资人少损失些钱。

雅虎的第一干将陆奇在卡罗尔上任前就跳到了微软，成为微软在线部门的总裁。不久，微软再次找到雅虎，希望雅虎自废武功，放弃掉当年以

6
对冲基金有一大类称为事件驱动的基金（Event Driven），就是赌一些公司的并购和拆分。

Inktomi 为核心的自主搜索引擎，而采用微软新的搜索引擎 Bing。虽然雅虎内部评测表明他们自己的搜索引擎至少在当时还略强于 Bing，但是卡罗尔以省钱为理由，答应自断左手，将搜索引擎切换到 Bing。当然，微软为了和 Google 竞争，再次提出雅虎将经营了多年的搜索广告系统和微软不成形的广告系统合并。卡罗尔再次自断右手，连搜索广告也放弃了。

搜索广告系统不同于其他产品，产生的价值并不能立竿见影，而需要经过几个季度、几年的运营和优化才能做到收益的最大化。Bing 的搜索广告系统好坏姑且不说，至少没有大规模运营过，因此雅虎将搜索广告切换过去后收入反而不如以前。

到此为止，互联网 1.0 的代表雅虎经过自废武功和瞎折腾，已经完全没有了竞争力，关于它要被收购的传闻也是一直不断。在投资人看来，雅虎的唯一价值就是它拥有两家亚洲顶级互联网公司——日本雅虎和电子商务公司阿里巴巴相当多的股份。具有讽刺意味的是，雅虎当年的手下败将美国在线，老老实实傍着 Google，靠着 Google 每年给它的分成，至今不但没有死，而且成了最有可能收购雅虎的公司。2010 年 10 月，当美国在线要收购雅虎的传闻一出，雅虎的股价当天上涨了 10%。

2011 年 9 月，雅虎 CEO 卡罗尔·巴茨宣布辞职。当天，《新京报》采访我时，我提出了下面的观点。

> 巴茨上台时我就不看好，不仅因为她对互联网这个行业是外行，更重要的是她手里基本上无牌可打，又做了些自废武功的事情，下台是可以预见到的事。不过有两点深层原因各个媒体没有关注到：第一，巴茨上台后自废武功是有原因的。从 2007 年起，雅虎的优秀工程师开始流失，一流的人才那时候已经离开雅虎。二流工程师在微软和雅虎合并失败后基本上也离开了。到 2009 年，不少工程师去了微软，还在雅虎工作的每个工程师几乎都是去 Google 和微软面试两三次而未被录取的。我在 Google 面试的很多雅虎工程师，很多都是第二、第三遍面试，越往后水平越差。因此，巴茨上台时手上的工程师基本上是三流的了。同样，其他方面的头等聪明人、二等聪明人（用阎锡山的说法）全跑光了，剩下的至多能算三等聪明人。第二，董事会任命巴茨的时候，本来就没指望她在产品上有什么作为，而希望她做好资本运作，最终替雅虎或者找个好东家，或者把不可流通的资产较

好地变现。股东们（比如投机大王伊坎）希望能够少损失一点钱，如果不能赚钱的话。对于阿里巴巴这件事处理不当，应该也是导致她下台的原因之一。不管什么原因，结果是雅虎的损失非常大，对支付宝的股份按照原来法律上的 43% 左右降到了 15% 左右，甚至未来可能更少，巴茨有很大的责任。媒体对她非常不客气，采用了被解雇（Fired）、被驱除（Ousted）等字眼，这是过去很少用到的。一般一个公司 CEO 离职，媒体只是说离职（Resign），下台（Step down）等字眼，留点情面。而这次对巴茨是一点情面也没有。

到目前为止，我们看到的大多是技术革命的浪潮帮助公司起步和发展。但是它也有很残酷的另一面：一个公司一旦没有踏上新的浪潮，就会快速被时代抛弃。

7　浪淘尽风流人物

2012 年新年刚过，雅虎的创始人杨致远就宣布辞去雅虎所有职务，并且没有讲明去向，已经很长时间不是 IT 领域关注焦点的雅虎再次成为科技媒体和 IT 行业的关注焦点。

消息出来的当天，腾讯科技请我上微博做了一次微访谈。大家关心的话题概括起来是这样一些。首先，他为什么要辞职，辞职后对雅虎有什么影响。第二，对杨致远的功过（如果有过的话）如何评价。第三，雅虎今后何去何从。

首先，作为创始人，杨致远为什么要离开他一手创办的公司？这一点对于中国人来说是很难理解的，因为在东方人看来，自己的公司就像自己的孩子，除非真是到了山穷水尽的地步，否则难以割舍。而雅虎还远远没有到这一步。杨致远从感情上对雅虎还是很难割舍，否则几年前他就会同意将雅虎卖给微软。

但是在美国，创始人对公司的感情未必有那么深。一些职业创始人一生可能办了很多公司，每一个公司从一创办时目标就是给卖掉，成为他们将知识和见识变成资本的一些工具。这些公司一旦被收购，或者挂牌上市，创始人套现后会尽快退出，开始人生新的一章。当然，也有人是将公司往百年老店的目标去办的，比如乔布斯办苹果、盖茨办微软。即使如此，创始人常常会在公司发展到一定阶段后退居二线，将公司交给职业经理人来管理。比如微软、思科、英特尔都是如此，虽然创始人还在世，却已经不管事了，这些创始人基本上是割舍得下的。杨致远自己也几次试图退居二线，但是雅虎并没有找到一个合适的职业经理人将它引向健康稳步发展的道路，以至于杨致远自己不得不几次回到一线。作为一个上市公司，业绩不好，公司的第一把手或者主要负责人要担当责任，这在美国是天经地义的事情，即使这个负责人能力很强，没有大的错误。总体来讲，美国公司股东（股民）的容忍度要比中国公司差很多。一旦他们的投资不断亏损，他们就会要求公司的董事会另找贤人来管理，甚至要求撤换整个董事会。再有，雅虎目前是个烂摊子，如果公司还有一大群有影响力的老人在，没有人愿意来当这个新的 CEO。通常，这种业绩不好的公司主要负责人辞职后，投资人多少又有了点希望，反应在股市上就是公司的股价上扬。所以杨致远辞职的当天，雅虎股价在盘后一度上涨了 5%。但是因为大家对雅虎的前景不明，因此第二天没有能维持这个涨幅。

离开雅虎对杨致远本人来讲，或许是个解脱。今天 40 岁左右的人当年了解互联网都是从雅虎开始的，杨致远执掌（有时是在二线）雅虎 17 年，经历了互联网的蓬勃发展和两次经济危机。击败了 IT 界的常胜军微软，却输给了三个厉害的小字辈人物（佩奇、布林和扎克伯格）。应该讲他的身心已经非常疲惫了，他自己本人也从精力无限的博士生步入中年。我想，当杨致远宣布完自己的决定时，虽然有些遗憾，但是一定有一种解脱感。

接下来，就涉及到杨致远的功过。对于这个事件，中国大部分媒体都将杨致远当作悲情的人物来看待，还有各种各样对他"失败"原因的分析。最多的是试图分析他是否性格上有软弱的地方。如果单从雅虎和 Google 的竞争来看，杨致远似乎是个悲剧人物，何况他确实不是一个强人。但是，如果把雅虎公司和杨致远放在大的历史背景下看，就不能得到这个结论了。首先，杨致远和雅虎都不能算失败。如我们在前面几节中介绍的，杨致远和费罗当年确立了雅虎的商业模式。这个模式今天依然是互联网的主要商业模式。他们推进了互联网用户免费享用其内容和服务，造福了广大的网民。这是非常大的成功。就如拿破仑所讲，他在奥斯特里茨[7]的胜利虽然会过去，但是他（制定）的拿破仑法典[8]将不朽。从某种程度上讲，杨致远和费罗就是互联网法典的制定者，而他们击退微软的胜利，也堪称是互联网历史上的奥斯特里茨。

至于杨致远为人相对软弱是否是雅虎走下坡路的原因，这一点不太好说。因为毕竟不能以成败论英雄。换一个强势的 CEO 在杨致远的位置上，也很难讲就能把雅虎办得更好。如果说雅虎有哪些可以做得更好的地方，确实有很多。首先在战略布局上，杨致远显然没有 Google 的两个创始人有远见。Google 花了不算多的钱，收购的一些公司和技术今天都成为了全世界用户最喜欢的产品，包括 Google Earth 的前身 Keyhole，手机操作系统 Android，视频网站 YouTube，在线广告网站双击公司（DoubleClick）。而雅虎除了在搜索和搜索广告上的收购尚可圈点外，实在找不出什么亮点。其次，在技术和产品上，雅虎缺乏清晰的战略，基本上是面面俱到，却没有一项做得很精。雅虎有世界上很多第二、第三名的产品和服务。但是在互联网领域乃至整个 IT 领域，常常是赢者通吃的格局。10 个第二名未必抵得上一个第一名。雅虎第二、第三名的产品常常是用户的备选产品，时间一长，这个公司也就被人渐渐遗忘了。

第三，就是雅虎今后的命运。雅虎至今依然是全球最大的互联网公司之一，它的人数比微软的在线部门少，却有着更高的营业额和一定的利润。而微软这个部门却是严重亏损。因此，如果没有人给雅虎施加营收的压力，它还能长久地维持下去。但是，对于一个上市公司来讲，业绩长期不增长是无法让股东们满意的。因此，雅虎今后必须解决这个问题。它只有三个出路，要么提升自己的业绩，要么和某个大公司合并，要么将部分业务卖掉或者把整个公司卖给私募基金（从此下市）。

7
奥斯特里茨战役，又称三皇会战。1805 年，（法国皇帝）拿破仑在奥斯特里茨村以少胜多，击败俄皇亚历山大一世和奥皇弗朗茨二世率领的俄奥联军。此次战役是拿破仑军事生涯中最漂亮的一仗，常为后人称道。

8
拿破仑亲自参与逐条讨论而制定的民法典和刑法典至今仍是是法国法律的主要依据和大陆体系的基础。

第一条出路不太容易，因为雅虎这么多年没有找到，今后找到的可能性也不大。我个人认为这几乎是条死路，因为互联网的大环境变了，以雅虎为代表的门户网站的浪潮彻底过去了。在中国，随着雅虎起来的三大门户网站（搜狐、新浪和网易）业绩和发展都不佳。而雅虎向互联网2.0转型的路已经基本被 Facebook 和 Google 堵死。而在移动互联网上，它至今没有作为，基本上已经失去了踏上这次浪潮的机会。

第二条出路的结果是被收购它的公司拆分，然后溶解到新公司的业务中。雅虎的一些品牌，比如雅虎邮箱（Yahoo! Mail），还会保留。但是部门会拆散，很多业务会消失。另外，能够购买雅虎的公司并不多。在互联网领域，大约只有微软、Google 和 Facebook 出得起收购的价钱。而出于信息安全的考虑，美国政府是不大会让外国公司收购雅虎的。

第三条出路虽然也是卖掉，但是和第二条路不同的是保留了雅虎的独立性。毕竟雅虎作为网络媒体，今天依然是世界上最好的品牌，如果甩掉那些烧钱的产品和项目，瘦身的雅虎应该能够长期维持下去，等待新的机会。如果由私募基金注资将雅虎私有化（go private，和上市相反），那么外界将无法了解到雅虎的营收，雅虎新的管理层也就没有了负担，可以大胆改革，等到业绩开始提升，再重新上市。

为什么会有不少人对收购雅虎有兴趣？了解一下雅虎的资产结构就知道了。如果把雅虎的资产拆开分别作价，总和比目前雅虎的市值还高不少。雅虎拥有阿里巴巴大约40%的股份，根据它在2012年5月和阿里巴巴谈判的结果，它将其中的一半约20%卖回给阿里巴巴，换回70亿美元的现金。如果将它拥有的阿里巴巴股权全部卖出，将是140亿美元。雅虎还有一大笔资产是雅虎日本，前者占后者的34.74%，按照2012年6月雅虎日本171亿美元的市值计算，雅虎的这笔资产值59亿美元左右。此外雅虎还有21亿美元的现金，这三笔资产加起来有220亿美元之多。而雅虎同期的市值只有190亿美元，也就是说在华尔街眼里，雅虎的资产是负30亿美元。如果能按照现在的市值把雅虎买下来，同时能兑现雅虎日本和阿里巴巴的资产，那么可以净赚 30 亿美元。

为什么会出现这样荒唐的现象？我们用一个比喻就能说明了。如果有一个盲人，拥有一辆价值百万的好车，他的财产是多少，似乎应该不小于一百万。但是他却坚持自己开车，这一百万很快就会报销掉，这时不会有人给他估价百万的。今天的雅虎，5 年 5 换 CEO，缺少一个明眼的舵手，导致它的价值不断萎缩，股票体现的是未来（而不是当前）的价值，投资人认为雅虎如果自主经营下去，未来的价值将比今天还低。

2012 年，雅虎在经营上虽无可圈可点之处，但是新闻不断。好的方面是，它经过和阿里巴巴的谈判，终于让自己在阿里巴巴的投资获得了一个好的估价。当然在它收回 70 亿美元现金的同时，也让出了阿里巴巴第一大股东的位置。坏的方面是，它的管理高层一直问题不断，杨致远离职后，又出现了 CEO 斯科特·汤普森（Scott Thompson）[9] 因为学位作假而辞职的事件，使得外界进一步丧失对雅虎的信心。2012 年 7 月，雅虎董事会任命原 Google 主管产品的副总裁玛丽莎·梅耶尔（Marissa Mayer）为新的 CEO。虽然梅耶尔在 Google 时经常到媒体上曝光，但是她实际上较少参与 Google 的决策，因此靠她扭转雅虎颓势的可能性不大。

9
已经离职。

今天，互联网行业很多老兵最早接触互联网都是从雅虎开始的，他们无一不对雅虎今天的颓势感到惋惜。可是，科技革命的浪潮就是这样，不断造就，也不断淘汰风流人物。

结束语

一个公司从诞生到衰亡是一个不可避免的过程，就和我们人的生命由生到死一样。从某种程度上讲雅虎对于互联网的使命已经基本完成。我在第一版中曾经预测也许 5 年后，雅虎作为一家独立的公司会不复存在，虽然这听起来有点危言耸听，但的确很有可能。现在看来，这个可能性依然存在。雅虎在 2009-2012 三年内换了五位 CEO，如果现在的 CEO

梅耶尔依然不能扭转它的颓势，雅虎董事会最终可能失去信心，将大部分资产拆了卖掉，届时，雅虎将作为一个互联网媒体公司而不是技术公司回到它原来的核心领域。不论是哪一种结果，杨致远和费罗都会作为互联网领域的开拓者永载史册。

雅虎大事记

1995　雅虎成立。

1996　成立仅一年的雅虎上市，创下了新公司上市最短时间的奇迹。

1998　成为世界最大的互联网公司，并且长期压制住了美国在线和微软的 MSN。

2000　采用 Google 的搜索引擎。

2001　由于互联网泡沫，雅虎股价达到创纪录的每股 400 美元的天价（考虑到后来的两次 2:1 拆股，相当于今天的每股 100 美元），但是以后不再有机会接近这个价位。

2002　收购搜索引擎 Inktomi，并于第二年和 Google 分道扬镳。

2003　收购搜索广告公司 Overture，和 Google 开始了白热化的竞争。

2005　投资中国的阿里巴巴公司，成为雅虎最成功的投资。

2006　被 Google 超越，退居互联网行业第二名，从此一蹶不振。

2008　微软提出以 446 亿美元的价格收购雅虎公司，但是由于雅虎内部以创始人杨致远为首的股东强烈反对，收购未能达成。

2012　创始人杨致远宣布辞去雅虎的一切职务，同年 CEO 斯科特·汤普森因为学位作假而离职，这样雅虎 5 年换了 5 个 CEO。7 月，前 Google 副总裁玛丽莎·梅耶尔出任雅虎 CEO。

参考文献

1. 参见: The Internet, a historical encyclopedia, by Hilary W. Poole, Laura Lambert, Chris Woodford, Christos J. P. Moschovitis。

2. 雅虎历史: http://docs.yahoo.com/info/misc/history.html。

第10章 硅谷的见证人

惠普公司

2002 年 3 月的一天，一支豪华的车队浩浩荡荡来到当时世界第二大微机制造商康柏公司的总部。卡莉·菲奥莉娜（Carly S. Fiorina）——当年惠普（Hewlett-Packard）公司高调的 CEO，像女皇一样，在一群大大小小官员众星捧月下，走进康柏公司总部，接收她在一片反对声中并购来的康柏公司。这一天，是菲奥莉娜一生中荣耀到极点的一天。据康柏员工回忆，菲奥莉娜当时态度高傲，不可一世，完全是一个胜利者受降的姿态。

短短 3 年后，菲奥莉娜黯然离开惠普。她一系列错误的决定和平庸的管理才能将硅谷历史上第一个巨星惠普推到了悬崖边。好在一年后，惠普在新 CEO 马克·赫德（Mark Hurd）的领导下，从戴尔公司手中重新夺回世界微机厂商的头把交椅。但是惠普已经由一个高科技公司变成了一个以家电为主的消费电子产品公司了。

虽然惠普从来没有领导过哪次技术革命的浪潮，但是作为硅谷最早的公司，惠普见证了硅谷发展的全过程，从无到有，从硬件到软件。惠普的历史从某种程度上讲就是硅谷历史的缩影。

1　昔日硅谷之星

没有任何公司比惠普更能代表硅谷的神话了。1934 年，斯坦福的两个毕业生休利特（Hewlett）和帕卡特（Packard）躺在斯坦福的草坪上憧憬着大萧条（Great Depression）过后的美景。两个人打算办一家电子公司，至于这家公司的名字应该叫 Hewlett-Packard 还是该叫 Packard-Hewlett，两个人决定抛硬币看运气，最后结果是休利特（Hewlett）赢了，于是便有了 HP 这个名字。但是，直到 1939 年这家公司才正式成立，创办资金只有区区 538 美元[1]，公司的主要业务是生产振荡器（oscillators）等电子仪器。历经第二次世界大战，惠普得到了发展。

二战后斯坦福大学遇到财政困难，斯坦福占地 32 平方公里[2]，相当于十多个颐和园大小，而它真正用到的土地可能连 1 / 10 都不到，至今斯坦福闲置的土地仍然占校园内一大半。但是根据斯坦福夫妇的遗嘱，大学的土地是不能出售的，因此，无法直接从闲置的土地上挣钱。后来有一个叫特曼（Frederick Terman）的教授想出了一个办法，他仔细研究了斯坦福的遗嘱，发现上面没有禁止斯坦福出租土地。于是，斯坦福就拿出一片土地，办起了斯坦福工业园（Stanford Industrial Park）[3]，惠普公司成为进驻工业园的第一批公司之一。惠普公司从这里起步，业务得到了长足的发展，很多公司也跟着进驻斯坦福工业园。到了计算机时代，由于这些公司大多从事和半导体（硅元件）有关的技术，从此这里便被称为硅谷。而斯坦福大学，不但渡过了难关，而且从上个世纪 60 年代起，一跃成为世界顶尖名校。惠普则成为硅谷神话的典型代表。

几十年来，惠普和斯坦福互相提携，堪称厂校合作的典范。惠普从斯坦福获得了无数优秀毕业生，同时在财政上给予斯坦福极大的支持。在很长时间里，惠普是斯坦福最大的捐助者，包括帕卡特捐给斯坦福电子工程系的系馆。

到上个世纪 90 年代前期，惠普的业务稳步发展，进入高峰，从示波器、信号发生器等各种电子仪器到昂贵的医疗仪器，如核磁共振机，惠普都是质量和技术的卓越代表。20 世纪 60 年代，惠普进入小型计算机领域，80 年代进入激光打印机和喷墨打印机行业，它还是喷墨打印机的发明者。上个世纪 90 年代，惠普进入微机市场。整整 50 年，惠普的发展都一帆

1
http://en.wikipedia.org/wiki/Hewlett-Packard#cite_note-7

2
约合 8 000 多英亩。

3
20 世纪 70 年更名为 Stanford Research Park，斯坦福研究园，详见 http://www.paloaltohistory.com/stanford-research-park.php。

风顺。如果在 20 世纪 90 年代初问硅谷哪家公司最有名，10 个人中有 10 个会回答是惠普。当时，惠普是很多斯坦福学生毕业后首选的工作公司。顺带提一句，惠普是最早进入中国计算机市场的公司之一。

20 世纪 90 年代后期，惠普经历了不太成功的转型，这个曾经辉煌的硅谷巨星渐渐黯淡下来了。今天，在斯坦福孕育出的众多公司中，大家很难将惠普与思科、英特尔和 Google 排在一起。如果没有奇迹发生，它以后的前景依然黯淡。

当然，有些人会觉得我把现在全世界营业额最高的计算机公司（今天的惠普营业额仍然比 IBM 高）说成是明日黄花有点危言耸听。但是如果让大家数数惠普最近几年改变世界的发明，恐怕大家数不出来。我们可以进一步从商业的表现上入手（图 10.1 和图 10.2），看看其中的道理。

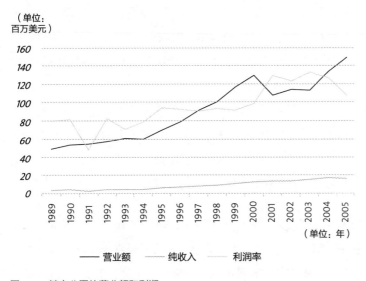

图 10.1　某家公司的营业额和利润

图 10.1 中的数据是在 2009 年金融危机前的，我们忽略了金融危机的影响。上面这家公司除了在 2000 年后经济衰退时营业额有过下滑外，一直保持增长，而纯利润更是直线上升，利润率从十几年前的 6%~8%（图中扩大了 10 倍）增加到现在的 10%~12%。实际上，2000 年该公司营业额下滑

是因为它卖掉了一些效益不好的部门，而利润并没有影响。按照巴菲特的投资理论，这家公司的股票可以买入并长期持有。

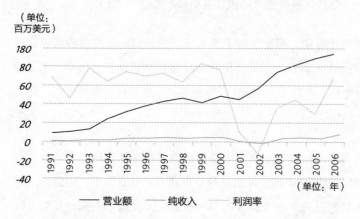

（单位：百万美元）

——营业额　——纯收入　——利润率

（单位：年）

图 10.2　另一家公司的营业额和利润

现在让我们来看看图 10.2 所示的这家公司，1999 年以前，它基本上和第一家公司的曲线符合，虽然它的利润率相对较低。但是，2000 年以后，它的营业额虽然基本上是直线增长，却有两次小的滑坡。糟糕的是它的盈利却忽高忽低。它的利润率不仅没有上升，还略有下降，而且一直在 10% 以下。因此，这家公司的盈利能力值得怀疑。如果我们再了解到它 2002 年到 2003 年营业额猛增是因为买下了一家很大的公司，那么我们对这家公司自身发展的能力就更怀疑了。根据巴菲特的观点，这种忽上忽下的公司不能投，因为它保不定哪天就会垮掉。

现在让我们来看看谜底，这到底是哪两家公司。图 10.1 所示的第一家公司是通用电气（GE），图 10.2 所示的第二家公司是惠普，这是全球电子行业两家最大的企业。考虑到通用电气不能算一个纯粹的 IT 公司，那么惠普可以坐上 IT 行业营业额的头把交椅。作为世界上最大的微机厂商，惠普本来应该是微机革命的最大获利者，但是近 20 年来它却走到了摇摇欲坠的地步。其原因何在？

2 有争议的生死抉择

惠普衰落的原因大致有两个，领导者的错误和"日本 / 中国制造"的冲击。进入 20 世纪 90 年代，个人微机在美国开始普及，整个市场增长很快。惠普靠着原有的小型机的客户和市场的经验，很容易地进入了微机市场。由于它的传统用户是中小公司和学校，惠普没有花太大气力就打开了大学、研究所和中小公司的微机市场。惠普实际上已经悄悄地从仪器制造向计算机工业转型了，并于 1989 年和 1995 年先后买下了两家计算机公司阿波罗和 Convex，当然只是为了要两者的市场，然后将这两家公司原有客户的设备换成惠普自己的小型机和工作站。到 20 世纪 90 年代中期，惠普成为集科学仪器、医疗仪器和计算机产品于一身的巨无霸型的公司，并且随着美国经济的快速发展而达到顶峰。那时，惠普是全世界仅次于 IBM 的第二大计算机和仪器制造商，它的产品线甚至比 IBM 还长，小到计算器、万用表之类的产品，大到最复杂的民用医疗仪器核磁共振机。计算机本来只是惠普长长的产品线上的一种产品，只是到了 20 世纪 90 年代由于计算机工业的发展，计算机部门包括其外设的营业额超过了整个惠普的一半，才格外引人注意。

但是，正是由于惠普的产品线太长，惠普内部非常混乱，进一步发展的包袱很重。而且，惠普很多产品之间毫不相干，无法形成优势互补。因此，为了今后的发展，惠普必须在产品上进行调整。在上个世纪 90 年代，公司调整和重组最简单、经济上最合算的做法就是将一些部门从公司剥离出去单独上市。惠普选择了这种做法。接下来的问题就是卖哪个部门。

一般来讲，公司会卖掉利润率低的、对自己没有用的、前景不好的部门并买进对公司长远发展有帮助的公司，比如郭士纳领导下的 IBM 就是这样。但是，惠普接下来的发展史上最大的一次拆分和一次并购，却是反其道而行之，因此科技界和华尔街对此至今仍有争议。而这两次交易都和惠普前 CEO 卡莉·菲奥莉娜有关。事后诸葛亮的人对她领导公司的能力很是怀疑。实际上，第一次公司重组，即将赖以起家的仪器部门（即现在的安捷伦公司）剥离上市，并不是菲奥莉娜决定的，因为董事会在她来惠普以前就做决定了。但是由于是菲奥莉娜实施的，因此很多人把这笔账也记到了她的头上。第二次是和江河日下而且亏损的康柏公司合并，这件事是菲奥莉娜在包括休利特家族和帕卡特家族在内的诸多反对声中促成的。我个人认为第一次剥离安捷伦现在看来并没有错，因为事实证明安捷伦发展得不好，但是和康柏合并必要性不大。

让我们回到1999年，看一看决定惠普命运的拆分和并购。1999年，惠普的产品线分成三个方向：传统的科学仪器，比如万用表、示波器；医疗仪器，比如核磁共振机；计算机及其外设。我们不妨看一看表10.1中惠普2001年在这三个领域的前景。

表10.1　2001年惠普产品线领域前景

	科学仪器	医疗仪器	计算机及外设
市场规模	小	大	大
发展速度	慢	中等	快
利润率	中等	高	低
竞争程度	一般	一般	激烈
主要对手	日本公司，如松下、夏普等	通用电气、西门子、飞利浦	IBM、戴尔、康柏、太阳、佳能、爱普生
商业门槛	中等	高	低
惠普竞争力	较强	较强	一般

在第一个领域，惠普有技术上的优势，它的竞争对手主要是日本公司，后者追赶得很快，而且日本的产品在价格上有优势。这个领域发展平稳，利润率稳定，但是市场规模不大，因此，卖掉它顺理成章。医疗仪器这个行业利润丰厚，由于门槛很高，新的公司很难进入，因此相对竞争不是很激烈，惠普在全世界真正的对手只有通用电气一家（在核磁共振设备领域，德国和日本的公司在品质上很长时期里都比美国公司要差一些。直到近几年德国西门子公司赶上GE，才打破了美国人在高端核磁共振设备上的垄断）。但是医疗仪器领域成长不是很快，尤其是新的技术和设备都要经过

FDA 认证才能生产销售，因此研发周期极长。从情理上讲，惠普应该保留这个利润丰厚的部门，因为历来公司都是剥离利润低的部门而保留利润高的。但是，GE 可不是一般的对手，上百年来，它是世界上少有的常青树，而它的核磁共振机是惠普永远无法超越的。因此，惠普把医疗仪器部门分出去的决定也许算不上糟糕。事实证明，今天的安捷伦确实无法赶超 GE 的医疗仪器部门，估计听说过安捷伦的人还不及知道惠普人数的一半。

最后，让我们看看惠普在计算机领域的状况。惠普从 20 世纪 70 年代起，就成功地进入了计算机市场。这个行业在过去的 20 多年里成长很快，但竞争激烈，利润率低。在计算机领域，惠普有很多竞争对手，从早期的 IBM、DEC 到后来的太阳和戴尔。这个领域的技术和商业门槛并不高，很容易有新的公司挤进来。比如苹果和戴尔很快就从无到有，在计算机硬件领域占了很大的地盘。显然，惠普是在赌计算机工业的发展速度，用发展速度来弥补利润率上的损失。但是，惠普公司也许忽略了反摩尔定律的作用，一家计算机硬件公司的发展必须具备超过摩尔定律规定的速度才有意义，否则利润将一天天萎缩。因此，这种赌博的效果至今仍有争议。

惠普赌的另一个拳头产品是它的打印机。惠普决定采用吉列的商业模式——通过廉价的刀架挣高价刀片的钱，它打算廉价卖打印机，然后高价卖墨盒。惠普的市场战略家们当然仔细算过这笔账，但是他们低估了日本制造的效应。至今，惠普在打印机市场上一直受爱普生和佳能的威胁。

应该讲，1999 年的惠普虽然大，但是并不强。这有点像中国战国时期的楚国。惠普的董事会当然希望把惠普搞得强大。它必须决定分出去哪个部门，保留哪个部门。医疗仪器部门虽然利润率高，但是在 GE 的打压下发展有限，经过长期酝酿，才决定将科学仪器和医疗仪器部门都分出去，成立一家新的公司——安捷伦，然后新的惠普好集中精力于计算机行业。这么大的公司重组，当然要有个有经验的人来执行，惠普公司董事会看中了菲奥莉娜分拆和并购公司的经验，破例选择了她出任硅谷最老的惠普公司的 CEO，负责实施安捷伦的上市事宜。

3 最有争议的 CEO

很多人认为卡莉·菲奥莉娜是惠普历史上最差的 CEO。这点我不敢肯定，但是，毫无疑问，菲奥莉娜是惠普历史上最有争议、也是爱出风头的 CEO。作为一位职业女性，在 5 年内拆掉了世界上两个最大的科技公司（AT&T 和惠普），又主持了两次巨大的商业合并（朗讯和飞利浦的合资，惠普和康柏的并购），菲奥莉娜的功过已经是任何职业经理人很难相比的。因此，菲奥莉娜无疑是媒体关注的对象，当然她自己也喜欢在媒体上抛头露面。

菲奥莉娜从 AT&T 最底层做起，仅仅 15 年就成为 AT&T 的高级副总裁，应该是有过人之处的。也许当年惠普就是考虑了这一点才请她来当CEO的，但事实证明，菲奥莉娜的过人之处也许是善于表现，让外界和上司注意到她。1995 年，她成为 AT&T 的执行副总裁并主管了 AT&T 和朗讯分家事宜。分家后，她成为了朗讯的第二把手。接下来，她主持了朗讯和飞利浦的合资公司，这家双方投资 60 亿美元的合资公司连个响都没有听见就失败了。1998 年，菲奥莉娜被《财富》杂志评为全世界商业界最有权力的女性。第二年，当惠普要找个人来拆分仪器部门时，自然而然地想到了她。有 60 多年历史的惠普迎来了首位女性 CEO。

1999 年 6 月菲奥莉娜一上任，就将仪器部门剥离上市，从此，世界上多出了一个安捷伦公司。那正是美国股市最疯狂的年代，安捷伦的股价从最初的每股 19~22 美元，提升到 26~28 美元，并最终在上市前的一瞬间定在 30 美元，融资近 20 亿美元。11 月 17 号，安捷伦在纽约股票交易所挂牌上市，当天就疯涨了 40%，市值达 200 亿美元（超过 2012 年 6 月底的 137 亿美元），其中八成以上的股票掌握在惠普手里。当时不可思议的是，惠普的股票当天也狂涨了 13%。这种现象在投资大师巴菲特看来是很荒唐的，安捷伦疯涨，说明惠普卖赔了，惠普应该跌才是。但是，在那个股市疯狂的年代，这种不理性的事情总是发生。到此为止，菲奥莉娜的工作一切正常。

惠普从安捷伦的上市得到了一笔可观的现金，这笔现金帮助惠普渡过了几年后的难关。现在，菲奥莉娜必须拿出真本事把瘦身了的惠普搞好。很遗憾在她的领导下，惠普的核心业务是王小二过年，一年不如一年。它的工作站业务远远落后于太阳公司，后来干脆退出了竞争。在微机领域，它与领先的戴尔差距越来越大，而且毫无扭转迹象。在打印机业务中，它卖打印机挣墨盒的如意算盘根本打不响（我们在后面还要分析其原因）。在打印机市场上，惠普虽然是世界上最大的公司，但是市场份额却不断被日本公司佳能和爱普生蚕食。

要夺回市场份额，最根本的办法是改造自身，提高竞争力，IBM 的郭士纳和英特尔的格罗夫，包括惠普后来的 CEO 赫德就是这么做的。但是，这需要有真本事。而最简单、最快的方法是买市场，即收购一家公司。菲奥莉娜是公司并购的行家里手，她看中了当时还占微机市场份额第二、但是江河日下的康柏公司。菲奥莉娜的提议遭到了包括惠普两个创始人家族在内的股东们的反对。不少股东担心本来已经盈利不佳的惠普，再背上一个亏损的康柏，最终将拖垮惠普。当时戴尔占美国微机市场的31%，而康柏加惠普占 37%。菲奥莉娜的如意算盘是通过合并打造世界上最大的微机公司，形成对戴尔的优势。其实，惠普在和戴尔的竞争中处于劣势的根本原因在于，惠普的问题是资金周转不够快。戴尔的资金一年大约可以周转两次以上，而惠普只有一次。也就是说，即使戴尔的利润率只有惠普的一半，初始资金相同的情况下，它也能获得和惠普相同的利润。这样，戴尔计算机降价的空间就很大，很容易占领市场。显然收购康柏并不能解决这个问题。

菲奥莉娜的并购方案在董事会里遭到了 H 和 P 这两个家族第二代的一致反对。为了使方案得到通过，就得要全体股东大会的同意了。菲奥莉娜做了很多工作动员中小股东投票，促使这项提议通过，最后股东们以51% 对 48% 批准了收购康柏的决定。在这 51% 的赞同票中，有相当比例是菲奥莉娜拉来的票。2001 年，这项惠普历史上最大的 250 亿美元的收购交易终于完成。由于华尔街对此普遍不看好，新惠普在交易完成的当天股票下挫近 20%。几天后 9·11 恐怖袭击发生，美国经济形势急转直下。新惠普的生意一落千丈。2002 年，惠普出现十几年来的首次巨额亏损。

并购康柏后，惠普并没有得到想象中的康柏加惠普的市场份额，在市场份额最低的 2002-2003 年，它只勉强维持了康柏原有的份额。在商业史上，类似的事情时常发生，两个在竞争中处于劣势的公司合并后，不仅没有得到累加的市场份额，而且只达到两者合并前少的那份。原因很简单，在竞争中处于劣势的公司必定有经营管理上的问题。如果这些问题得不到解决，合并后问题会翻倍，在竞争中劣势更大，从而进一步丢掉市场份额。这就好比几块煤放在一起就是一堆煤，而不是能闪亮的钻石，虽然它们的成分都是碳。菲奥莉娜领导下的惠普公司本来已经问题多多，再加上一个问题更多的康柏，成堆的问题早已超出了她的能力所能处理的范围。本来，菲奥莉娜应该集中精力解决内部的问题，如果她有能力解决这些问题的话。但是，好大喜功的她选择了一条急功近利的道路，一下子走进了死胡同。菲奥莉娜在她的自传中为这次合并进行了长篇的辩解，并且攻击休利特家族和帕卡特家族，还怪罪媒体。但是民众并没有买她的账，事实上愤怒的股民在合并后的几天里就把她告上了法庭。

在接下来菲奥莉娜执掌惠普的几年间，惠普从一家科技公司变成了一家电器公司。它原本是和通用电气、IBM 及太阳这样的高利润科技公司竞争，现在它蜕变为和戴尔、索尼、佳能和爱普生一类的低利润普通电器公司竞争。在菲奥莉娜的任期中，她个人频频在各种媒体中亮相（当然，她解释为媒体找她），但是惠普这个硅谷最有历史的公司却渐渐被人遗忘。它在个人电脑领域输给了戴尔，在数码相机上输给了佳能、尼康和索尼，在打印机上输给了爱普生和佳能，可以说是一败涂地。

4 亚洲制造的冲击

菲奥莉娜当时的另一个指望是，卖打印机后一劳永逸地挣墨盒钱。这个策略也没有行得通，这里面除了有技术和商业的因素，还有更深层的原因，就是来自亚洲制造的冲击。现在，中国制造似乎成了一个时髦的词，因为中国为世界生产从玩具、服装到家电等各种消费品，甚至包括 Burberry 和 Armani 在内的奢侈品。但是，这里我想讲的亚洲制造并不是指欧美在亚洲进行的外包加工（比如台湾地区的郭台铭），而是指亚洲人自己的公司在一些产业上彻底替代欧美公司，比如丰田、本田替代通用汽车和福特，联想替代 IBM，等等。很不幸，惠普是亚洲制造的牺牲者。

二战后的信息技术，大多起源于美国，而硅谷更是世界创新的中心。尽管 2000 年硅谷受到互联网泡沫崩溃的打击最大，但是，它依然是信息技术和（以基因泰克为代表的）生物技术创新的中心，但是，和二战以前不同，每一项起源于欧美的新技术，用不了多久就会被日本人，后来还有韩国人和中国人掌握。于是，一种技术出来后，欧美公司在没有亚洲竞争对手时，可以打一个时间差，挣一段时间的高额利润。以前，这个时间差有几十年，现在已经缩短到几年，甚至更短。比如，50 多年前日本的日立和松下等公司造出可以媲美惠普的示波器花了十几年的时间，而到了上个世纪八九十年代，佳能仿制出惠普的喷墨打印机几乎没有花多少时间。这样一来，惠普等公司就不得不和亚洲公司平起平坐地竞争了。

在 20 世纪 90 年代末，随着数码相机的普及，高质量喷墨打印机的市场迅速增长，但是由于有佳能和爱普生等日本公司加入竞争，喷墨打印机的利润被大大压缩。一台高质量的彩色喷墨打印机本身的价格不过 100 美元上下。在美国零售市场，我甚至见过爱普生牌 30 美元的彩色喷墨打印机。因此，靠卖打印机显然挣不了几个钱。惠普最初将打印机墨盒的价钱定得很高，一套墨盒大约是打印机价钱的一半。这便是吉列通过剃须刀刀架挣刀片钱的做法。但是，惠普的墨盒和吉列的刀片有个很大的区别。剃须刀的刀片是一分价钱一分货，吉列的刀片比低价低质量的确实好不少，而且剃须刀片是一种特殊的商品，马虎不得，用一片劣质刀片刮破脸可不是件好玩的事。因此，消费者会首选吉列刀片。打印机墨盒则不同，惠普的墨盒本身就是由中国的 OEM 厂生产的，它和兼容的墨盒在使用上没有什么差别，但是价钱上却高出了 5~10 倍，因此很多人不去买惠普所谓的原装墨盒，而使用兼容的。后来惠普禁止兼容墨盒的出售，但是佳能和爱普生没有禁止，于是人们干脆连惠普的打印机也不买了。在喷墨打印机刚出来时，惠普是统治这个市场的，而现在，虽然它还是这个领域最大的厂商，但是在世界的份额只剩下百分之四十几了。

亚洲制造的影响不仅在于限制了利润率，而且还在于亚洲公司参与制定商业模式和游戏规则。如果没有佳能和爱普生等亚洲的竞争者，惠普或许还有可能采用吉列的商业模式一劳永逸地挣钱。现在，它不仅要和日本公司面对面地竞争，去挣打印机本身那点蝇头小利，而且一劳永逸挣墨盒钱的财路也被断了。为了抵消亚洲制造的冲击，欧美公司十分鼓励和支持代加工即 OEM 式的亚洲制造，这样可以降低它们的成本，但是会千方百计阻挠亚洲公司打自己的品牌，因为这样会对它们产生威胁。换言之，美国公司很喜欢 OEM 大王郭台铭，不太喜欢松下幸之助和华为的任正非。

4
许多跨国公司在并购或者重大调整时，怕一些执行官们赖着不走，最终影响股东的利益，因此给予他们一定的补偿，让他们离职，这就是所谓的金色降落伞。

5
"HP To Pay Fiorina $21 Million Severance Package" ECommerce Times. February 14, 2005.

从 2003 年、2004 年起，整个硅谷开始复苏，很多公司回到并超过 2000 年的水平。但是，惠普一点儿也没有好转的迹象。华尔街不断看空惠普的股票，忍无可忍的股东们终于在 2005 年决定赶走毫无建树的菲奥莉娜。根据美国公司金色降落伞[4]的惯例，惠普提供给她超过两千万美元丰厚的退休金[5]，然后由她自己提出辞职，这样大家面子上都好看。菲奥莉娜临走还从惠普投资者手中拿走了上千万美元的现金和股票。但是，股东们还是宁可花钱请她走。菲奥莉娜离职的当天，惠普的股票大涨了 10%。这是一次惨痛的教训，它说明如果一家公司挑不好掌舵人，以后替换掉他（她）成本也是很高的。

5　峰回路转

惠普很幸运地找到了新的舵手马克·赫德。他上任前，大家对他是否能扭转惠普这个老、大、难的公司也心里没底。也难怪，上个世纪 90 年代以前，惠普的利润很高，节奏慢一些也没关系，惠普的很多老员工已经习惯了不紧不慢的做事方式。这当然不是惠普公司一家特有的问题，很多老牌 IT 公司都有这种通病。这个样子显然很难在竞争激烈的微机市场上生存。在产品上，惠普当时和竞争对手相比一点儿优势也没有。赫德可以讲是困难重重。但是两年后，事实证明，作风直截了当的赫德正是医治惠普的良医。和很多喜欢做表面文章的 CEO 不同，赫德很少花时间做那些漂漂亮亮的 PowerPoint 投影胶片，而是直接在白板上写写画画。赫德很少讲大道理，从来是用数字说话。他做一小时报告，常常要引用几十个数字，平均一分钟一个。

赫德一上任就对惠普进行了大刀阔斧的改革，他首先裁撤了水平很高但是对惠普用处不大的研究部门。惠普研究院历史久远，除了惠普自己早期的各个研究所，还包括从康柏继承下来的原来 DEC 的研究院。后者曾经是美国仅次于 IBM 研究院的计算机研究院。惠普研究院拥有图灵奖得主在内的许多著名科学家。但是，既然惠普已经成了一个家电公司，那么养这么多科学家的必要性就不大了，因此赫德果断地裁撤了该部门。同时，赫德对其他部门也进行了相应的瘦身，惠普一共裁员一万五千人。为了减少动荡，赫德基本维持了公司 2004 年的架构，即分成服务业（TSG）、个人电脑（PSG）和打印设备（ISG）三个主要部门（当然还有一些小的独立部门）。也许是因为裁员较多，并且对留下的员工要求过严，赫德在惠普内部的形象不如他在外界好。

赫德做的第二件事是从戴尔手中夺回 PC 市场份额。赫德强化了和戴尔直销模式相反的代销方法。以前，戴尔靠直销大大降低了流通渠道的成本，使戴尔成为美国最廉价的品牌机。戴尔的直销方式至今被认为是它成功的经验。惠普并购康柏后，很长时间里试图模仿戴尔的模式[6]，但是做得不成功，反而有点邯郸学步的味道。赫德知道别人成功的经验对自己未

6
后面的章节有专门的介绍。

必合适，因此选择了适合自己的代销模式。以前，计算机类的电子产品
主要是由美国电路城公司（Circuit City）（已经在金融危机中倒闭）和
百思买（Best Buy）这样的电器连锁店代销。这些店会提供大电器的售后
服务，而一般的百货店并不会。可是，现在的 PC 基本上是开机就能用，
报废以前不会坏，不需要什么售后服务。惠普后来加强了和美国最大的
零售商沃尔玛及最大的会员店 Costco 的合作，将惠普的 PC 直接放到这
两家店的货架上。赫德的另一招就是简化惠普采购的供应链，将它们从
几百条逐渐减少到几十条。[7] 这和赫德降低成本的总体经营思想是一致的。
于是，在短短几个季度内，惠普的 PC 市场占有率就超过戴尔，排名全球
第一。

惠普的另一大业务是打印机。赫德上台后，丰富了打印机产品线。针对
数码照片的普及，惠普干脆推出了很多专门打印照片的专用彩色喷墨打
印机。这种打印机只有一本 32 开的字典大小，不需要联入计算机，就可
以从照相机或内存卡上直接打印 4×6 英寸的高分辨率、高质量照片，非
常方便。这些打印机销路很好。同时，惠普针对专业打印社，推出了多
种宽幅高分辨率打印机。经过努力，惠普基本上扭转了打印机市场份额
下滑的颓势。

赫德做的第三件事就是恢复惠普作为技术公司的形象。他学习郭士纳时的
IBM，突出技术服务的重要性。经过几年的努力，惠普在 IT 服务业的形
象不断提升。在他 2010 年下台前，惠普的服务收入占到了公司总收入的
40%。所有这些举措，使得惠普的营业额从他上任的第三年 2007 年起超过
了 IBM，成为全球营业额最高的 IT 公司，同时，惠普的利润也大大提高。
赫德在任的 5 年间，惠普的股价翻了一番多，而 IBM 同期几乎没有增长。

我们在前面提到，惠普的衰退有两个原因，一是领导人能力的问题，二是
它身处的电器行业受亚洲制造的冲击。在菲奥莉娜期间，惠普已经彻底从
一家科技公司变成了世界上最大的家电公司之一，它在计算机服务领域（高
利润）的增长远没有它在制造业（低利润）增长快。本来，惠普的第一个

领导人的问题已经解决了，5 年的业绩证明赫德显然是一位优秀的领导。如果给赫德更多的时间，惠普完全有可能重新走上稳步发展的正轨，赫德甚至可能成为郭士纳式的传奇人物。遗憾的是 2010 年，惠普的功臣赫德因为一起因性骚扰而引发的问题被迫离职[8]，惠普再次陷入领导人的危机。

如果说领导人的问题通过董事会的努力能解决，或许惠普还能找到赫德这样的好领导（虽然希望渺茫）。但是，另一个症结显然不是谁能解决的。计算机制造业受反摩尔定律的制约，同时受到亚洲，这里主要是日本和中国公司的冲击，日子不会很好过。对于投资者来讲，这也许并不是件好事。因为现在计算机和电器制造业的利润不仅低，而且极不稳定。图 10.3 所示的是这五年来，家电行业股票（包括索尼、松下、三洋等日本知名电器公司和美国的一些电器公司等）和大盘走势的对比，从图中可以看出，家电行业的股票（深色）不仅回报不如大盘（浅色），而且忽上忽下像坐过山车一样，这是投资者最不喜欢的。

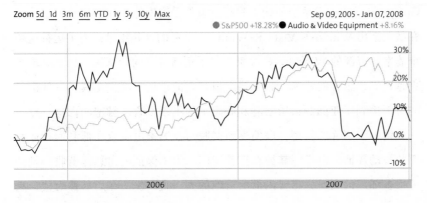

图 10.3　家电行业股票与大盘走势对比

2008 年金融危机后，这个消费电子公司的股票基金在构成上有了根本的变化，数据不再可比，因此我们代之以消费电子的龙头公司三洋（股票代号 SANYY）和松下（股票代号 PC）。图 10.4 所示的是 2005-2010 年，这两家公司在美国的股价和美国标准普尔 500 指数（S&P 500）的比较。这两家蓝筹股大公司的股价依然是飘忽不定。

8

2010 年，马克·赫德因对秘书茱迪·费舍尔的性骚扰而接受调查。调查的结果是性骚扰的指控不成立，但是调查中发现赫德给费舍尔报销了两万多美元不该报销的费用。赫德因此以品行问题而被迫辞职。

图10.4　三洋、松下公司股票与标准普尔指数对比

因此，惠普一旦被打上了消费电子公司的标记，对于向往创新的工程师和科学家来说，惠普就不再是他们工作的首选了，这对惠普的长期发展不利。在菲奥莉娜担任 CEO 期间，惠普高级人才大量流失，其中包括后来成为 Google 工程领域第一把手的阿兰·尤斯塔斯（Alan Eustace），Google 的美国工程院院士桑杰·戈马瓦特（Sanjay Ghemawat）以及 Google 早期的一批系统架构工程师。虽然受到安迪 – 比尔定律的影响，在微软推出 Windows Vista 和 Windows 7 后的这几年里，为了运行这两个非常耗资源的 Windows，大家不得不更新自己的计算机，加上赫德的卓越领导，惠普的业绩一直不错。但是它的市场份额，尤其是海外市场的份额遭到了亚洲制造（宏碁和联想）的不断蚕食。赫德明白这一点，一直致力于惠普的转型，以便逐渐摆脱与亚洲家电企业在低利润行业竞争的被动局面。但是，赫德在惠普期间，为了保证公司总体营收，触动了很多部门的利益，惠普内部反对他的人一直不少。在后赫德时代，惠普虽然在坚持赫德时期的策略，但是执行力大不如前，这在行业变化非常快速的 IT 领域是绝对不可能成功的。

后记

惠普在后赫德时代业绩明显停滞，继而下滑。赫德离开的 2010 年，惠普实现 1 260 亿美元的营业额，比上一年的 1 145 亿美元增长 10%，利润从 101 亿同步上涨到 115 亿。在惠普这么大基数的前提下，这是非常不容易的业绩。赫德的继任者李艾科（Léo Apotheker）掌控惠普近一年，惠普的营业额几乎没有增长（2011 年是 1 270 亿），而利润却下滑了 16%，降到 96.7 亿美元，而且前景看不到光明。因此惠普的股价从赫德事件前的每股 54 美元一度下跌到 2011 年 10 月份的 23 美元最低点，经过几个月的回升，回到 27 美元左右，也只有赫德时期的一半。而同期美国经济和股市都在回升。

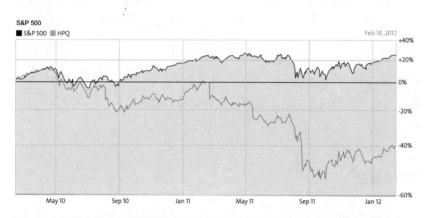

图 10.5　在后赫德时代，惠普股价大幅下滑（浅灰色），同期美国股市表现良好（深色）

由于惠普在业绩上的糟糕表现，李艾科只当了 10 个月的 CEO（2010 年 11 月到 2011 年 9 月）就下台了，成为惠普历史上最短命的 CEO。

2010 年苹果推出平板电脑 iPad，全球的 PC 市场开始慢慢向移动化和轻量化转变，惠普起步倒不算晚，当年就推出了类似的平板电脑，但是因为它既没有采用流行的操作系统 Android，也没有像苹果那样做出让用户眼睛一亮的产品，因此这个产品从上市第一天起就非常失败，不仅不能和苹果竞争，而且和亚洲各种 Android 的平板电脑（比如宏碁和三星的）相比也远远不如。惠普的不幸在于它处在一个从微机的 WinTel 时代向云计算时代过渡的关键时期，但是这家公司太老了，失去了快速应对这一变革的能力。虽然惠普请来了硅谷成功的职业经理人、eBay 前 CEO 梅格·惠特曼 (Meg Whitman) 担任 CEO 来挽救公司，但是她个人的能力无法扭转科技浪潮的作用。到 2012 年 7 月，惠普的业绩没有任何好转，股价甚至比 2011 年 9 月惠特曼上台时还要低。因此，惠普公司的前景非常不乐观。

结束语

惠普虽然是一家大公司，但是它从来没有领导过哪次技术浪潮。因此，它开创出一个新行业的可能性不大（惠普不同于苹果，后者从来就有创新的基因，因此可以完成从微机到 iPod、到 iPhone，然后到 iPad 的过渡。前者则很难转型）。它是硅谷当年以半导体和计算机硬件为核心的时代的代表，而今天的硅谷，半导体变得越来越不重要了。惠普已经不能代表今天硅谷的潮流了，它可能将是一颗黯淡了的巨星。

惠普大事记

1939　惠普公司成立。

1957　惠普公司上市。

1966　惠普进入计算机市场，成为 IBM 以外的 7 家小计算机公司之一。

1984　惠普进入打印机市场。

1999　卡莉·菲奥莉娜成为惠普历史上第一位女性 CEO；同年，制造仪器的部门剥离上市，成为独立的安捷伦公司。

2002　在卡莉·菲奥莉娜的努力下，惠普董事会以 51% 对 48% 通过决议，收购了常年亏损的康柏公司，成为史上最有争议的收购案。

2005　卡莉·菲奥莉娜因业绩不佳离职，马克·赫德接掌惠普，开创了惠普的五年高速发展期。2008 年惠普超过 IBM 成为全球营业额最高的 IT 公司。

2010　马克·赫德因性骚扰案引发的滥用公款事件而离职。

参考文献

1.《勇敢抉择》，卡莉·菲奥莉娜自传。

2. Actress Behind HP CEO Harassment Complaint Steps Forward, by Ryan Singel, Wired, August 9, 2010，参见：http://www.wired.com/epicenter/tag/jodie-fisher/。

第11章 没落的贵族

摩托罗拉公司

美国过去未曾有过贵族，今后也不会有。无论是巨富盖茨，或者是年轻美貌、聪明而富有的女继承人伊万卡·特朗普[1]（Ivanka Trump）都不是任何意义上的贵族。实际上，"贵族"这个词本身在整个西方就是一个没落的词，虽然在东方一些人或许还沉迷在贵族梦中。但是，贵族在历史上曾经实实在在地出现过，如果说公司之中也有所谓的贵族，那么摩托罗拉无疑可以算是一个。

1
美国房地产大王唐纳德·特朗普的女儿。

曾几何时，摩托罗拉就是无线通信的代名词，同时它还是技术和品质的化身。甚至就在上个世纪 90 年代初，摩托罗拉还在嘲笑日本品质的代表索尼，认为后者的质量只配做体育用品。今天，虽然摩托罗拉的产品从品质上讲仍然傲视同类产品，但是就像一个戴着假发拿着手杖的昔日贵族，怎么也已无法融入时尚的潮流。

1 二战的品牌

图 11.1 所示的图片是从美国军方网站上找到的，大部分读者应该是第一次见到这张照片。但是，大家对它一定似曾相识，因为这是美军在各种媒体，尤其是在电影中，通信兵最经典的形象。这位战士身上背的是摩托罗拉的 SCR-300 背负式跳频步话机。它是一个可调谐的高频调频通信设备，重 16 公斤，有效通信距离 12.9 公里左右。二战期间，摩托罗拉的

品牌随着美军传播到全世界。

图 11.1　摩托罗拉 SCR-300 背负式跳频步话机

摩托罗拉公司原名高尔文制造公司（Galvin Manufacturing Corpora-
tion），创立于1928 年，以创始人之一的保罗·高尔文的名字命名。它
最早是生产汽车收音机的，摩托罗拉则是这种收音机的品牌。Motorola
一词的前 5 个字母 Motor 表示汽车，ola 是美国很多商品名常用的后缀，
比如可口可乐（Coca Cola）。二战前，美国军方已经认识到无线电通信
的重要性，开始研制便携式无线通信工具，并研制出一款步话机（Walkie
Talkie）SCR-194，但是非常笨重，不太实用。摩托罗拉的一些工程师参
与了这项研究。1940 年，摩托罗拉研制出真正用于战场的步话机，就是
上面照片中的 SCR-300。1942 年，摩托罗拉公司再接再厉，研制出"手
提式"对讲机（Handy Talkie）SCR-536，见图 11.2。

图 11.2　摩托罗拉的"手提式"对讲机 SCR-536

这个超级"大哥大"重 4 公斤，在开阔地带通信范围为 1.5 公里，在树林中只有 300 米。即使如此，那时美军的通信装备也高出其他国家的军队一大截。从这一系列军用设备可以看出，摩托罗拉在无线电通信方面的实力很强，拥有全球领先的调频技术和天线技术。同时，作为美国军方和政府部门的供应商，摩托罗拉产品的稳定性和鲁棒性都很好。这从某种程度上讲是摩托罗拉产品的基因。至今，很多摩托罗拉的产品仍然如此。我经常看到这类报道，在荒郊野外出了一起车祸，大家都拿出手机呼救，最后只有摩托罗拉的手机能打出去。但是，很多事情是双刃剑，过分注重技术和品质使得摩托罗拉在商业上的灵活性远不如诺基亚和三星等竞争对手。

二战后，摩托罗拉作为品牌名气越来越大，人们一说起无线通信就会先想到摩托罗拉。直到 20 年前，摩托罗拉一直垄断这个市场，从对讲机、早期的手机即大哥大，到 20 世纪 90 年代初风靡中国，城市里人手一个，万元户腰里一排的 BP 机。人们甚至忘了它公司的名称——高尔文制造公司，于是，1947 年公司干脆改名为摩托罗拉，由此可见当年摩托罗拉品牌名头之响。这种事情在大公司里并不少见，几年前，松下公司也把它的名字从创始人松下幸之助的名字 Matsushita 改为了品牌的名字 Panasonic。

2　黄金时代

从二战后到 20 世纪 90 年代初，可以讲是摩托罗拉红火的年代。摩托罗拉在模拟无线通信方面拥有其他公司无法相比的技术优势，并且创造出多项世界第一。美国通信界对通信有一种通用的分类方法，即分为：有线单向（如闭路电视）、有线双向（如电话）、无线单向（如收音机）和无线双向（如手机电话和 Wi-Fi）4 种。长期以来，直到十几年前，AT&T 一直是有线通信之王，RCA（Radio Corporation of America，美国无线电公司）是无线单向通信的老大，而摩托罗拉是不折不扣的无线双向通信的霸主。我们从前一节可以看到，摩托罗拉的核心业务都和双向的无线通信有关。

1946 年，摩托罗拉发明了汽车电话。看过亨弗莱·鲍嘉和奥黛丽·赫本演的电影《龙凤配》（Sabrina）的读者可能对这种产品会有印象，影片中身为大公司董事长的 Linus 从纽约长岛家中出发，一上汽车便通过汽车电话向远在曼哈顿的公司同事下达指示。很遗憾的是，汽车电话一直都是富人的奢侈品，它还没开始普及，就被手机代替了。12 年后，摩托罗拉发明了基于汽车的对讲机，它在美国被警察、出租车公司和各种运输公司广泛使用，直到 20 世纪 90 年代末被手机取代（除了警察还在用）。在 2000 年以前各国的警匪片中，我们经常看到此产品。

1963 年，对摩托罗拉来讲是一个值得纪念的年份。这一年，摩托罗拉发明了世界上第一个长方形的彩电显像管，如图 11.3 所示，而且它迅速成为了行业标准。在此之前，RCA 的彩电荧幕是圆形的。

图 11.3　摩托罗拉的长方形彩色显像管

1967 年，摩托罗拉生产出美国第一台全晶体管彩色电视机——以前的彩电或多或少还有些电子管。这件事对摩托罗拉影响很大，以前摩托罗拉虽然在技术上领先于世界，但是产品除了汽车里的收音机，都不是民用的。彩色显像管的发明，标志着摩托罗拉有能力进入民用市场，并且将业务的重点转向民用。但遗憾的是，摩托罗拉在家电市场初期的尝试不很成功，到 1974 年，它不得不将彩电业务卖给了日本的松下公司。今天，很少有人知道摩托罗拉对彩电工业的贡献。

在上个世纪六七十年代，摩托罗拉完全经得起在彩电上的失败，因为它领先于世界的技术太多了。到上个世纪 80 年代，摩托罗拉进入蓬勃发展的 10 年，它的业务也由无线通信扩展到计算机的半导体芯片。1979 年，摩托罗拉成功推出 68000 通用微处理器，它因设计的集成度为 68 000 个晶体管而得名（虽然实际集成度为 70 000 个）。它的地址总线宽度为奇特的 24 位，可以管理 16MB 的内存，因而成为所有小型机和工作站的首选芯片。而同期英特尔的处理器其实比它落后半代，后者 16 位的地址宽度只能管理 64KB 内存。

20 世纪 80 年代，随着数字信号处理的发展，出现了对专用数字信号处理芯片（DSP）的需求，该类产品也应运而生。德州仪器（Texas Instruments，世界最大的半导体公司之一）、AT&T 和摩托罗拉在 20 世纪 80 年代初先后推出了 TMS、DSP 和 M56K 三大系列产品，这个市场发展得如此之快，给摩托罗拉带来了一个新的金矿。今天，DSP 依然是手机（和平板电脑等移动终端）处理器芯片的核心部分，而手机处理器芯片[2]是全世界销量最大、最赚钱的半导体芯片（因为每个手机和平板电脑中必须有一颗这样的芯）。

当然，摩托罗拉对世界最大的贡献是它在 20 世纪 80 年代初发明的民用蜂窝式移动电话，也就是早期说的大哥大，现在说的手机。大家公认摩托罗拉是当今手机通信的发明公司，虽然 AT&T 声称它的无绳电话比摩托罗拉的手机早，但是大家知道无绳电话和手机是两回事。由于 AT&T 扎根于有线通信，不自觉地会抵触无线通信。移动电话刚起步时，AT&T 预计 2000 年全球手机用户不超过 100 万（后来 2000 年时的实际数目比这个数字估计大了 100 倍），所以，AT&T 自然不会把重点放在移动通信上。而摩托罗拉正相反，它在有线通信上不可能有作为，就自然而然地押宝在移动通信上，领导和推动了移动通信的潮流。

到 20 世纪 90 年代初，摩托罗拉在移动通信、数字信号处理和计算机处理器三个领域都是世界上技术最强的"选手"。更难能可贵的是，它的

2
今天大部分手机芯片都是基于 ARM 的。

产品声誉极好。我最早接触摩托罗拉的产品是在 20 世纪 80 年代末，一些海关的朋友向我介绍他们的摩托罗拉对讲机。那些对讲机可以在钢铁包围的大货轮货舱里和岸上的同事通话，这是任何其他同类产品做不到的。今天，摩托罗拉的高端 Android 手机依然采用高质量的金属外壳，而不是像其他厂商那样用便宜的塑料外壳。1990 年，摩托罗拉的营业额超过 100 亿美元，在 IT 公司中仅次于 IBM 和 AT&T。如果摩托罗拉能通吃三大市场，它无疑将是今天世界上最大的 IT 公司。即使它能垄断其中一个，也是一个巨无霸的公司。很遗憾，它一个也没做好，这个通信革命的领导者被自己掀起的技术浪潮淘汰了。原因何在？

3 基因决定定律

作为移动通信的领导者，摩托罗拉自然地垄断了第一代移动通信市场。第一代移动通信是基于模拟信号的，天线技术和模拟信号处理技术的水平决定了产品的好坏，而产品的外观式样十分次要。在技术方面，没有公司能挑战摩托罗拉。因此，摩托罗拉的手机虽然卖得贵（那时在中国一部好手机要两万元），它仍然占领了全球 70% 的市场。其他公司要想和摩托罗拉竞争，只能寄希望于下一代手机。

在第二代移动通信刚开始时，欧洲联合起来了。以往欧盟各国只能算是松散的联盟，在技术上很难单独和美国抗衡，即使搞出一个不同于美国的行业标准，也很难在世界上占主导地位，比如彩电的 PAL 制式。近 20 年来，欧洲脱离美国单独行事的意识越来越强，同时吸取了各自为战的失败教训，明显加强了内部的合作，终于在第二代移动通信上超越了美国。

1982 年欧洲邮电管理委员会（Confederation of European Posts and Telecommunications，简称 CEPT）提出了数字移动通信的标准 Group Special Mobile，简称 GSM。后来这个标准流行于世，欧洲又把它改为 Global System for Mobile Communications，因此，很多人以讹传讹误以为 GSM 是后者的缩写。1989 年，该标准被提交到欧洲电信标准局，第二年便成为欧洲，乃至后来成为世界的第二代移动通信标准。GSM 的技术核心是时分多址技术（TDMA），即将每个无线频率按时间均匀地分给 8 个（或 16 个）手机用户，每个用户交替占用 1/8 的信道时间（人们通话时，语音之间的间隙时间其实很长，只要语音编码做得合理，就可以几个用户共用一个信道）。GSM 实现简单，在成为欧洲标准的第二年，即 1991 年，就由爱立信和一家芬兰公司架设了第一个 GSM 的移动通信网。两年后，包括中国在内的四十几个国家采用 GSM 标准，今天，GSM 占世界手机用户的 80%，据称达 20 亿用户。

在欧洲人行动的同时，美国人并没有闲着，他们似乎比欧洲人更努力。整个欧洲只搞出一个标准，而只有欧洲人口 1/3 的美国居然搞出了三个数字通信的标准，其中两个和 GSM 一样是基于 TDMA 的标准，而第三个是很先进的码分多址 CDMA 标准。结果就不用说了，美国注定在第二代移动通信标准上要失败。

美国在标准之争上的失败间接影响到摩托罗拉手机的竞争力。当然，在标准上失败并不意味着摩托罗拉在手机市场上会失败，就像不拥有任何标准的三星公司照样在全球手机市场上抢到一席之地。摩托罗拉失去手机市场统治地位的原因还必须从自身找起。这里面既有无法抗拒的命运的捉弄，也有人为的因素。

2006 年，我和李开复博士等人多次谈论科技公司的兴衰。我们一致认为一家公司的基因常常决定它今后的命运，比如 IBM 很难成为一个微机公司。摩托罗拉也是一样，它的基因决定了它在数字移动通信中很难维持它原来在模拟手机上的市场占有率。摩托罗拉并不是没有看出数字手机将来必会代替模拟手机，而是很不情愿看到这件事发生。作为第一代移动通信的最大受益者，摩托罗拉想尽可能地延长模拟手机的生命期，推迟数字手机的普及，因为它总不希望自己掘自己的墓。如果过早地放弃模拟手机，就等于放弃已经开采出来的金矿，而自降身价和诺基亚等公司一同从零开始。尤其在刚开始时，数字手机的语音质量还远不如摩托罗拉砖头大小的大哥大，更使摩托罗拉高估了模拟手机的生命期。和所有大公司一样，在摩托罗拉也是最挣钱的部门嗓门最大，开发数字手机的部门当然不容易盖过正在挣钱的模拟手机部门，因此，摩托罗拉虽然在数字手机研发上并不落后，但是进展缓慢。等到众多竞争对手推出各种各样小巧的数字手机时，摩托罗拉才发现自己慢了半拍。

当然，以摩托罗拉的技术和市场优势赶上这半步照说应该不难，但是，摩托罗拉的另一基因使得它很难适应新的市场竞争。在模拟通信设备市场上，技术占有至关重要的位置，其他方面，比如方便性、外观都不重要。而且模拟电子技术很大程度上靠积累，后进入市场的公司很难用一年两年时间赶上。玩过音响的发烧友知道，音响的数字设备，比如播放机，各个牌子的差异不是很大，而模拟部分比如喇叭，不同厂家的差异却有天壤之别。日本的索尼和先锋这些普及型的音响公司至今做不出美国 Harman Kardon 和 INFINITY 那种高质量的喇叭。在摩托罗拉内部，很长时间里，也许直到今天，技术决定论一直占主导。在数字电子技术占统治地位的今天，各个厂家之间在技术上的差异其实很小，这一点点差别远远不足以让用户选择或不选择某个品牌的产品。相反，功能、可操作性、外观等非技术因素反而比技术更重要。在这些方面，摩托罗拉远非诺基亚和亚洲公司的对手。我一些在摩托罗拉的朋友常常很看不上诺基亚和三星等公司的做法——换了换机壳或颜色就算是一款新手机，但是，用户还真的很买后者这种做法的账。

公平地讲，摩托罗拉的手机仍然是同类手机中信号最好、最可靠的，我个人只用手机打电话，在用过多种品牌的手机后，还是最推崇摩托罗拉的。但是，在亚洲，手机不只是电话，它还是个人通信的平台，是生活的一部分，甚至有人在上面镶上钻石作为身份的象征（这有点像 200 多年前欧洲人的手杖，其实不是为了支撑身体）。在满足后者需求上，诺基亚和以三星为首的亚洲公司做得更好。

如果说基因决定论多少有些宿命论倾向，那么人为的因素也加速了摩托罗拉的衰落。我们在介绍英特尔一章中介绍过，在科技工业发展最快的上世纪八九十年代，摩托罗拉的第三代家族领导人高尔文三世没有能力在这个大时代中纵横捭阖，开拓疆土。摩托罗拉本来在手机、计算机处理器和数字处理器（DSP）三个领域均处于领先地位，前景不可限量。但是高尔文实在没有能力将三大部门的十几万人管理好，虽然没有犯什么大的错误，但是也非常平庸。也许，在 50 年前，一个只需守成的年代，他可以坐稳他的位置，但是在上个世纪末那个英雄辈出、拒绝平庸的年代，盖茨、乔布斯、郭士纳、格罗夫、钱伯斯和通用电气的杰克·韦尔奇（Jack Welch）等人都在同场角逐，任何公司都是逆水行舟，不进则退。除了高尔文，摩托罗拉的整个管理层也有责任，他们低估了摩尔定律的作用。虽然数字手机在一开始还比不上模拟手机，但这并不能说明它要很长时间才能威胁到模拟手机的地位。事实上，由于半导体技术按指数级的速度发展，手机数字化比摩托罗拉高管们想象的时间表来得早得多，使得摩托罗拉几十年来积累的模拟技术变得无足轻重，市场优势顿失。

本来，摩托罗拉是最有资格领导移动通信大潮的，很遗憾，它只踏上了一个浪尖就被木材加工厂出身的诺基亚超过了。

4　铱星计划

世界科技史上最了不起的、最可惜的、或许也是最失败的项目之一，就是摩托罗拉牵头的"铱星计划"。

为了夺得对世界移动通信市场的主动权，并实现在世界任何地方使用无线手机通信，以摩托罗拉为首的一些公司在美国政府的帮助下，于 1987 年提出新一代卫星移动通信系统。我们知道，当今的移动通信最终要通过通信卫星来传输信息，为了保证在任何时候卫星能够收发信号，卫星必须保持和地球的相对位置不变。同步通信卫星必须发送到赤道上空 35 800 公里高的圆形轨道上。同时在地面建立很多卫星基站来联络手机和卫星。如果一个地方没有基站，比如撒哈拉沙漠里，那么手机就没有信号，无法使用。铱星计划和传统的同步通信卫星系统不同，新的设计是由 77 颗低轨道卫星组成一个覆盖全球的卫星系统。每颗卫星比同步通行卫星小得多，重量在 600~700 公斤左右，每颗卫星有 3 000 多个信道，可以和手机直接通信（当然还要互相通信）。因此，它可以保证在地球上的任何地点实现移动通信。由于金属元素铱有 77 个电子，这项计划就被称为"铱星计划"，虽然后来卫星的总数降到了 66 个。

这是一项非常宏伟而超前的计划，它最大的技术特点是通过卫星与卫星之间的传输来实现全球通信，相当于把地面蜂窝移动系统搬到了天上。从技术上讲，铱星系统是相当了不起的，它采用星际链路。在极地，66 颗卫星要汇成一个点，又要避免碰撞，难度很高。从管理上讲，它又是一个完整的独立网，呼叫、计费等管理是独立于各个国家通信网的（这种独立计费在后来给它的运营带来很大麻烦）。低轨道卫星与目前使用的同步轨道卫星通信系统比较有两大优势：第一，因为轨道低，只有几百公里，信息损耗小，这样才可能实现手机到卫星的直接通信。我们平常使用的手机都不可能和 35 800 公里以外的同步卫星直接通信；第二，由于不需要专门的地面基站，可以在地球上任何地点进行通信。1991 年摩托罗拉公司联合了好几家投资公司，正式启动了"铱星计划"。1996 年，第一颗铱星上天；1998 年整个系统顺利投入商业运营。美国历史上最懂科技的副总统戈尔第一个使用铱星系统进行了通话。此前，铱星公司已经上市了，铱星公司的股票在短短的一年内大涨了 4 倍。铱星系统被美国《大众科学》杂志评为年度全球最佳产品之一。铱星计划开始了个人卫星通信的新时代。

从技术角度看，铱星移动通信系统是非常成功的。这是真正的科技精品。我常常想，我们这些被称为高科技公司的互联网公司做到的东西和铱星系统相比，简直就像是玩具。铱星系统在研发中，有许多重大的技术发明。应该说整个铱星计划从确立、运筹到实施都是非常成功的。但是，在商业上，从投资的角度讲，它却是彻头彻尾的失败。这个项目投资高达五六十亿美元，每年的维护费又是几亿美元。除了摩托罗拉等公司提供的投资和发行股票筹集的资金外，铱星公司还举债 30 亿美元，每月光是利息就达几千万美元。为了支付高额的费用，铱星系统用的手机定价高达 5 000 美元，每分钟的通话费 3 美元。这样，铱星公司的用户群就大大减小。直到 2006 年，它才有 20 万用户，还不及 2007 年苹果 iPhone 上市一个月发展的用户多。

铱星系统投入商业运行不到一年，1999 年 8 月 13 日铱星公司就向纽约联邦法院提出了破产保护。半年后的 2000 年 3 月 18 日，铱星公司正式宣告破产。铱星成了美丽的流星。66 颗卫星在天上自己飞了几年，终于在 2001 年被一家私募基金公司（Private Equity）以 2 500 万美元的低价买下，不到铱星整个投资——60 亿美元的 1%。作为一个与摩托罗拉无关的私营公司，铱星公司居然起死回生，2007 年实现近 3 亿美元的营业额和 500 万美元的利润[3]，而且还计划在 2015 年发射第二代卫星。

摩托罗拉的铱星计划是通信史上的一颗流星，一个美丽的故事。摩托罗拉公司很聪明地利用其技术优势吸引了全世界的眼球。该计划一出炉就引起世人的广泛注目，也赢得了风险投资家的青睐。摩托罗拉为此自己拿出了 10 亿美元，同时钓鱼似地从投资公司拿到近 50 亿美元，从而大大降低了自己的风险。但是，在商业运作上，摩托罗拉做得很不成功。首先，市场分析现在看来就有问题，成本过高导致用户数量不可能达到预计的盈利所必需的规模。而成本过高又是技术选择的失误造成的。摩托罗拉长期以来都是一个了不起的技术公司，它长于技术，但是过分相信技术的作用。铱星计划在技术上是无与伦比的，但是，过度超前于市场的技术不仅导致成本过高，而且维护费用也是巨大的。另外，引入风投本身的弊端在项目的后期凸显出来，那就是投资者为了收回投资，过早地将铱星系统投入商用，当时这个系统通话的可靠性和清晰度很差，数据传输速率也仅有 2.4kbit/s，因此，除了打电话没法做任何事，这使得潜在的用户大失所望。总的来说，就是铱星计划太超前了，它开业的前两个季度，在全球只有一万个用户，

3
这里的利润是按美国会计结算方式计算出来的，盈利并不代表现金流是正数。

而当初的市场分析曾乐观地预计，仅在中国用户数量就能达到这个数的十倍。在后期商业运作上，铱星公司问题很多，最终导致银行停止贷款，部分股东撤回投资，并遭受股票停盘的致命打击。

5　全线溃败

铱星计划对摩托罗拉的打击远不止 10 亿美元。在摩托罗拉启动铱星计划时，GSM 还没有在世界上占统治地位，美国和包括中国在内的很多国家还吃不准技术上更好的 CDMA 是否会很快替代掉 GSM。但是，摩托罗拉由于把精力分散到了铱星计划上，不仅失去了和诺基亚竞争的最佳时机，还被三星、LG 等当时兴起的电子公司抢走了部分市场。

当然，仅仅这一次失败，甚至在整个手机领域的失败还不至于把世界第一的无线通信公司搞垮。但是，摩托罗拉几乎同时在所有的战线上全面溃败，便一下跌入了谷底。

在计算机处理器业务上，摩托罗拉经过多年的努力，最终还是败给了英特尔。摩托罗拉和英特尔之争在前面已经提到，这里就不再赘述了。值得强调的是，从一开始直到几年前摩托罗拉把半导体业务卖掉，它在处理器技术和产品性能上从来没有输给过英特尔，但是在商业竞争中，光有技术显然是不够的。

在数字信号处理器上，摩托罗拉最终没有竞争过老对手德州仪器公司。如果说中央处理器（CPU）是计算机的大脑，数字信号处理器则是我们今天手机、数字电视等产品的大脑。它在国民经济和人们生活中的重要性可想而知。

谈到数字信号处理器，业界的人都会首先想到德州仪器公司。德州仪器公司历史和摩托罗拉差不多长，经历也类似，从给军方提供无线电产品起家。20 世纪 80 年代初，继 AT&T 之后，德州仪器和摩托罗拉几乎同时推出了自己的 DSP：TMS320 系列和 56K 系列。德州仪器的第一代 TMS320C2X 是 16 位定点处理器，在精度上略显不足，而且所有的浮点计算要由编程人员改为定点实现，使用也不是很方便。摩托罗拉的56K 系列一开始就是 24 位，精度对于当时的应用绰绰有余，应该讲性能在德州仪器产品之上。但是，学过计算机编程的人可能都知道，这种不伦不类的 24 位处理方式使用起来会很别扭。很快，德州仪器推出了32 位的 TMS320C3X 系列 DSP，虽然价钱较摩托罗拉的 DSP 贵，但是由于在 32 位处理器上开发产品容易，因此大家还是喜欢用德州仪器的DSP。由于摩尔定律的作用，摩托罗拉 56K 在价格上的优势越来越不明显，而它在开发成本上的劣势渐渐显示出来。在 DSP 上，摩托罗拉与德州仪器的差距一天天拉大。我至今搞不懂为什么摩托罗拉要做上不着天、下不着地的 24 位 DSP。也许是它考虑到客户购买的成本，但却忽视了客户使用的方便性。说得重一点，摩托罗拉低估了摩尔定律的作用，过分看重制造成本而忽视了开发成本：前者随着时间的推移而降低，后者则随时间推移而增加，因此它的产品从发展的角度来看略逊于德州仪器。另外提一句，摩托罗拉的中央处理器 68000 系列中早期的产品也是这种不伦不类的 24 位总线。

随着半导体集成度的提高，德州仪器等公司将手机外围电路的芯片和DSP 集成在一起，现在的手机主要芯片只剩下一个。德州仪器很像计算机领域的英特尔公司，它自己不做手机，而是向许许多多手机厂商提供核心芯片，它通过其领先的 DSP 技术，牢牢占据了世界 2G 高端手机市场的半壁江山。摩托罗拉的战线则拉得很长，从手机芯片到手机整机一条龙。如果内部合作得好，这种做法成本固然低。但是，高尔文不是通用电气的韦尔奇，没有能力整合这么大的公司，其芯片部门和整机部门像两个单独的公司，没有足够的沟通，反而使得产品开发周期变长。摩托罗拉和德州仪器在手机芯片上的差距是渐渐拉开的，就如同它和英特尔在处理器上的竞争是慢慢失败的一样。但是，这种差距达到一定程度后，就不可能逆转了。随着 3G 手机开始普及，高通公司利用它在 CDMA 上垄断性的专利，一跃成为 3G 手机芯片最大的提供商。到

4
2003 年宣布剥离
飞思卡尔，第二年
7 月，飞思卡尔上
市。

2004 年，高尔文下台时，其半导体部门被迫分离出去单独上市[4]，就是现在的飞思卡尔（Freescale）。后来飞思卡尔在德州仪器和高通公司的双重挤压下，业绩依然不佳，只好被私募基金收购，这当然是后话了。

摩托罗拉长期以来形成了高工资、高福利的大锅饭，员工干好干坏差别不大。摩托罗拉的本意是想避免员工之间不必要的攀比，每个人都有一个宽松自在的环境安心工作。这是四五十年前大公司吸引人才的方式，欧洲公司至今还采用这种办法。但是这不太适合喜欢冒险的美国人。上个世纪八九十年代以来，美国的科技公司为了调动知识型员工的积极性，很多都采用股票期权制。（我们以后再仔细介绍。）而摩托罗拉公司迟迟没有采用这种福利制度，直到今天，摩托罗拉公司给员工的期权依然数量很少。这不能不说是受摩托罗拉的传统管理方式所限。因此，很多人把摩托罗拉看成一家可以去养老而不是创业的公司。

摩托罗拉的另一个问题是管理混乱，内斗多。虽然这是上市大公司的通病，但摩托罗拉在同行业公司中的问题更严重些。大公司在竞争中，不需要做到十全十美，只要比对手好一点点就行了，而摩托罗拉却恰恰比英特尔和德州仪器差了一点。时间一长，就露出了败相。

6　回天乏力

2001 年美国网络泡沫破裂，以科技股为主的 NASDAQ 崩盘，这对本来已经开始走下坡路的摩托罗拉更是雪上加霜，它的股票从 2000 年的 50多美元（2000 年摩托罗拉有一次 1∶2 的分股，分股前的股价超过 100 美元。）跌到 2003 年的不足 8 美元。2003 年 9 月，摩托罗拉董事会宣布寻找新的 CEO，这意味着已经要求创始人保罗·高尔文（Paul Galvin）的孙子克里斯托弗·高尔文（Christopher Galvin）离开摩托罗拉董事长的职位。2004 年 1 月，克里斯托弗·高尔文最终被迫退休，摩托罗拉从此结束了家族企业的历史。直到 2011 年年初摩托罗拉一分为二时，它的股价也一直停留在 8 美元左右。

像惠普那样换一个 CEO 就能翻盘的事不是总能发生的。高尔文的继任者爱德华·詹德（Edward Zander）可没有惠普新 CEO 赫德的本事和运气，虽然他上任时提出夺回手机占有率的口号。和跨国公司大多数临危受命的继任者一样，詹德上台后进行了公司重组，大规模裁员，公司的利润保住了，股价也上来了。同时，他把半导体部门分出去上市，专注于手机业务。但是，在管理公司方面，他并没有显示出过人的本领。办事效率依然不高，内斗明显，产品开发速度居然赶不上后来居上的三星公司。三星每几个月就能推出一款手机，而摩托罗拉半年都不能定义清楚一款新的手机。不仅如此，摩托罗拉每成功上市一款手机，就有更多款的手机半途而废。因此，摩托罗拉手机的开发成本极高。

摩托罗拉至今都看不起三星和诺基亚不重视核心技术、只在外形和功能上搞花架子的做法。摩托罗拉一直认为技术和质量是产品的关键，因此我说它是 IT 业的一个贵族。这当然没有错，但是这远远不够。今天，至少在手机行业，各家公司产品在硬件技术上差不到哪里去，设计一款手机的硬件和当年在中关村攒一台 PC 一样容易。现在的手机里面没有几个芯片，而且核心的只有一个，只要找德州仪器等公司买就行了（这也是为什么中国有无数手机品牌的原因）。因此，手机的质量都不是决定市场的唯一因素。另一方面，今天所有手机的质量比 20 年前都有很大的提高，今天质量差的手机也比 20 年前质量好的手机质量更好，也就是说今天质量差的手机也凑合着能用。要想在今天的手机市场上（尤其是在亚洲）站稳脚，功能、外观的设计和质量及技术含量同样重要，商业和市场的开拓更是不可偏废，在这些方面，摩托罗拉和后进入手机市场的公司几乎处在同一个起跑线上。

摩托罗拉早在七八年前就看到统一手机操作系统平台的重要性。10 多年前，摩托罗拉和所有手机厂家的每一款手机都有自己独特的硬件和软件，开发工作重复很多，手机应用程序之间也互不兼容。摩托罗拉试图打造一个通用的操作系统，作为它今后手机开发的统一平台。这个想法本来不错，但是摩托罗拉选错了平台，选中了 Java。它从太阳公司请来了一位主管 Java 开发的副总裁主管手机通用操作系统的开发，同时摩托罗拉公司雇佣很多 Java 工程师来开发这个平台。但是，Java 有一个无法克服的先天不足，就是速度太慢。2004 年，该平台原型开发出来时，公司发现其速度只有实时速度的几分之一，即使硬件速度按照摩尔定律预测的速度增长，这个操作系统在几年内也无法实现实时。因此，摩托罗拉不得不放弃该平台。此后，摩托罗拉又试图开发基于 Linux 的通用平台，但是由于内耗，进展也不顺利。而此时，安迪·鲁宾（Andy Rubin）的小团队已经在 Linux 手机平台上取得了巨大的突破，这个团队不久便被 Google 收购，成为今天全世界开源手机平台 Android 的原型。摩托罗拉由于执行力不足，最终失去了统一手机操作系统平台的最佳机会。

摩托罗拉做手机 20 多年，至今没有一款手机能称得上"Cool"——酷的。詹德在这方面也没有苹果公司乔布斯的天赋。苹果公司虽然是最晚进入手机市场的，却做出了今天最好的手机。在开拓市场方面，詹德能想出的提高市场占有率唯一有效的手段就是打价格战。一时间，这个饮鸩止渴的办法确实提高了摩托罗拉的市场占有率。但是，由于摩托罗拉手机的利润本身就比诺基亚薄，降价空间有限，两年后，当摩托罗拉再无利润可降时，内部的低效率、管理混乱的问题还没来得及解决，摩托罗拉的市场占有率已经开始慢慢地下滑。据《华尔街日报》报道，2006 年摩托罗拉居然想出出售最重要的手机部门的馊主意。但是，居然没有公司愿意接手，可见摩托罗拉手机部门内部问题之严重。2008 年，当了四年 CEO 的詹德就不得不离职了。

摩托罗拉没有惠普的运气，它在很长时间里一直没有找到一位合适的领导人，最后由负责市场的格雷格·布朗（Greg Brown）和从竞争对手高通公司挖来的负责技术的桑杰·嘉哈（Sanjay Jha）共同执掌世界上最老的移动通信公司。然而，新的 CEO 在很长时间里也一直没有找到拯救摩托罗拉的灵丹妙药。

摩托罗拉又把中国当作它的救星。摩托罗拉 20 世纪 80 年代在中国的投资就非常成功，其中国公司是摩托罗拉海外最大、营业额最高的分公司，而且是促成摩托罗拉和中国政府及工业界全面合作的桥梁。据《华尔街日报》报道，就在摩托罗拉试图出售手机部门的最艰难时段，摩托罗拉和几家中国公司签下了扩大合作的协议，希望生产和市场或许会有转机。但是，这些合作最终并没有改变摩托罗拉在技术和市场上的困境。

经历了十几年的挫折，摩托罗拉已经没有了四处出击、一定要领导技术革命的霸气，而是安于在新的一次技术大潮中当一个成功的参与者。有了这样一个好的心态，摩托罗拉反而有抓住机会的可能了。2006 年苹果的 iPhone 智能手机上市，一下子就风靡世界。这看似对摩托罗拉又一次打击的事件，反而让对技术敏感的共同 CEO 嘉哈看到了一丝希望。2007 年，Google 倡导了以开放通用的手机操作系统 Android 为核心的 Android 联盟，这个联盟最终包括了世界上主要的运营商、手机制造商、芯片制造商和很多小的应用软件开发者。除诺基亚[5]、黑莓、微软和苹果各自为战以外，几乎所有和手机产业相关的主要公司都加入了这个联盟。嘉哈不仅全力支持这个联盟，而且把他自己和整个摩托罗拉的未来全部赌在 Android 上。嘉哈停掉了摩托罗拉所有非智能手机的研发，只开发 Android 的智能手机，而且同时开发 20 多款。同时嘉哈把自己的命运也和 Android 联系在一起。据美联社报道，他和摩托罗拉董事会签了一份生死状，如果他能够把摩托罗拉的股价由每股 3.3 美元提升两倍到 9.82 美元，他将获得一千多万股，价格在 3.3 美元的期权，同时他还将获得超过六百万股的股票（零成本），这部分已经超过一亿美元，这还不包括他每年丰厚的现金奖金。如果做不到这一点，他除了不算太高的工资和一点儿象征性的奖金，什么都得不到。实际上嘉哈 2008 年没有得到奖金。[6]

由于不需要自己设计芯片，采用高通或博通的芯片就好，也不需要开发操作系统，这样手机开发的周期大大缩短，成本也大大降低。2009 年，摩托罗拉的第一款 Android 手机上市，虽然市场评价和销售一般，但是很快接下来的 Droid 手机大受市场的好评，并且在 2009 年年底的销售旺季很快卖出了一百万台。2010 年，摩托罗拉成为全球业绩最好的手机公司之一，让它的老对手诺基亚黯然失色。嘉哈赌对了。

5

2011 年 2 月，诺基亚因为自己的 Symbian 操作系统市场份额落后于 Android，不得不放弃 Symbian，决定和微软组成联盟，采用微软的 Windows Phone 7 手机操作系统。

6

Motorola Co-CEOs Jha, Brown take no bonus in 2008, by Jordan Robertson, AP Technology Writer，参见：http://www.itworld.com/node/63643。

2011 年年初，有近 80 年历史的摩托罗拉分成两个独立的上市公司，一个经营它的手机业务和个人家庭电视机顶盒（Set-top box），由嘉哈负责；另外一个经营企业级通信产品和其他的业务，由布朗负责。后者的发展将是缓慢的，我们关注的只是前者。

下面是我在第一版中对摩托罗拉前景的预测：

> 嘉哈领导的新摩托罗拉（移动公司）能否像赫德领导的惠普那样得到中兴呢？我不怀疑嘉哈能把摩托罗拉的业绩提升并且让股价高涨，但是要达到赫德的成就比较困难，虽然它在手机市场所处的位置和惠普当年在 PC 市场所处的位置非常相似。在计算机领域，赫德领导下的惠普有向 IT 服务转变的可能性，而在手机市场这个可能性很小，因为摩托罗拉从来没有过无线增值服务的经验。整个 Android 联盟，真正的主导者是 Google，它相当于过去的微软；联盟中最大的得益者可能是芯片制造商高通，它相当于过去的英特尔。

现在我们知道嘉哈确实没有能像赫德那样，让摩托罗拉走入中兴。摩托罗拉虽然在 Android 手机上起步较早，但是很快被韩国的三星公司后来居上超过，再次陷入尴尬的局面。但是，有时候事情是人算不如天算。当 Android 手机在全球以不可阻挡的气势抢夺市场的时候，苹果和微软挑起了和 Google 之间的手机专利之战。2011 年，微软和苹果（联合其他一些公司）以 45 亿美元的高价收购了宣布破产的加拿大北电公司（Nortel）的移动通信专利，试图通过打专利侵权官司阻挡 Google 和 Android 联盟的其他公司进入智能手机领域。Google 当然不会坐以待毙，想出了以 120 亿美元收购摩托罗拉的奇招。考虑到摩托罗拉账上还有 30 亿美元的现金，Google 其实是以 90 亿美元左右买下来摩托罗拉的全部专利外加手机和电视机顶盒的业务。作为最早的移动通信厂商，摩托罗拉拥有该行业最多而且有用的专利。如果 Google 获得这些专利，它就完全可以反制微软和苹果。借助这些专利，Android 的一些厂商已经开始在法庭上反击苹果了，并且在一些国家赢了官司。苹果想制止 Google 进入手机操作系统市场的企图，肯定办不到了。

这看上去对业绩不稳定的摩托罗拉和急需专利的 Google 都是不错的交

易，但是华尔街对 Google 能否消化有两万人、矛盾重重的摩托罗拉显然抱有怀疑。因此消息传出后，Google 的股价大跌了 10% 以上。但我个人认为这个并购对于这两家公司和手机用户都是有利的。对摩托罗拉的好处很明显，就不必说了。对于 Google，这次收购帮它免除了专利的麻烦不说，还可以深入了解整个手机产业的细节，改进它的 Android 操作系统。另外，摩托罗拉的机顶盒业务对于 Google 试图进入的电视广告和家庭影院业务也会有非常大的帮助。至于手机业务本身，如果 Google 不想运营，完全可以卖给 HTC 或三星公司。

这笔并购交易经过各国政府马拉松式的反垄断审核，终于得到各方面的批准，于 2012 年完成。虽然并入 Google 后，摩托罗拉还是单独运营，但是作为一个独立公司的摩托罗拉移动公司就不复存在了。

结束语

摩托罗拉作为世界无线（移动）通信的先驱和领导者，可以说它开创了整个产业。遗憾的是，它只领导了移动通信的第一波浪潮，就被对手赶上并超过。此后，由于技术路线错误，执行力不足，失去了利用技术优势夺回市场的可能性。摩托罗拉曾经横跨通信和计算机两大领域，甚至很有同时成为计算机和通信业霸主的可能。退一步讲，只要它在计算机中央处理器（CPU）、通信的数字处理器（DSP）或手机等任何一个领域站稳脚，就能顺着计算机革命或通信革命的大潮前进，立于不败之地。但是，摩托罗拉的领导人无力驾驭这样一个庞大的公司，反而使公司没有专攻的方向，在各条战线上同时失利。

摩托罗拉和 AT&T 衰落的原因正好相反。AT&T 是因为缺少一个能控股的股东，没有人觉得公司是自己的，并不考虑长远利益，于是董事会的短视和贪婪断送了它。而摩托罗拉相反，一直由高尔文家族控制，高尔文三世很想把它办成百年老店，当然不会出现 AT&T 拆了卖的败家子行为，但是他心有余而力不足，没有能力迎接信息革命的挑战。因此，摩托罗拉这个贵族式的公司不可避免地没落了。如果当初摩托罗拉的领袖是盖茨或通用电气的韦尔奇，它也许就不会是今天这个结局了。我在前面多次强调公司领导人对公司发展的重要性，摩托罗拉的兴衰就是一个很好的例子。

君子之泽，五世而斩。对一个贵族式的公司也是如此。虽然摩托罗拉衰落了，但是它几十年来一直造福于我们这个世界。没有它，我们也许要晚用几年手机，没有它和英特尔的竞争，我们的计算机也许没有今天这么快。

很多年后人们回忆今天的嘉哈时一定会讲，他是摩托罗拉移动最后一任CEO。

摩托罗拉大事记

1928　摩托罗拉公司成立。

1940　摩托罗拉推出步话机。

1942　摩托罗拉推出手提式对讲机。

1946　推出汽车电话。

1964　推出方形彩电显像管。

1967　发明全晶体管彩电。

1974　将彩电业务卖给日本的松下公司。

1979　推出 68000 处理器，它是苹果公司麦金托什电脑的 CPU。

1983　推出世界上第一台商用移动电话。

1991　推出世界上第一台 GSM 数字移动电话；同年启动铱星计划。

1998　由于在数字移动电话发展上的犹豫，摩托罗拉在移动电话上被诺基亚超越。

1999　铱星计划破产。

2003　剥离半导体部门，并在第二年上市，即飞思卡尔（Freescale）公司。

2004　克里斯托弗·高尔文辞去 CEO 一职，摩托罗拉长达 76 年的家族管理结束。

2007　摩托罗拉加入 Google 的 Android 联盟，并逐渐停止了所有非智能手机的业务，专注于 Android 智能手机，手机业务开始回升。

2011　摩托罗拉一分为二，分成了摩托罗拉移动和摩托罗拉解决方案两个独立上市的公司。同年，Google 宣布收购摩托罗拉移动，并且通过了各国政府的反垄断审核，于 2012 年完成收购。

参考资料：

1. 摩托罗拉历史参见：http://www.motorolasolutions.com/US-EN/About/Company+Overview/History。

2. 参见："The Founder's Touch: The Life of Paul Galvin of Motorola"，by Harry Mark Petrakis。

第12章 硅谷的另一面

1
华盛顿就任总统的那一年。

2
Whaples, Robert. "California Gold Rush". EH.Net Encyclopedia, March 16, 2008. 参见: http://eh.net/encyclopedia/article/whaples.goldrush。

3
World Gold Council 参见: http://www.gold.org/investment/why_how_and_where/faqs/#q023。

4
Silicon Valley weighs in on elections, January 9, 2008, 参见: http://abclocal.go.com/kgo/story?section=news/politics&id=5881467。

1828 年、1835 年和 1842 年,在美国加州圣地亚哥、旧金山和洛杉矶先后发现了金矿,从此开始了美国西部的淘金热。1849 年,加州黄金产量超过美国自 1792 年立国 [1] 到 1847 年黄金产量总和(37 吨)。19 世纪高峰期,加州的黄金产量为每年 76 吨 [2]。要知道,全世界有史以来的黄金总量不过十几万吨 [3]。旧金山也因此而得名。但是,从对世界经济的影响和对人类进步的贡献来看,加州的淘金热远比不了二战后在旧金山湾区掀起的科技淘金浪潮。只是,这一次浪潮的核心元素不是地球上储量稀有的金子,而是储量第二大的元素,即土壤、沙子和玻璃的主要成分——硅。它是半导体工业的核心元素。旧金山湾区从领导世界半导体工业开始,扩大到整个科技工业。从此,这里有了一个新的名称——硅谷。2007 年,硅谷的 GDP 占整个美国的 5% [4],远远超过加州黄金产量高峰年份,黄金占美国 GDP 1.8% 的比例。

硅谷对外面很多人来讲是一个神秘而令人向往的地方。我在写这一章之前问过很多没有到过硅谷的人,"你觉得硅谷是个什么样的地方?"大部分人觉得,硅谷是科技之都,创新的地方,发财的地方,多元化的国际社区,气候最好的地方(硅谷地区确实四季如春),等等;也有个别人讲,硅谷是冒险家的乐园。这些看法都正确,而且在很多书里和媒体中一直是这样介绍硅谷的,因此这里就不再赘述了。这里,我只想介绍一下硅谷的另一面,使读者对这个神奇的地方有更全面的了解。

1　成王败寇

在过去的 50 年里，美国百分之三四十的风险投资投到了只占国土面积万分之五的硅谷地区，并且让硅谷创造了无数的神话。在这里，大约每 10 天便有一家公司上市。美国前 100 强公司中，硅谷占了四成，包括 IT 领域的领军公司惠普、英特尔、苹果、甲骨文、太阳、思科、雅虎、Google（及其收购的 YouTube）、Facebook 和 Twitter，以及生物领域的基因泰克（Genentech）。还有世界上最大的风险投资公司 KPCB、红杉资本和很多大的投资公司也在硅谷。硅谷还拥有世界上顶级专业数量排名前二的大学：斯坦福大学和伯克利加大（University of California at Berkeley，简称 UC Berkeley 或 Cal）。

硅谷的四季如春，属地中海式气候，是世界上最宜居住的地方之一。全球只有五个不大的地区有这么好的气候 [5]。同时硅谷是世界上文化最多元的地区，是世界上各种族人民相处最和睦的地区，其中第一代和第二代移民占人口的一半以上。正是靠着各种族人民的聪明智慧和勤劳勇敢，硅谷地区几十年来是世界上经济成长最快的地方。加州的经济产值占美国经济总量（GDP）的 1/6，其中相当大的一部分来自硅谷的高科技企业。2005 年，硅谷明星公司 Google 的员工贡献了全加州税收增幅的 1/8。可以毫不夸张地讲，硅谷是世界上最富传奇色彩的科技之都，对世界科技和经济的发展做出了无与伦比的贡献。

硅谷在科技领域的成功，也造就了无数百万富翁甚至亿万富翁。一些年轻人在短短几年间就做出了他们的前辈一辈子都没有完成的发明创造 —— 从集成电路、个人电脑、以太网、Unix 操作系统、磁盘阵列、鼠标、图形工作站到网络浏览器（Web Browser）、关系型数据库、视窗软件、Java 程序设计语言、全电动力跑车，等等。作为回报，他们聚集的财富超过欧美一些名门望族几代人的积累。在 2007 年的美国富豪榜上，前五位（共有六人，其中第五名是并列的）有一半来自于硅谷。很多人津津乐道好莱坞比佛利山庄的豪宅，其实无论在规模还是价值上，它们与硅谷旁边阿瑟顿（Atherton）[6] 的豪宅相比，都是小巫见大巫。

[5] 包括地中海地区，加州地区，智利和阿根廷部分地区，澳大利亚西部和南非西部。

[6] 美国房价最贵的城市，包括思科 CEO 钱伯斯、Google 前任 CEO 施密特等实业界巨子都住在那里。

7
翻译成中文是"烧钱"的意思。

8
世界卫生组织报告：
WorldReportonRoa
dTrafficInjurePreve
ntion,http://www.
who.int/violence_
injury_prevention/
publications/road_
traffic/world_
report/en/index.
html。

无数的图书、报纸、电视和今天的互联网,讲述着这样一个关于硅谷的故事:
"有两三个辍学的大学生（最好是斯坦福的）,有一天在车库里甚至是不经意发明了一个什么东西,马上来了几个（没头没脑的）风投资本家,随手给了他们几百万美元。两年后,这几个年轻人办起的 burnmoney.com[7]公司就上市了,华尔街欣喜若狂,也不管它有没有盈利,当天就把它的股价炒高了三倍,这几个创始人一夜之间成了亿万富翁,跟着他们喝汤的员工们也个个成为了百万富翁。接下来,他们盖起价值百万千万美元的豪宅,开上保时捷,甚至法拉利跑车。每个人又甩手给母校盖了栋大楼,于是以张三、李四或王五命名的大楼就到处都是了。"我不能说这种事没有发生过。事实上,它还不止一次发生过,只是这种几率比中六合彩大奖的概率大不了多少,但绝对比被汽车撞死的概率小很多（事实上,2004 年世界上死于交通事故的人数高达 120 万[8],但靠创业发财的可没有这么多）。在硅谷,赶上上述这样机会的人,被称作是中了"硅谷六合彩"（Silicon Valley Lottery）的幸运儿。虽然事情发生的可能性很小,但是榜样的力量是无穷的,这种故事的新闻效应很大。媒体和华尔街乐于塑造出一个个传奇人物和公司。二三十年前年轻人的偶像是乔布斯,后来是网景的吉姆·克拉克与雅虎的杨致远和费罗。这十年是 Google 的佩奇和布林,接下来是 Facebook 的马克·扎克伯格。这些成功人士的传奇点燃了年轻人心中创业的梦想,就如同好莱坞的明星带给了无数少男少女的明星梦一样。这正是风险投资资本家和华尔街所希望的。只有越来越多的人加入这种创业的游戏,投资者才能有好的项目投资。

我的周围便聚集着许许多多憧憬着创业成功又无所畏惧的年轻人。他们朝气蓬勃又聪明肯干。由于种种原因,我时常需要认真地倾听他们创业的计划。坦率地讲,我对这些沉溺于创业梦想的人泼凉水的时候多于鼓励的时候。虽然我知道他们更需要鼓励,但是在硅谷这个环境中,他们已经得到了无数的鼓励。因此,我觉得不必要的客套和言不由衷的鼓励可能会促使他们更加飘飘然,这样他们如果创业不仅会血本无归,而且会失去赖以生存的条件。毕竟,硅谷的竞争太残酷了,成功的几率太低了。

我有时会开玩笑地说："如果你不相信这辈子会被汽车撞死，为什么相信能中硅谷大奖？后者的可能性更小。"他们也会笑着回应："也许是利令智昏吧。"

我们不妨看看创业成功的可能性。据统计，即使是在网络泡沫高峰、创业最容易的 2000 年，创业的小公司最终能成功的，或者上市或者被收购的，也不过 2%~3% 而已。绝大多数都夭折了，这些创业者也就默默无闻了。人们从来就是只记得住英雄的名字。网络泡沫破碎以后，我在 Google 面试过很多创业者（他们有一个好听的名头叫某某公司的创始人），他们中不乏很聪明、专业知识扎实，又很有干劲的人，这些优点远远不能保证他们能成为成功的企业家。何况，其中很多人不适合创业。

一个小公司要想成功，有很多因素必须同时具备。

首先，创始人很重要。任何梦想家都不足以成事，因为所有的成功者都是实干家。看过《三国演义》的人都知道，书中有两类聪明人，一类是曹操、刘备那样的领袖人物，另一类是出点子的谋臣，像郭嘉、诸葛亮。办公司需要的是前一种人。创业者还必须精力过人，因为他们必须能熬得住几年每天在简陋的车库里工作 16~20 小时的苦日子。他们又必须是多面手，因为在创业初期他们必须干所有的脏活。著名的语音技术公司 Nuance 的共同创始人迈克·科恩（Mike Cohen）博士跟我讲，创业是一件极麻烦的事，创办一家公司的初期，小到安装一个传真机这种杂事都得自己干。成功的创业者必须有一个小而精的好团队，里面每个人都得不计较个人得失，同甘共苦，否则成则争功，败则互相推诿。在技术上，他们必须有自己的金刚钻，他们的技术必须是不容易被别人学会和模仿的。如果看到雅虎挣钱，就去搞网站，那基本上逃脱不了失败的命运。

但是光有好的团队和技术还远远不够，他们要有商业头脑，而且必须找到一个能盈利的商业模式（Business Model）。eBay 和 Google 的成功很重要地在于它们很早就找到了好的商业模式。但是找到一个好的商业模式有时比发明一项技术更难，即使最有经验的风险投资专家在这上面也经常栽跟头。成功投资 Google、太阳和 eBay 等公司的风投之王 KPCB 也在毫无市场前景的、很酷的产品 Segway 上浪费了几千万（我在后面的章节中会说明为什么 Segway 没有出路）。我一直不看好大多数 Web 2.0 公司的原因之一，也是它们至今没有好的商业模式（当然另一个重要原因是世界上很难容纳多家 Web 2.0 的公司，因为这是一个赢者通吃的游戏）。

再接下来是判断力和执行力。通常，办起一家公司并不难，把它从小做到大，并且做到盈利就不容易。在这个过程中有很多路要走，不免要遇到数不清的岔路，任何一次错误的选择都可能使原本看上去不错的公司运营不下去而关门大吉，因为小公司对抗大公司时不容有任何闪失。执行力是保证正确的决定能够最终实现的因素。判断力和执行力很大程度上来自于经验。创业的年轻人天生具有非凡的判断力和执行力不容易，为了保证一个起步良好的公司能够成功，一般风险投资家在投资的同时，要为公司寻找一位专业的 CEO，就是这个目的。

真正具备这些条件已经很不容易了。而一个初创公司的成功很大程度上还要看外部环境好不好。很多很有前途的公司因为创办的时机不对，也会随着经济大环境的衰退而夭折。比如 2000 年成立的公司就鲜有成功的。这样，能生存下来的公司就凤毛麟角了。

最后，也是最重要的，创业者必须有好运气。世界上最大的防火墙公司 NetScreen[9] 共同创始人柯岩博士对我讲，创业成功的关键是要有运气。

9
已被 Juniper 公司收购。

一个小公司成功上市后，股票能涨上去的又只有 2%~3%。大部分公司上市后股价平平，甚至不如上市价（即中国常说的原始股价）。远的不说，2011-2012 年上市的一些明星公司，包括 Facebook，著名社区游戏公司 Zynga 和最早的团购公司 Groupon，上市不久的股价很快就跌掉大半，见表 12.1。

表 12.1　Facebook、Zynga 和 Groupon 上市后股价变化

公司	上市时间	上市当天股价中间价	2012 年 8 月 16 日收盘价
Facebook	2012 年 5 月 18 日	$41.5	$19.87
Zynga	2011 年 12 月 16 日	$10.25	$3.00
Groupon	2011 年 11 月 4 日	$13.47	$5.00

而很多在美国上市的中国公司，在很长时间里股价都不到上市时的一半，这里面包括 2005 年上市的中国明星半导体公司中星微电子，2010 年上市的著名电子商务公司当当，它们今天的股价相比上市的发行价低得可怜。就连世界上最大的私募基金（Private Equity）黑石公司，上市半年后的股价也只有上市时的一半（用中国股民的话讲叫跌破发行价）。更糟糕的情况是上市不久因无法持续盈利或达不到盈利预期，就不得不再退市，或者被私募基金收购。比如著名的硬盘制造商 Seagate 和美国最大的网上旅行社 Orbitz.com。其实，中国现在如日中天的网易公司，也曾经被纳斯达克勒令下市。现在，很多中国公司干脆主动选择了退市。根据美国证监会的规定，一家公司上市后员工（包括创始人自己）的股票在 180 天以后才能卖（类似中国的大小非解禁）。因此，一家公司上市 180 天后，股价会大跌，因为员工能卖股票使得该公司股票可能供大于求。中国最有名的半导体公司展讯（NASDAQ：SPRD）上市当天股价是 14 美元，半年后等到创始人能卖时跌到了 1 美元以下。因此，通过创业成功能发大财的人终究是极少数。

创业的过程本身异乎寻常的艰辛。即使最后成功了，回首起来也是险情不断。一位非常成功的创业者对我们讲，他和合伙人在前一家公司挣到了不小的一笔钱，就创办了自己的公司。很快，两人上百万的积蓄就烧完了，他们艰难到用信用卡买设备，每月勉强支付出信用卡的利息。他们的运气很好，在这个时候找到了风险投资，融资几千万，但是，仅仅一年又烧得差不多了。好在当时两家垄断性跨国公司不惜成本地相互竞争，使他们渔翁得利，以一个很好的价钱（十几亿美元）被其中一家收购。

但是，回想起来，成败就在一线之间。

硅谷汇集了美国三四成的风险投资，每天硅谷都有成百上千的公司成立，但同时又有成百上千的公司关门。对于那些失败的公司，大家并不关心，甚至无人知道它们的存在。即使很多曾经辉煌过的公司，像网景公司、SGI 公司，也会很快被人遗忘。在这些成千上万家硅谷的公司中，最终创造出了一些像思科、Google 等成功企业的传奇故事。仿佛在硅谷办一家公司就能成一家。岂不知，一将功成万骨枯，无数失败的公司在为少数几个成功者做分母。

上面这些问题是每个科技创业者在决定辞职或退学投身创业前必须认真考虑的。

2　嗜血的地方

读者也许会觉得我用的标题过于夸张恐怖，但事实如此。

在硅谷，首先工作时间超长。我第一次去硅谷的 IBM Almaden 研究中心时，接待我的一位科学家在陪我吃完晚饭八点多以后又回到实验室干活去了。在那之前，我刚访问过 IBM 在纽约的华生实验室，记得那里晚上是没有人上班的。因此，我颇为惊讶地问他，今天是不是有什么重要的事情必须完成。他告诉我，他几乎天天如此，虽然同样是 IBM 的雇员，在加州的人实际工作量顶得上美国东部两个人的工作。后来我才知道，加州那些小公司员工比 IBM 的工作时间还要长、负荷还要重。我的同学兼同事，一位曾经在华盛顿州雷德蒙德市微软总部和硅谷 Google 总部都工作过的语音科学家讲，他在 Google 每周工作时间是在微软时的两倍。

美国的公司从理论上讲不鼓励加班，从法律上讲也不能要求正式雇员加班。对于按小时付薪水的合同工，加班要给加班费。但是正式员工如果自己想加班，是没有加班费的。我不能确定全美国 IT 行业的员工每周的平均工作时间，也许是 40 小时左右吧，因为法律规定如此。在美国东部和南部，IT 行业的从业者很少超过这个数。但是在加州，绝大部分科技公司的员工每周工作时间都远不止 40 小时。即使是在我们前几章已经提到过的一些大跨国公司里，很多人经常周末要去加班。在小公司里，尤其是还没有上市的小公司，大家每周工作七八十小时甚至 100 小时是很正常的事。日本人号称工作时间长，但和硅谷的上班族比只是小巫见大巫。更何况在日本，大家是没事做耗着不回家，而硅谷大家是有干不完的活。虽然硅谷工程师的薪水比美国同行要多 20% 左右，但是，每小时实际收入其实要低得多。更何况，人一天只有 24 小时，工作时间太长，自己可以自由支配的时间就少了，生活质量就下降了。我在微博里曾经给大家描述过在 Google 早期的工作方式：

> 我一般会在吃完晚饭后把代码修改的清单（change list）发给克雷格[10]做代码审核，他一般晚上 10 点左右回复我，给出修改意见，详细到某一行多了一个空格。然后我改好在凌晨零点前再次发送给他，凌晨 2 点左右我们俩就所有的细节达成一致并且修改完毕，我会提交代码。一般我直接回去睡觉，而克雷格会干得更晚些。

从这个角度讲，硅谷不是生活的乐土。这倒不是雇主不想对员工更好些，事实上加州的法律比其他州更倾向于保护雇员的利益，但是公司之间激烈竞争的大环境在那里。所有人，上至公司最高管理层，下至新入职的普通员工，在这样的紧张环境下都不得不加班加点地工作。

当然，如果只是工作时间长一些，还可以忍受。硅谷失业的压力要比美国其他地区大得多。到了经济不好的年头，这里的失业率会率先攀升上去。记得网络泡沫破碎后的两年，在硅谷中心的圣塔克拉拉县[11]（惠普、Google、英特尔、苹果、雅虎、eBay、微软、太阳等公司都在该县），失业率高达 7%，远高于全国 5% 的平均水平，这还只是有资格领救济的美国公民和永久居民（即拿绿卡的），并不包括很多持有 H1B 工作签证的人。很多人一年以上找不到工作，被迫离开硅谷，有的去了美国东部，很多移民回到自己的祖国。中国海归的高潮就是从那时开始的。很多人为了不荒废自己的技术，宁可不要工资工作（在硅谷，如果雇人的公司发现一个申请者半年以上没有工作，就会很不愿意雇佣这些人，因为公

10
克雷格·西尔弗斯坦，Google 第一个雇员，见有关 Google 的一章。

11
美国的"县"是城市上面一级的行政单位，一些中文媒体将它翻译成郡，更为恰当。

司会觉得这个申请者要么技术已经荒废、要么自身条件不强，否则为什么半年还找不到工作）。我的一个朋友在 2002 年创立了一个小公司，打出招人的广告，讲明是没有工资的（当然，用了一个好听的说法叫"合伙创业"，可以得到一些可能有价值，也可能是废纸的股票）。居然在短短的几天里收到上百份简历，其中很多是水平超出要求的工程师。即使有工作的人，也会担心什么时候裁员裁到自己头上。很多时候，不是个人能力问题，而是整个部门被裁掉甚至整家公司关门。覆巢之下无完卵。

12
世界著名指挥家，曾经担任维也纳爱乐交响乐团和柏林爱乐交响乐团的前首席艺术总监。

在美国东部主要城市，克劳迪奥·阿巴多 [12]（Claudio Abbado）指挥的音乐会、多明戈的歌剧或莫斯科大芭蕾舞团的演出，不过几十到一百美元。而在硅谷，这种文化生活是根本没有的。硅谷人最常去的解压度假的地方只有塔霍湖（Lake Tahoe）的滑雪场和拉斯维加斯的赌馆。

由于生活所迫，硅谷的人在外人眼里都相对急功近利和唯利是图。在硅谷不提供股票期权的公司，几乎找不到技术人员。按规定，一个雇员工作满一年就能按期权的价钱买下股票（这个过程叫行权，Exercise），因此形成了一种在某公司工作满一年，拿到股票期权立刻走人，再到第二家、第三家公司的风气。如果说风险投资是通过分散投资来降低成本，那么很多硅谷雇员则是分散他们的生命来期望有朝一日在一家公司能中上硅谷彩券。在硅谷一两年换一份工作是很正常的，员工也就没有忠诚度可言。这不是个人的问题和错误，而是生活压力使然。

硅谷就是这样一个"嗜血"的地方。坦率地讲，硅谷的生活质量达不到美国的平均水平。但是，几十年来总有无数的年轻人把这里当作开拓自己事业的首选地，因为它给人机会和梦想。

3 机会均等

硅谷能成为科技之都，而且长盛不衰，必有它的高明之处。其中最关键的一条是保证机会均等。任何人、任何国家和制度都无法保证我们的社

会绝对公平（事实上也没有必要追求绝对公平），但是，一个好的制度
要保证每个人有均等的机会。

硅谷是一个到处可见权威却从不相信权威的地方。这里不仅有像约翰·
亨尼西（John Henessey，斯坦福校长，RISC 处理器架构的发明人之一）
那样的科技界泰斗、拉里·埃里森（Larry Ellison，甲骨文的总裁）和埃
里克·施密特（Google 的董事长，前 CEO）那样出类拔萃的工业界领袖，
还有被称为风投之王的约翰·多尔[13]（John Doerr，KPCB 的合伙人）和
迈克尔·莫里茨[14]（Michael Moritz，红杉资本的合伙人）。这里集中了
近百名诺贝尔奖、图灵奖和香农奖得主。各国科学院和工程院院士多如
牛毛。如果你开车在路上抛锚了，停下来帮助你的好心人可能就是一个
大人物。Google 工程部门第一副总裁阿兰·尤斯塔斯就在路边帮助过他人。

但是，硅谷却从不迷信权威。任何人要想在这里获得成功，都得真刀真枪
地拿出真本事干出个样子。在美国很多地方，尤其是传统产业中，普遍看
重甚至过于看重个人的经历而不是做事情的本领。比如一个毕业生要想到
位于美国东部的 IBM 华生实验室或以前的贝尔实验室搞研究，必须出身
于有些名望的实验室，有导师和教授们的推荐（在日本公司更是如此）。
大公司雇用一个主管或资深职务的员工，首先要看简历上的经历和头衔。
这种做法当然有合理的一面，但是即使再真实的简历，也不免有夸大其辞
的部分，更何况简历上的经历只是一个人以前做过什么，而不是今后能做
什么。在硅谷谋职，简历固然重要，但是个人的本事（包括和人打交道的
软技能）才是各家公司真正看中的。由于每家公司产品的压力很大，同行
业公司之间的淘汰率很高，硅谷的公司需要的不是指手画脚的权威，而是
能实实在在干事情的人。硅谷几十年经验证明，那些初出茅庐能干具体事
情的年轻人，可能比一个经验丰富但已眼高手低的权威对公司更有用。很
多人向我抱怨过 Google 在招人时忽视以前的工作经历。其实，这是一个
误解。和大部分的硅谷公司一样，Google 更相信自己通过面试得到的判断，
而不是简历和推荐信，所以，在招人的时候，总喜欢考一考。不管面试者
名气多大、水平多高，过不了考试也是白搭。我有个在美国顶级的计算机

13
以成功投资康柏、
网景、赛门铁克、
太阳、亚马逊、
Intuit 和 Google
而著名。

14
以成功投资 Google
雅虎、PayPal、苹果、
思科和 YouTube 而
著名。

系当教授的同学，先推荐了他的一个学生来 Google 应聘，结果录用了。后来他自己来，Google 要考和他的学生考的类似的题目，他反而没有考过，虽然我们很为他感到可惜，但是也没有办法。这位教授很不服气，对我讲，我的学生远不如我你们却要了，我发表过那么多论文，拿到过那么多基金你们却不要，说明你们的眼光有问题。我承认他讲的很有道理，但是，不能为一个人坏了规矩。从 Google 和 eBay 及无数硅谷公司成功的经验看，这种不迷信权威、公平对待每一个人的做法总体上是对的。它确实有时候会让公司和一位称职的权威失之交臂，但是却使得硅谷的公司能更多地吸收新鲜血液，充满活力。

不仅公司不迷信权威，硅谷的个人也是如此。一个年轻的工程师，很少会因为 IBM 或斯坦福的专家说了该怎么做就循规蹈矩，而是会不断挑战传统，寻找新的办法。在公司内部，职位高的人不能以权压人，而必须以理服人。了解 Google 这类公司的人都知道老板并不好当。在硅谷各公司内部，虽然也有等级之分，但是已经比传统行业的公司要好很多了。更重要的是，公司内部的升迁和毕业学校、学历、工龄长短很少有直接关系。因此，硅谷常常有一个怪现象，约翰原来在某家公司是比尔的老板，几年后，两个人先后来到另一家公司，比尔经过努力成了约翰的老板。我的一个朋友通过他在学校里的师兄介绍加入了硅谷某家大公司，而他的这个师兄是这家大公司的元老。我的这位朋友非常努力，半年后就当上了他师兄的老板。这种不拘一格用人才的做法使得硅谷公司在全世界具有最强的竞争力。

对创业者来讲，资历固然有用，但就重要性而言远排不进前几位。名气大、职位高的创业者经验丰富、交际广，容易找到钱和市场，但是闯劲远不如初出茅庐的牛犊那么足。在风险投资家看来，一个人的能力，包括处理人际关系的软技能（Soft Skills）是决定创业成败的关键。一个人的职位只代表过去，而财富和地位有时反而成为创业的负担。这也是为什么硅谷很多著名的公司，如思科、苹果、雅虎和 Google，包括中国人创办的 NetScreen 和 WebEx 都是原来默默无名的年轻人办成的，但是却很少听说哪个成功公司是一位原某公司老总办的。

自古英雄出少年，这是风险投资家们普遍承认的事实。红杉资本的投资家们和我谈过他们选择投资对象的原则，其中一条就是创业者一定要有饥渴感。很难想象一个腰缠万贯的富翁能比一个急于脱离贫困现状的缀学学生更有把公司办好的可能。因为前者办公司不过是为了锦上添花，而后者则是破釜沉舟。这就是乔布斯勉励年轻人要保持饥渴感（Stay Hungry, Stay Foolish）的原因。关于风险投资家如何选择投资对象我以后还会详述。因此，资深创业者和毫无经验的年轻人各有优势，但是机会均等。硅谷各个层次的成功者几乎无一例外是靠自己的双手从零干起，获得成功的。

机会均等的另一方面表现在行行出状元。160 多年前旧金山是淘金者的天下，一位叫李维·斯特劳斯（Levi Strauss）的德国人也从纽约跑到这里来淘金。来了以后他发现淘金的人已经过剩了，于是他捡起了他原来布料商和裁缝的老本行，用做帐篷的帆布为淘金者做结实的工作服，这就是现在世界上最有名的 Levi's 牛仔裤。100 多年过去了，当年淘金者的踪迹已经找不到了，而 Levi's 牛仔裤今天仍然风靡全球。

50 多年前，在旧日废弃的金矿上，人们开始挖掘新的金矿——IT 金矿。和老一代的开拓者一样，真正靠淘金发财的人并不多。但是在硅谷这一片年轻的土地上，只要肯干，在各行各业都会有成功的机会。

由于有一些淘到金子的"冒险家"——科技新贵，就产生了替他们打理财务的需求，今天旧金山和硅谷就成为投资银行最集中的地区之一。除了我们以后要专门提到的风险投资，这里的个人财产管理（Private Wealth Management）业务也很发达。比如著名的投资银行高盛公司，有超过10% 的个人财产管理经理人都在硅谷，使硅谷成为全球仅次于其纽约总部的第二大分公司。由于硅谷房价很高，房屋交易金额大，而且硅谷人口流动性大，房屋交易数量多，造就出一大批房地产中介商，其中干得出色的，收入比一个上市公司的老总要多得多。据著名房地产中介商比尔·戈曼（Bill Gorman）自己讲，他十几年累计交易了 8 亿美元的房屋。按照美国标准的 3% 的佣金计算，他累计收入高达 2 400 万美元，超过很多上市公司的老总。有趣的是很多从事金融和房地产业的人是 IT 出身的工程师。他们发现硅谷的 IT 行业已经人满为患，改行去从事其他工作，反而比原来当工程师甚至公司主管要成功得多。

即便不在像金融和房地产这样高利润的行业工作，只要努力，一样能事业成功。我们不妨看看这样两个例子。我的一位朋友刚刚装修完新家，替他装地板的是一位华裔老板。这位老板没读过大学，中学毕业就给别人打工当学徒，但是他非常爱钻研，人也勤快，很快就成为装地板的行家里手。几年后自己出来单干，开始接一些小活儿。由于他要价不高，活儿又做得不错，很快活就多得做不过来了，于是他雇了一些工人，业务便发展起来了。他通过高薪（和 IT 从业人员差不多）招技术熟练的地板工，所以一直质量很好，慢慢地，开始接到大公司的合同，事业发展很快。即使在现在美国房地产不景气，很多装修公司没有生意的情况下，他手上的合同仍然多得做不过来。第二个例子是我家园丁，一位墨西哥移民。他开始只是一个人给人除草收拾院子。由于他为人热情，乐于助人（比如经常用自己的卡车替主顾运送大件商品），又守信用，他的雇主们就把他推荐给朋友用。很快他就忙得接不了新的主顾了，于是他把他的弟弟接来帮忙，两个人除了替人除草收拾院子，便开始做一些简单的房屋修缮和庭院规划（Landscaping）工作。渐渐他就积累起一些财富，雇了一些帮手，开办了一个庭院规划的小公司。在房价很高的硅谷，也买上了房子，实现了他的美国梦。

相反，如果一个人不能脚踏实地做点实实在在的事情，即便名气再大，才高八斗，在硅谷也很难混下去。大多数时候，硅谷公司需要的是真才实干的人，而不太看重那些不能带来实际效益的名气。在 2000 年，由于互联网泡沫导致硅谷过度繁荣，几乎所有的公司都招不到人，那时找工作很大程度上仅凭一张嘴。很多经常跳槽而不脚踏实地做事的人跳来跳去跳到一个主管的位置。2001 年以后，用人不当的公司很多倒闭或被迫大量裁员，真正的高手，或者还呆在原来的公司，或者被别的公司录用，或者转到了学术界。而一大群各个级别的混混都到了"人才市场"上待价而沽。这些人中很多原本是技术精英和管理人才，但是一旦养尊处优时间长了，名不副实了，便很难再在硅谷生存。偶尔会有一两个小公司到那里去找人做事，常常一下子围上一大堆人。如果问他们会做什么，大部分给你的答案都相同，"如果你给我一个团队，我一定能替你管好"。这里面虽然不乏真正的管理者，但是很多都是眼高手低。招人的公司显然不傻，它们需要干活的而不是养老的。

相对于美国其他地方，硅谷的机会是最多的，也是最均等的。因此，虽然这里工作压力大，竞争激烈，还是不断有人愿意来。全世界很多国家想学习硅谷建立自己的科技园，但是至今没有一个能做到像硅谷这么成功。我想这些科技园的管理者们，也许首先应该问问自己是否为创业者提供了同等的机会，还是事先就按财富、经历、名气把人分为了三六九等（我对一些科技园按照学历、职称引进人才和投资额招商很不以为然）。自古英雄不问出处，今天落魄的学子可能就是明天的业界领袖。

4 硅含量不断降低

旧金山湾区之所以得名硅谷，是因为早期这里的公司大多数是半导体公司或计算机硬件公司。我们前面介绍的惠普公司虽然不能算是一家半导体公司，但它是以计算机和仪器等硬件为主的公司，可以算是硅谷早期主流公司的代表。但是，最早诞生于硅谷的真正的半导体公司是仙童半导体公司（Fairchild Semiconductor）。

今天知道仙童公司的人已经不多了，但它在半导体历史上占据着独一无二的地位。仙童半导体公司是从肖克利半导体（Shockley Semiconductor）"集体叛逃"的科技史上著名的"八叛徒"[15]（Traitorous Eight）创办的。其中最有名的是后来英特尔公司的创始人、摩尔定律的提出者戈登·摩尔和集成电路的发明人罗伯特·诺伊斯（Robert Noyce）。仙童半导体公

15
除了摩尔和诺伊斯，其他 6 人是：Julius Blank、Victor Grinich、Jean Hoerni、Eugene Kleiner、Jay Last 和 Sheldon Roberts。

司在上个世纪 50 年代末制造出世界上第一个商用半导体集成电路（对于是谁第一个发明集成电路，现在仍有争议，德州仪器公司的专利比仙童的早，但是，仙童是世界上第一个做出实用产品的）。尽管现在仙童公司早已江河日下了，但是每一个计算机用户一定知道它的两个孩子——英特尔公司和 AMD 公司。

自仙童以后，在旧金山湾区诞生了许许多多的半导体公司，包括今天世界上最大的半导体公司英特尔，旧金山湾区从此赢得了硅谷之名。直到上个世纪 80 年代，半导体和计算机硬件一直是硅谷的支柱产业，其中著名的半导体公司还有国家半导体 [16] 和 Maxim 等公司，而中小公司就更是不计其数了。在上个世纪 90 年代，硅谷著名的大公司有：惠普、英特尔、太阳、SGI、IBM（Almaden 实验室）、甲骨文、苹果、3Com、Seagate、AMD、国家半导体（National Semiconductor）。其中只有甲骨文是以计算机软件和服务为主的公司，IBM 的 Almaden 实验室基本上是一半软件（DB2）、一半硬件（存储设备），其余都是半导体公司或计算机硬件公司。这段时间可以称得上是硅谷半导体公司的黄金时代。

上个世纪 90 年代后，虽然硅谷的半导体业还在发展，新的半导体公司还在诞生，但是，半导体在硅谷经济中的比重已经大大不如以前了。2000 年后，硅谷最大的公司是思科、Google、英特尔、IBM、甲骨文、苹果、惠普、雅虎、基因泰克和 eBay。其中 Google、雅虎和 eBay 是互联网公司，IBM 将存储设备部门卖给了日立公司后，在 Almaden 只做纯软件和服务，而基因泰克干脆就不是 IT 科技公司，而是世界上最大的生物制药公司。它们都和半导体毫无关系。即使是英特尔，也已经将其工厂迁到美国其他州及海外，它甚至逐步将研发部门迁到费用低廉的亚利桑那和俄勒冈。进入 21 世纪后，硅谷在世界经济和科研上的地位有增无减，半导体在全世界经济中所占的分量仍然在增加，只是硅谷的核心产业越来越远离半导体了。

造成硅谷半导体衰退的直接原因有两个，首先是反摩尔定律的效应。由于半导体的价格每 18 个月降一半，一家公司研制出一款新的芯片以后，

16
2011 年被德州仪器公司（TI）收购。

它不能指望像制药公司那样随着销量的上升而利润不断增加，因为用不了多少时间，这款芯片的利润就薄得必须淘汰了。整个半导体工业天天都在为利润率发愁。从这个角度讲，半导体工业很难在费用高昂的硅谷长期发展。我们前面提到，硅谷是一个拒绝平庸的地方，当一个行业的利润率无法维持硅谷高昂的费用时，它就必须搬出硅谷。

其次是"亚洲制造"效应，由于硅谷靠半导体和计算机硬件起飞，在上个世纪 70 年代它便聚集了很多半导体和计算机硬件的专家和工程师。同时，也促进了斯坦福大学和伯克利加大电机工程系的发展。这些人，或者从仙童等第一代半导体公司跑出来，或者离开斯坦福和伯克利，开始了第二轮的半导体公司和计算机硬件公司的创业。其中的代表者包括设计和制造 RISC 处理器的 MIPS 公司、太阳公司和 SGI 公司，以及 LSI 等中、大规模的公司。这些公司大部分还是由美国人为主创办。在第二代公司中有大量亚裔的工程师和主管。他们通过第二轮半导体的创业，积累了财富和经验，其中一些人后来成为世界第三轮半导体公司创业的中流砥柱。等到有大量亚裔专家出来再创办半导体和计算机公司时，他们很容易将制造甚至设计部门移到成本比美国低很多的东亚尤其是中国台湾，而只在硅谷保留科研部门。这时期最有代表性的包括当今世界上最大的显卡公司 NVIDIA。其创始人黄仁勋，生于台湾，毕业于斯坦福，任职于 LSI 和 AMD，然后创办 NVIDIA。这是在硅谷半导体时代创业最经典的例子。在硬件制造业移到台湾后，半导体业的整体利润就被大大地压缩了，从此改变了半导体和计算机硬件行业的游戏规则。于是以前的半导体公司为了竞争的需要都纷纷将工厂外移。到后来，大家发现一些低端的设计也可以拿到台湾去做，硅谷的硅含量就越来越低了。

硅谷兴起于半导体工业，30 多年前，硅谷就是半导体的同义词。但是现在半导体工业在硅谷的比重在不断下降。世界上很多城市因为一个产业而兴起，比如德国的鲁尔兴起于采煤和炼钢、美国的匹兹堡和底特律分别靠钢铁业和汽车业发达，但是，随着这些工业的饱和和衰落，相应的城市也渐渐衰落了。20 多年前，当半导体公司开始离开硅谷时，不少人也怀疑过是否早晚有一天硅谷会步匹兹堡和底特律的后尘，20多年过去了，这种因产业变革带来的地域性衰退并没有在硅谷发生。事实上，没有了半导体，硅谷反而更加繁荣了。

硅谷没有了硅，那么留下了什么呢？

5　亘古而常青

冯骥才的小说《神鞭》最早刊于《小说家》1984年第3期，现在可能已经没有多少人记得了。小说讲述了一个发生在清朝末年的故事。主人公傻二从小练就了神奇的辫子功夫，在冷兵器时代他罕有敌手。后来他参加了义和团，在和拿着洋枪洋炮的八国联军和假洋鬼子的对抗中一败涂地。劫后余生的傻二剪掉了辫子，练就了百步穿杨的神枪法，并用他的枪惩戒了汉奸。他对别人讲："辫子没有了，神留下。"硅谷也是一样，或者说半导体并不是硅谷真正的本质。硅谷的灵魂是创新。硅没有了，创新的灵魂留下了，它保证了硅谷的繁荣和发展。

我很喜欢德国一位诗人讲过的一句话：亘古而常青的昨天永远是过去，也永远会再来。这句话用来描述硅谷再合适不过了。当仙童和英特尔的神话已经成为过眼云烟时，在硅谷开创半导体公司的热浪仍然随着惯性持续了一段时间，但是英特尔那样的神话并没有重现，以后也很难有新的半导体公司能做到英特尔的规模。虽然有些投资者为自己错过英特尔的机会而惋惜，但是，人们很快在硅谷找到了新的金矿——软件业。

在信息时代，微软向全世界证明了计算机软件可以独立于计算机硬件系统成为一个赚钱的行业。同时（在企业级市场上）证明这一点的，就是甲骨文公司。在甲骨文和微软以前，计算机软件必须随着计算机硬件一起出售，无论是大型机公司IBM，还是小型机公司DEC和惠普都是如此。而IBM的商业模式以前是，今天仍然是硬件、软件加服务的捆绑销售。过去要想用IBM的系统，必须买IBM的硬件，外加每年10%左右的高额服务费，它的软件不单卖。甲骨文公司尝试了一种新的商业模式，并很快获得成功。这种商业模式今天说起来简单得不能再简单了，就是一次性卖软件的使用权，而这在当时是对 IBM 商业模式颠覆性的革命。这样用户不再需要每年向 IBM 等公司缴纳高额的服务费了。甲骨文公司看中了当时市场最大的数据库软件，开发出和 IBM 相抗衡的 SQL 数据库系统，很快靠"卖软件"的方式占领了市场，并且仅仅依靠数据库系统一种应用软件就成为了世界上第二大软件公司。后来就连 IBM 也学着甲骨文卖软件了。甲骨文成功后，硅谷很多人纷纷效仿办起了各种各样的软件公司，包括成功做出 Photoshop 的 Adobe 和财务软件 TurboTax 的 Intuit（Google 的邻居）。虽然很多 PC 软件公司不断被微软挤垮，但也总是不断有新的公司冒出来并且成长壮大。而企业级软件公司由于和微软的冲突较少，更容易生存下来。

当计算机软件创业的浪潮尚未完全平息时，互联网又在硅谷兴起了。我们已经介绍了和互联网有关的思科公司，今后还会介绍 Google 和 eBay，有关互联网的发展这里不再赘述。值得一提的是，以 Google 和雅虎代表的互联网公司，颠覆了以微软为代表的软件公司向每一个终端用户（End User）收钱的商业模式。而通过在线广告的收入保证终端用户可以免费享受以前的付费服务。除了当今世界上营业额最高的 Google、eBay 和雅虎三家互联网公司在硅谷外，当今炙手可热的互联网新贵 Facebook，著名的 Web 2.0 公司 YouTube（Google 的子公司）和 Twitter，以及新兴的网络游戏公司 Zynga 也在这里。

在硅谷的人，不论是投资者还是创业者，已经习惯了这种快速的产业变迁，人们不断在寻找着下一个思科、下一个 Google。其实，硅谷的创新并不局限于 IT 领域。生物科技无疑是硅谷另一个亮点。今天的硅谷，也是世界上新兴生物公司最集中的地方。硅谷拥有两所美国排名前十的医学院——旧金山加大医学院和斯坦福医学院，以及世界上最好的化学系——伯克利加大化学系。再加上充足的风投资金，便为创办生物和医药公司创造了条件。当然，硅谷人的创业热情在其中起了决定性作用，否则哈佛大学和约翰·霍普金斯大学周围应该有很多的生物公司才对。

创办一家生物公司要比创办一般的 IT 公司更难，这主要是因为美国食品
与药品管理局（U.S. Food and Drug Administration，简称 FDA）的限制，
使得一项生物科技的发明很难在短时间，即几年内变成产品和利润。所以，
创办生物公司投入大、周期长。但是，在冒险家乐园的硅谷，仍然有很
多人坚韧不拔地在生物科技领域艰苦创业，它们中间不乏成功者。最典
型的就是基因泰克公司[17]。该公司成立于 1976 年，早期，它依托于旧金
山加大医学院，专门研究和生产抗癌药品，比如 Avastin 和 Rituxan。今
天基因泰克已经是世界上最大的生物药品公司，有一万多名员工，包括
无数杰出的科学家，在瑞士罗氏公司收购它以前，基因泰克的市值达 800
亿美元。并且，在 Google 以前，它是全美最好的雇主。

基因泰克的成功经验很值得大书特书，不过它不在我们讨论的范围内，
所以没有把它单独成章。但是，透过基因泰克，我们可以看到硅谷的灵
魂所在，因此我们简要介绍一下这家大家也许并不熟悉的公司。

在介绍基因泰克之前，有必要先介绍一下美国医药市场的简单情况，这
样才能理解基因泰克公司的商业模式和经营方式。在美国，除了像西洋
参和卵磷脂那样的保健品外，药品分为两类，一类是处方药，比如抗生
素，另一类是非处方药，比如治感冒的泰诺。前者利润当然远远高于后
者，而其中又以有专利的新药最挣钱。比如基因泰克一共只有十种药品
在市场上销售，其中销售额最低的每年也有几亿美元，最高的 Avastin 年
销售额近 30 亿美元。美国专利法对新药有 20 年的专利保护期。也就是
说在这 20 年里，一种有效的新药可以非常挣钱，而过了专利期，其他厂
家可以仿制时，它的利润就一落千丈了。而新药的研制投入是非常巨大
的，但是其生产的成本可以忽略不计（甚至盗版的成本都很低）。在这
一点上制药业很像软件业（实际上，世界上药品的盗版甚至比软件盗版
更严重）。虽然药品市场没有反摩尔定律限制它的利润，逼着医药公司
发明新药，但是专利法起到了同样的作用，它既保护发明，又防止个人
和公司长期垄断发明。如果一家公司旧的支柱药品专利到期了，而新的
专利药品还没有跟上来，这家公司的业绩就会一落千丈。两年前默克公

17
全称是基因工程科
技公司。

司（Merck，在美国和加拿大之外的地区，又称 MSD，即默沙东）便是如此。因此，制药公司的竞争实质上是创新和科研效率的竞争。

照理讲，制药业是一个规模非常大的行业，应该有很多新的公司冒出来才对。但是，美国食品与药品管理局（FDA）人为造成了这个行业极高的门槛。根据 FDA 的规定，所有处方药和用于临床的医疗仪器，甚至是治疗方法的临床试验，都必须得到 FDA 的许可，更不用说在市场上销售了。而这些许可证是极难拿到的，要进行无数对比试验，并且要尽可能了解和降低所有可能的副作用。FDA 的初衷很好，因为人命关天不能不仔细，但是这也使得小公司几乎无法进入处方新药的市场。其直接结果就是保护了原有的大公司利益和垄断性利润（一种观点是，大型制药公司通过 FDA 维护自己现有利益）。传统的大型制药公司诸如辉瑞（Pfizer）和默克（Merck）的研究部门很像 30 多年前的贝尔实验室，一个科学家进去一干就是一辈子。而这些公司的高额垄断利润也养得起这些科学家。当然，人浮于事、效率低下和官僚主义在里面也屡见不鲜。由于 FDA 的保护，创业的小公司要打破原有制药公司的垄断是件很难的事。这就是我们很难看到小的生物公司成功的原因。

而以创新著称的硅谷却敢于挑战传统。基因泰克公司的崛起，打破了传统制药业平静的水面，创造了一个神话。相对于有 160 多年历史的辉瑞制药（成立于 1849 年，它的伟哥闻名于世）和一百多年历史的默克相比，有 30 多年历史的基因泰克只能算小孙子。虽然它 2009 年被瑞士罗氏收购时的销售额只有辉瑞的 1/4，但是却以每年百分之二三十的速度发展，而辉瑞制药基本上停滞不前，营业额时高时低，因此基因泰克超过辉瑞只是时间问题。基因泰克在早期阶段，无论从财力、人力，以及与 FDA 的关系都无法跟辉瑞等公司相比。它成功的关键就在于创新和执着。和生产上百种药品和保健品的辉瑞公司不同，基因泰克公司只集中于少数抗癌特效药，并保证每一种年销售额均在亿元以上。为了防止专利到期而带来的利润锐减，基因泰克将销售额的 20%，2008 年是 23 亿美元投入到新药的研制上。在它现在的研发产品线上，有 14 种药和治疗方法已经进入了上市前最后的阶段，15种药和治疗方法进入了研制的第二阶段，13种处于初期阶段。可以说今后若干年，基因公司产品线上会源源不断地推出新药，替代慢慢专利到期的旧药成为新的成长点。

创新必须依靠技术实力。和Google一样，基因泰克也是世界上单位办公面积博士密度最高的公司之一。就连它的7名董事中都有5名博士，9名执行官中也有6名博士。基因泰克的科学家在同行中是佼佼者，在公司内部地位也很高。基因泰克是我读过的上百个大公司年度报告中唯一介绍其所有资深科学家（Staff Scientists）的公司。当然，技术只是保证公司成功的诸多必要条件之一，但远不充分。要保证创新，公司的体制非常重要。这就如同一个国家，它的体制决定了它的发展。在传统的制药公司辉瑞制药，它是一个从日用品（这个部门2006年卖给了强生公司）到最赚钱的药什么都做的巨无霸医药公司，它在全美国最赚钱的10个药品中占有4席，它每年用于新药的研发经费也高达80亿美元，是基因泰克的近4倍，但是它的研发效率却是主要医药公司中最低的，它那些挣钱的药主要是靠购买专利获得的，而不是自己开发的（因为FDA设置的门槛，大学的研究所和小公司很难拿到FDA的许可证，所以常见的做法是将专利卖给大制药公司）。这倒不是辉瑞的科学家水平不如基因泰克，也不是他们不够努力。只要公司体制好，像辉瑞这么有钱的公司不愁找不到最好的科学家，只要再有一个良好的知识转化成技术并做出产品的有效途径，以及公平的分配制度，就不愁这些科学家开发不出好药。遗憾的是辉瑞旧式的体制恰恰做不到这一点，而基因泰克完全按照IT公司的模式经营，却做到了这一点。

创新是在竞争中立于不败之地的保障，这是任何国家、任何领导人都懂得的道理。很多国家都投了大量的资金建造自己类似硅谷的科技园，以鼓励创新，但鲜有成功的。主要是因为其他地方很难再复制硅谷的天时（二战后IT工业的发展）、地利（背靠斯坦福和伯克利加大校区）和人和。而这其中，人和是最重要的，它就是在硅谷发展起来的新型的生产关系。这是硅谷在全世界最特殊的地方，并充分保障了创新。在生产关系中，在以科技为主的行业，生产资料的作用微乎其微，像微软和 Google 这样的公司，除去现金后，资产占不到市值的 1/10。那么人的作用就是关键，具体讲就是利润的分配方式和人与人的关系。科技公司的期权制保证了各级雇员除了工资以外，可以从公司的利润中分到一杯羹。因此，他们的利益和公司的利益息息相关。硅谷科技公司（包括基因泰克等生物公司）在上市前，一般员工的股权可以占到公司的 10%~15%。也就是说像 Google、英特尔和思科这样规模的公司，包括 2012 年上半年上市的 Facebook，每家都有几十亿美元的财富掌握在员工手中。员工在股票上的收益可以大于自己的工资，这就是大家拼命干活的动力。在人与人、雇员与雇主的关系上，硅谷的环境是对员工发挥创造力最有利的。公司内上下级之间虽然有等级的差异但是彼此是互相尊重的（有些时候，一个优秀员工的级别和收入可能比他的直接上级还要高）。这样大家在一起共事就会觉得相对"舒服"一些，每个人都容易安心做好份内的事，而不是必须勾心斗角往上爬。硅谷的基因泰克和 Google 在最近几年中，被评为全美国最适合工作的公司。硅谷公司对员工的约束也很宽松，一般不会阻止员工跳槽，更不会因此打官司。甚至当员工利用职务之便搞发明创造（只要不是偷技术）然后出去创业，硅谷的公司（包括各研究所）也不会像美国其他地方的公司追究得那么厉害，而一般采用入股的方式做到双赢。思科创始人和斯坦福之间就是这样解决了知识产权问题。我们可以毫不夸张地讲，硅谷的主流生产关系是世界上最先进的，这也正是保障硅谷的创造力长盛不衰的原因。

结束语

今天，旧金山附近恐怕已经找不到一块金矿石了，"旧金山"这个名字只能代表它过去的历史。也许有一天，硅谷没剩下一家半导体公司，那时大家会说这里曾经有过半导体工业。但是它绝不会像底特律和匹兹堡那样从此衰落下去，而仍然会是世界科技之都，因为硅没有了而创新留下来了。2008 年金融危机对硅谷的影响微乎其微，因为硅谷的经济主要是靠科技进步而非泡沫驱动的。今后，硅谷的竞争仍然会很激烈，不断会有旧的公司消亡，旧的产业衰退，又不断会有新的公司创立和成长，新的产业诞生和繁荣。硅谷过去是、今天是、明天还会是年轻人梦开始的地方。

硅谷大事记

18

详见斯坦福大学关于斯坦福工业园的页面: http://lbre.stanford.edu/realestate/research_park。

1951　斯坦福大学把闲置土地租给惠普、柯达等公司,硅谷的前身斯坦福工业园开始建立[18]。

1957　"八叛徒"在硅谷创立仙童半导体公司，硅谷从此得名，半导体产业在硅谷兴起。

1969　硅谷的 SRI 研究中心成为早期互联网雏形的四个节点之一。

1972　风险投资公司 KPCB 在沙丘路成立，风险投资公司从此在硅谷快速发展。

1995　互联网泡沫在硅谷兴起。

2001　互联网泡沫破碎，成千上万的硅谷公司破产，硅谷进入发展低潮。

2004　随着 Google 的上市，硅谷再度繁荣。

2008　硅谷在世界金融危机中几乎未受到影响，Facebook 和 Twitter 等公司进一步带动硅谷往互联网和软件转型。

2012　著名的互联网 2.0 公司 Facebook 上市。

附录　硅谷著名公司

- Adobe
- AMD
- 安捷伦
- 苹果
- 应用材料
- 博通（Broadcom）
- 思科
- eBay
- Facebook
- 基因泰克
- Google
- 惠普
- 英特尔
- Intuit
- Juniper
- 国家半导体
- NVIDIA
- Napster
- 甲骨文
- Salesforce
- SanDisk
- 赛门铁克
- Twitter
- 雅虎

索 引